D0682985

La sorcière maudite

MICHELE BARDSLEY

BIENVENUE À NEVERMORE – 1

La sorcière maudite

Traduit de l'anglais (États-Unis)
par Tiphaine Scheuer

POUR elle

Vous souhaitez être informé en avant-première
de nos programmes, nos coups de cœur ou encore
de l'actualité de notre site *J'ai lu pour elle* ?

Abonnez-vous à notre *Newsletter* en vous connectant
sur **www.jailu.com**

Retrouvez-nous également sur Facebook pour avoir
des informations exclusives.

Titre original
NEVER AGAIN

Éditeur original
Signet Eclipse, published by New American Library,
a division of Penguin Group (USA) Inc., New York

© Michele Bardsley, 2011

Pour la traduction française
© Éditions J'ai lu, 2014

Origine des magiques
et des terrestres

Autrefois, tous les humains pouvaient pratiquer la magie.

Puis le monde a sombré dans la terreur et est tombé en ruine. La magie est devenue une arme de guerre et de cruauté.

Le cœur de la Déesse en fut brisé.

Ce fut Elle qui rompit le lien entre les humains et la magie. Mais le monde n'est pas devenu meilleur. Les humains nés sans la capacité innée et naturelle à se connecter aux énergies sacrées tombaient plus facilement sous l'influence du Ténébreux.

La Déesse décida de restituer la magie par le biais des lignées de six champions, de cœur et d'esprit purs. Pour maintenir l'équilibre, elle attribua à chacun un élément spécifique à utiliser et à protéger. Pour qu'ils n'oublient pas leurs responsabilités envers la terre et ses créatures. Elle leur demanda de choisir un symbole.

Jaed, gardien du feu, choisit le dragon ; Olin, gardien de l'air, choisit le faucon ; Kry, gardien de l'eau, prit le requin ; Leta, gardien de la terre, demanda le loup ; Drun, gardien de la vie, voulait le soleil ; et Ekro, gardien de la mort, choisit le corbeau.

La Déesse imprégna chaque symbole de l'essence des êtres vivants qui représentaient Son Élu. Ces emblèmes étaient gravés dans la chair des champions pour ne jamais oublier leur dessein – protéger la vie et maintenir l'équilibre.

Seuls leurs descendants pouvaient accéder aux énergies sacrées, et ils prirent le nom de magiques. Ceux qui n'avaient aucune connexion avec les éléments prirent celui de terrestres.

Au fil du temps, la pureté des lignées des Élus fut affaiblie, compromise, transformée. Les pouvoirs se mélangèrent et la lignée de Drun disparut presque complètement. Toutefois, de temps à autre, un magique naissait avec la faculté de contrôler la vie, et ces êtres rares prirent le nom de thaumaturges.

Deux mille ans plus tôt, les Romains avaient créé cinq Maisons : la Maison des Dragons, la Maison des Faucons, la Maison des Loups, la Maison des Requins et la Maison des Corbeaux. Ils avaient également créé le premier Grand Tribunal composé de représentants des diverses Maisons, pour gouverner l'ensemble des magiques. À Rome, le bâtiment originel est toujours en activité aujourd'hui – peu après la révolution américaine, un second Grand Tribunal fut établi à Washington, D.C. Les enfants qui montraient des liens forts avec un élément en particulier étaient affectés à la Maison correspondante et entraînés par des Maîtres des arts magiques. Comme marque de fidélité à la fois envers leur héritage et leur Maison, tous les membres se faisaient tatouer les symboles choisis par leurs ancêtres – une tradition toujours profondément ancrée.

Malgré des gouvernements distincts, la plupart des magiques et des terrestres cohabitent à travers le monde. Certains choisissent de vivre au sein de communautés créées dans le but de servir uniquement leur propre peuple, et d'autres s'affectent à une Maison bien précise pour obtenir leur protection.

Magique ou terrestre, une vérité les lie tous : c'est le cœur de la lutte humaine de rechercher l'équilibre entre le bien et le mal.

Prologue

Dix ans plus tôt...

Gray Calhoun referma la porte derrière lui et s'arrêta dans l'entrée, la peau parcourue de picotements. La maison était plongée dans le silence et la pénombre. D'habitude, il était accueilli par leur gouvernante, qui jouait le rôle de sentinelle de sa femme, pour s'assurer qu'il retire ses chaussures et sa robe de Tribunal. Il était étrange de ne pas entendre les sons habituels de la cuisinière en train de préparer le dîner – les bruits de casseroles qui s'entrechoquent et les flopées de jurons en suédois.

Le silence et la sensation de vide le mettaient mal à l'aise.

— Kerren ? appela-t-il.

— Là-haut ! répondit-elle.

Il laissa échapper un soupir de soulagement. Ce matin, après avoir appris, sous le choc, que les Rackmore saisissaient la chambre du Grand Tribunal, elle l'avait appelé avant même qu'il ait le temps de composer le numéro de chez eux.

— Reste là-bas, Gray. Fais ton boulot. Je vais bien. Je t'ai toi, tu te souviens ?

— Au diable le Grand Tribunal, avait-il dit.

Elle avait ri avant de lui faire promettre de ne pas rentrer plus tôt à la maison. Il avait eu envie de serrer sa femme dans ses bras et de lui dire qu'il se moquait bien qu'elle soit une Rackmore. Il l'aimait – et l'amour entraînait la fidélité. Le cœur serré, il se dirigea vers les marches.

— Ne t'avise pas de monter avec tes chaussures !

Il baissa les yeux sur le pied en équilibre au-dessus de la première marche en bois et gloussa. Le nœud dans son estomac disparut. L'esprit plus léger, il retourna dans l'entrée pour retirer ses chaussures.

Ils étaient mariés depuis bientôt deux ans, après une cour mouvementée qui avait duré six mois. Les parents de Kerren avaient bien mieux accueilli l'annonce de leurs fiançailles que sa propre mère. Leticia Calhoun lui avait jeté au visage toutes les excuses possibles : « Tu es trop jeune. Tu es tout nouveau au Grand Tribunal. Tu es un Dragon. C'est une Corbeau. » Et ainsi de suite. Elle avait pourtant fini par lui donner sa bénédiction.

Malgré les inquiétudes de sa mère, il était heureux en ménage et sa carrière connaissait un essor rapide. Le rôle de médiateur qu'il jouait dans divers conflits internes au sein de la Maison des Dragons menait à une coopération sans précédent et à des résolutions créatives. Le succès de ces négociations lui avait valu de nouvelles amitiés, quelques rares ennemis et, la semaine précédente, la plus grande distinction jamais proposée par toutes les Maisons confondues : celle de Magicien d'Honneur.

Il rangea ses chaussures dans le placard de l'entrée et retira sa robe. Il n'aurait pas dû s'étonner que sa femme ait donné leur journée au personnel. Quand le monde avait fait les frais de ce que certains appelaient le « grand règlement de comptes », l'enfer s'était déchaîné.

La fortune de chaque Rackmore avait disparu.

Tout au long de la journée, des détails étaient ressortis de diverses rumeurs et spéculations, jusqu'à ce qu'un chercheur entreprenant se mette à fouiller dans les archives de la Grande Bibliothèque. Il n'avait trouvé qu'une seule notation, provenant d'un journal de Pickwith Rackmore, le comte de Mersey – un Corbeau bien connu qui avait rapidement monté les échelons de cette Maison au XVIe siècle. L'homme faisait la description, avec une fierté non dissimulée, d'un certain rituel au cours duquel toute sa famille avait invoqué un seigneur démon. Ils avaient passé un marché en échange de la richesse – un scénario complet de « transformation de la paille en or » qui durerait cinq cents ans. La partie la plus écœurante décrivait en détail le sacrifice de la cadette du comte et de son mari.

Personne ne s'était soucié des conséquences sur les générations suivantes, du prix qu'elles auraient à payer. La magie de la mort et l'association avec un démon sont les deux péchés les plus graves qu'un magique puisse commettre. Non contents de s'être rendus coupables de ces deux crimes, le comte de Mersey et sa famille s'étaient du même coup étroitement attachés à la Maison des Corbeaux, et ce pour l'éternité.

Les retombées seraient désastreuses.

Mais Gray décida de garder ses préoccupations pour plus tard. Pour l'instant, il voulait se concentrer sur les besoins de sa merveilleuse femme. Kerren était dotée d'une grande force de volonté et d'un sens pratique à toute épreuve. S'il y avait bien un Rackmore capable de faire face et de se tirer d'affaire, c'était elle.

De plus, elle l'avait, lui – et jamais il ne pourrait l'abandonner.

Gray monta les marches deux par deux. L'étage était plongé dans la pénombre, mais il parvint sans mal à trouver son chemin. Kerren était debout au milieu de leur chambre richement décorée, et la seule lampe de chevet qu'elle avait laissé allumée jetait des ombres sur les murs.

Kerren portait une nuisette argentée et transparente qui soulignait ses courbes et procurait un véritable plaisir pour les yeux. Il connaissait bien ce que cachait cette simple chemise de nuit et il était impatient de la lui retirer. Elle était simplement magnifique. Les boucles de ses longs cheveux blonds enveloppaient ses épaules. Elle tendit une main vers lui en retenant l'autre dans son dos.

— Que caches-tu ? demanda-t-il, amusé.

C'était un jeu auquel ils jouaient souvent. Parfois il s'agissait d'une bombe de crème fouettée ou d'un pot de caramel, et d'autres fois de bibelots qu'elle ramenait de ses virées shopping.

— C'est une surprise, dit-elle d'un air évasif.

— J'ai hâte, murmura-t-il en se penchant pour lui déposer un baiser. Comment va ta famille ?

— Oh, bien, répondit-elle. Ils ont déjà pris leurs dispositions – mais ils te remercient de leur avoir proposé les chambres d'amis.

— Notre maison est assez grande pour dix personnes.

Elle soupira.

— Tu ne vas pas encore reparler de bébés, si ?

— Non, assura Gray, même s'il avait très envie de fonder une famille.

Kerren disait vouloir des enfants mais repoussait toujours le sujet dès qu'il l'abordait. Plutôt que d'ajouter quelque chose, il baissa la tête pour lui donner un baiser digne de ce nom.

— Gray, murmura-t-elle pour se dérober.

Il releva les yeux et haussa les sourcils.

— Hmm ?

— Tu ferais n'importe quoi pour moi, n'est-ce pas ?

— Bien sûr, répondit-il instantanément.

Elle s'écarta de lui mais garda la main sur son avant-bras. Ses yeux brillaient.

— J'avais espéré te garder, dit-elle avec un sourire plein de regret.

Avant qu'il puisse réagir à cette étrange déclaration, elle posa sa main pâle et parfaite contre son torse et murmura :

— Kahl.

Une douleur le transperça, lui noua la gorge, palpita dans ses yeux, faisant gonfler ses veines. Il tenta de crier, mais aucun son ne passait dans sa trachée à l'agonie.

La vision floue, il baissa les yeux sur sa femme.

— Tu as dit que tu ferais n'importe quoi pour moi.

Elle ramena le bras qu'elle tenait toujours dans son dos en effectuant un grand arc de cercle. Dans

15

sa main, un gourdin en obsidienne. La pierre lisse s'abattit violemment sur sa tempe.

Des étoiles explosèrent devant ses yeux.

Puis le monde sombra dans les ténèbres.

Gray reprit connaissance, une odeur de soufre dans les narines et le contact de la pierre froide sous sa peau nue. Ses poignets et ses chevilles étaient attachés au granit. Il sentait la magie noire palpiter dans le métal et envahir la pièce. Il avait mal au côté droit, comme si de l'acide avait coulé de sa tempe jusque dans son épaule.

Il tenta d'invoquer sa magie, en vain. Le métal paralysait ses capacités. De plus, non seulement il ne trouvait aucun organisme vivant auprès duquel puiser de l'énergie, mais les ondes négatives de sa prison étouffaient la moindre parcelle de bien.

La bile monta dans sa gorge.

— Le cœur d'un Dragon, lui parvint la voix de Kerren depuis les ombres, avant qu'elle apparaisse devant lui.

Elle s'approcha, d'une beauté glaciale dans sa nuisette argentée, et les torches s'enflammèrent sur son passage. Il vit alors qu'il se trouvait dans une petite caverne, dont les murs taillés dans la roche étaient un mélange de rouge et de noir. La dalle rectangulaire sur laquelle il était immobilisé était la pièce maîtresse et centrale.

— Tout ce que mon seigneur désirait, c'était moi – et le cœur d'un Dragon.

— Ton seigneur ? répéta-t-il d'une voix éraillée tandis que la trahison de sa femme lui faisait l'effet d'une enclume sur la poitrine. Qu'as-tu fait, Kerren ?

16

— Ce qui était nécessaire, précisa-t-elle en s'arrêtant au bord de l'autel pour parcourir son corps nu du regard. Quel beau gâchis.

Elle fit glisser une main à l'intérieur de sa cuisse puis traça le contour de sa hanche d'un ongle tranchant.

Il siffla de douleur.

Elle sourit et il perçut la lueur de folie qui brillait dans ses yeux chocolat, la démence qu'affichait cette bouche cruelle. Oh, Déesse. Pas Kerren. Pas sa femme.

— C'est un cauchemar, murmura-t-il.

— Pas encore, répondit-elle. Tu sais, c'était adorable de te faire autant de souci pour moi. (Elle tapota la blessure qu'elle lui avait faite sur la hanche.) Les Rackmore n'étaient pas tous aussi intéressés par leur propre histoire – jusqu'à aujourd'hui. Tous nos documents rassemblés ont été jetés dans nos archives personnelles à la Grande Bibliothèque. Des piles et des piles de registres, de journaux et de lettres personnelles moisis. Quand j'avais dix-sept ans, j'ai fait preuve d'une petite indiscrétion qui a provoqué une telle colère chez mon père qu'il a décidé de me punir.

— Mais de quoi tu parles, bon sang ?

Elle posa ses doigts écartés sur les lèvres de Gray.

— Chut. Je raconte une histoire. Je ne suis pas dénuée de compassion, vois-tu. J'ai pensé que tu méritais de savoir pourquoi tu allais mourir.

Gray sentit le sang quitter son visage. Kerren voulait le tuer ? Pourquoi ?

— Plus de questions, gronda-t-elle, et son regard était celui d'une étrangère, aussi froid et dur que de la glace. Si tu m'interromps encore une fois, je te poignarde en plein cœur et tu plongeras dans les ténèbres sans savoir la moindre foutue chose.

Il pinça les lèvres, principalement parce qu'il ne voulait pas se rappeler le bien-être et le plaisir que cette femme perfide lui avait un jour procurés. Elle passa le bout de ses doigts sur sa joue et les posa sur son épaule douloureuse tout en s'appuyant contre la dalle. Il savait qu'il aurait dû réfléchir à un moyen de se libérer ou de la raisonner, mais il était paralysé par le choc. Ses pensées étaient léthargiques et son corps engourdi, sans doute le résultat de la magie toxique qui l'entourait.

— Ma punition fut de classer les archives. J'y ai passé un été entier. Mon idiote de baby-sitter est allée à Paris pendant que je trimais dans cette tombe. Mais j'ai trouvé certains documents très intéressants. Le journal du comte de Mersey par exemple, son grimoire personnel et une petite prophétie qu'il avait écrite avant sa mort. Imagine ma surprise quand j'ai lu l'histoire du marché passé avec le démon et découvert que dans quelques années à peine, je me retrouverais sans le sou.

» Moi ? Pauvre ? Je ne crois pas, non. Je me suis servie du même sortilège d'invocation pour créer mon propre seigneur démon. C'est un très bel homme viril – un vrai démon au lit, ajouta-t-elle en lui adressant un clin d'œil qui lui souleva le cœur. En échange de ma fortune et de mon accumulation de richesses, tout ce qu'il voulait – en plus de moi, naturellement – c'était le cœur d'un Dragon. Ton cœur pour être précise.

— Tu ne m'aimes pas.

Cette certitude lui fit l'effet de milliers de lames de rasoir sur la peau, et la pitié qu'il éprouva pour lui-même fut autant de sel sur ses plaies. Tout ce qu'il avait pensé savoir sur la femme qu'il avait épousée était faux. Il avait été trahi et trompé.

Kerren observa les émotions défiler sur son visage avec un vif intérêt, et Gray prit conscience qu'il offrait à sa sociopathe de femme un sacré spectacle. Il fit d'immenses efforts pour effacer toute expression de son visage, mais elle se contenta de rire.

— Tu ne peux pas te cacher de moi. Ou du destin.

Puis elle révéla un poignard qu'elle appuya sur la poitrine de Gray. Une goutte de sang perla sous la pointe de sa lame.

— Je t'aimais bien. J'ai pris du plaisir avec toi. J'ai baisé avec toi, précisa-t-elle en se penchant plus près jusqu'à ce qu'il sente son souffle sur ses lèvres. Mais non, chéri, je ne t'ai jamais aimé.

— Pitié, supplia-t-il tandis que les larmes coulaient sans qu'il ne puisse savoir pourquoi il l'implorait – la grâce ou la mort –, mais il ne put s'empêcher de répéter. Pitié, Kerren. *Pitié*.

Une lueur de dégoût apparut dans son regard. Elle retroussa les lèvres.

— Je ne me serais jamais attendue à t'entendre minauder. Tu es pathétique. (Puis elle brandit le poignard et hurla :) Pour Kahl !

Son geste fut sûr, vicieux et incroyablement puissant.

La lame à double tranchant pénétra le muscle, l'os, le cœur, le poumon, la chair. Il entendit le bout de la lame heurter la pierre ; puis il parvint à pousser un cri rauque avant que la douleur cesse brusquement.

Dans les ténèbres visqueuses de l'enfer, l'âme de Gray se démena.

Piégé, murmurèrent un millier de voix, *trahi. Tu n'es rien. Personne. Tu n'es pas aimé. Importun. Sans gloire.*

Non ! hurla-t-il. *Je suis Gray Calhoun. Je suis un Dragon. Je survivrai.*

Rejoins-nous, deviens l'un des nôtres. Tu es l'obscurité. Tu seras toujours l'obscurité.

Une vague de douleur déferla en lui. Même s'il n'avait plus de corps, l'agonie était tout aussi réelle. Il endura chaque éclair de souffrance, chaque déchirure de terreur.

Je ne m'inclinerai pas devant toi ! hurla-t-il. *Tu ne me briseras pas !*

Puis le monstre apparut. Son horrible sourire révélait une série de dents irrégulières et ensanglantées. Gray ne distinguait aucune silhouette rattachée à ce visage terrifiant – rien que des yeux noirs et sans âme, une peau tannée, et cet épouvantable sourire.

Le cœur, exigea-t-il, *donne-moi le cœur.*

Je ne te donnerai rien du tout. Jamais. Gray lutta à travers la vase, exerçant sa volonté. *J'appartiens à la Déesse. Je prie le sang de mes ancêtres, la droiture de tous les bons Dragons de me venir en aide.*

— *Tu es l'obscurité*, crièrent les voix, *tu es l'un d'entre nous.*

Une lueur explosa à travers les ténèbres et les voix hurlèrent leur frustration.

Une énorme griffe perça l'éclat doré pour s'emparer de Gray. Il réintégra son corps. Le poignard n'était plus là, la plaie refermée, les chaînes brisées. Puis il fut soulevé de l'autel et poussé,

poussé à travers les flammes, la roche, à travers la terre, jusqu'à finalement reposer sur l'herbe douce et fraîche.

Gray prit une inspiration tremblante et ouvrit les yeux. Au-dessus de lui, des arbres brandissaient leurs branches feuillues comme pour aller chatouiller la pleine lune. Un regard autour de lui lui confirma qu'il se trouvait dans une sorte de clairière boisée – qui pouvait se situer en Californie, en France, ou n'importe où entre les deux. Tout ce qu'il savait, c'est qu'il était libre.

Dans son propre corps, il ressentit une ondulation d'écailles, le cœur et les contours d'un corps étranger.

Il avait échappé à l'enfer.

Mais il n'en était pas ressorti seul.

1

De nos jours…

— Épouse-moi.

L'homme qui se tenait dans l'encadrement de la porte en face de Lucinda Rackmore ne cilla pas. Son expression ne changea pas non plus. Son regard bleu demeurait entre la tristesse et le cynisme.

Gray Calhoun n'avait pas l'apparence d'un magicien. Il avait les cheveux trop longs ; les pointes hirsutes effleuraient ses épaules et les mèches encadraient négligemment son visage. Il aurait pu être très beau si son nez n'avait pas poussé comme une bosse au milieu et si les plats de son visage n'étaient pas aussi aigus que des lames de rasoir. Une cicatrice ancienne s'étirait de sa tempe jusque dans son cou, plongeant sous le col de son tee-shirt. Les fines lignes blanches formaient des motifs complexes. Elle savait qu'il n'avait pas traité sa défiguration par la magie parce qu'il était homme à aimer les rappels et la mémoire.

Son tee-shirt noir moulant et son jean délavé mettaient en valeur sa silhouette musclée. Les

23

pieds nus, il avait les ongles propres et coupés court. Contrairement à la majorité des siens, il n'affichait pas de symboles criants de sa puissance. Mais elle savait néanmoins que quelque part sous son tee-shirt se cachait le tatouage de la Maison des Dragons, et la marque qui indiquait son statut d'exception.

— S'il te plaît, dit-elle. *Gray.*

Elle ne put retenir une nuance d'accusation qui transparut dans sa question. Un muscle tressauta dans la joue de l'homme qui lui faisait face et une lueur de peine passa dans ses yeux. Il avait perçu le blâme, déguisé en supplication.

— Bonne journée, laissa-t-il tomber comme une sentence.

Il redressa sa silhouette de plus d'un mètre quatre-vingts. Il tourna les talons, comme tant d'autres avant lui, et elle sut qu'il allait lui refermer la porte au nez. Elle avait beau ne pas mériter la moindre considération de sa part, elle ne se voyait pas supporter un nouveau rejet. *Si je pouvais seulement me reposer... rien qu'un instant.* Elle ne parvenait pas à se rappeler la dernière fois qu'elle avait inspiré une pleine bouffée d'air ou l'effet d'un seul battement de cœur libéré de l'entrave de la peur. Ses pieds souffraient d'une marche sans fin. Chaque jour, à chaque instant, elle regardait par-dessus son épaule en s'attendant à l'inévitable – parce qu'on la retrouverait et qu'on la traînerait de nouveau à New York.

Bernard Franco n'était pas le genre d'homme à pardonner.

Gray hésita, agrippé au montant de la porte, et la regarda froidement.

— Tu as épousé ma sœur, murmura-t-elle.

Sa voix était teintée de désolation.

— J'ai épousé ta sœur parce que je l'aimais.

Son nasillement était plus prononcé. Il l'avait un jour qualifié de « modulation de cow-boy », à la manière des Texans qui semblaient mâcher leurs mots avant de les laisser sortir de leur bouche. Gray était né et avait grandi dans l'est du Texas. Il s'y connaissait en matière de déshonneur, lui aussi, même s'il en avait été la victime. Elle ne pouvait pas clamer son innocence. Elle n'avait eu nulle part d'autre où aller, voilà la raison de sa présence ici. Ses blessures à vif, elle avait été suffisamment désespérée pour implorer l'aide de Gray.

— Laisse-moi t'expliquer. Je t'en prie.

Il regarda par-dessus son épaule, vers la rue déserte devant sa maison. Le jardin était mal entretenu et jonché de mauvaises herbes, le trottoir qui menait à l'entrée fissuré et inégal. Le porche lui-même n'était pas accueillant. Il n'abritait aucun meuble, les planches étaient grises et délavées par la pluie.

— Même un magicien débutant serait capable de détecter la malédiction sur toi, déclara-t-il. Tu es un poison, Lucinda.

— C'est un... un malentendu.

Elle avait murmuré ce mensonge, comme si elle craignait de l'exprimer à voix haute. L'acte qui lui avait valu cette malédiction n'avait absolument rien d'un malentendu.

— Qu'as-tu fait pour t'attirer le courroux de ton amant ?

Ainsi, il était donc au courant pour Bernard, et le formalisme de son ton indiquait ce qu'il pensait

25

de son ex. Ou peut-être qu'il essayait de maintenir une distance entre eux – quoique le gouffre n'aurait pas pu être plus grand. La minuscule étincelle d'espoir qu'elle avait entretenue tout ce temps jusqu'à sa porte d'entrée s'épuisa et mourut.

Gray ne l'aiderait pas.

Elle tendit la main pour lui toucher le bras, mais il recula.

— Je… je te paierai.

C'était la chose à ne pas dire. Alors même qu'elle réalisait jusqu'où son propre désespoir l'avait menée, elle ne pouvait ravaler ses paroles, ni leur intention.

Gray fronça vivement les sourcils et la colère étincela dans ses yeux.

— Tu as vraiment mieux à faire que de me mentir. Tu n'as plus d'argent désormais, et tu n'en auras plus jamais, tonna-t-il en secouant la tête. Me faire baiser par une sorcière Rackmore m'a amplement suffi. Va chercher une protection ailleurs.

Elle sentit la colère vaincre sa lassitude.

— Je ne me souvenais pas que tu étais un tel enfoiré.

— Il y a dix ans, répondit-il, je ne l'étais pas. (Il lui adressa un dernier regard brûlant.) Tu peux remercier ta sœur.

— Je ne suis pas ma sœur.

L'espace d'une douloureuse seconde, elle vit une lueur de pitié s'insinuer dans la fureur de son regard. Puis il dit :

— Tu es toujours une Rackmore. Va-t'en, Lucy… Va au diable.

Elle ne pouvait pas l'attendrir. Non mais pour qui se prenait-elle ? Le cœur de Gray s'était brisé

26

des années plus tôt et *ça*, c'était sa faute à lui. Lucinda le défia du regard jusqu'à ce qu'il referme la porte. Le claquement faisait écho à l'indifférence de Gray. Elle sentit sa gorge se nouer et ses yeux se mettre à brûler, mais… *et puis merde*. Le temps semblait compatir à sa peine et les nuages sombres et menaçants qui s'accumulaient dans le ciel se mirent à verser leurs larmes.

Elle ramassa le sac de sport contenant toutes ses possessions terrestres et se traîna jusqu'au bord du porche. La maison de Gray était une vieille demeure de style victorien, dont les murs étaient aujourd'hui d'un rose délavé. Elle semblait aussi sinistre et négligée que son propriétaire.

Gray était son dernier espoir. Un pari risqué qui n'avait pas porté ses fruits. Tous ses amis et connaissances lui avaient tourné le dos dès l'instant où Bernard avait émis sa décision. Personne ne voulait lui venir en aide et elle ne pouvait pas le leur reprocher. Bernard était un homme difficile. Et par « difficile », elle voulait dire que c'était un crétin sans cœur.

Voilà ce qu'elle récoltait pour avoir été la maîtresse d'un magicien de la Maison des Corbeaux. *Non, c'est ce que tu as récolté pour t'être immiscée dans son univers de plaisirs malsains.*

Parfois, dans ses moments les plus sombres, elle songeait qu'il aurait été plus simple d'être morte.

Aucun être né avec la capacité à exercer la magie ne pouvait se voir dépouiller de ses pouvoirs. Mais les pouvoirs pouvaient être entravés, les pouvoirs pouvaient être pervertis. La malédiction de Bernard avait eu de tels effets sur sa magie ! Il n'avait pas touché à son aquamanie, mais ce pouvoir particulier ne représentait pas de véritable menace pour lui.

Seul le magicien qui jetait le sort, ou le tribunal de sa Maison, pouvait le retirer. Il lui était impossible d'approcher la Maison des Corbeaux pour obtenir leur pardon. Ils avaient plus de raisons qu'elle ne pouvait en compter de haïr les Rackmore – et ce n'était pas le fait d'avoir couché avec un de leurs politicards qui allait attendrir leurs cœurs noirs. L'ironie, c'était qu'auparavant, les Rackmore eux-mêmes gouvernaient la Maison des Corbeaux.

Bernard s'était donné du mal pour s'assurer qu'aucun magicien d'aucune Maison ne la regarderait plus ni ne partagerait le même trottoir avec elle. Pire encore, dès qu'on l'apercevait quelque part, sa position était aussitôt signalée à Bernard.

Il avait bien failli la rattraper par deux fois. C'est à ce moment qu'elle avait décidé de disparaître totalement de la circulation. Elle n'utilisait pas sa véritable identité, évitait les motels et les voitures de location, elle ne faisait pas d'auto-stop sur les grands axes et ne se servait de sa magie qu'en cas d'absolue nécessité. Trois mois aujourd'hui qu'elle s'était enfuie, mais il n'était pas le genre d'homme à faire une croix sur ses possessions. Jamais.

Elle l'avait mis dans l'embarras. Lui avait fait du mal. Puis elle l'avait volé.

Gray avait raison : elle était un poison et le resterait jusqu'à ce que Bernard soit forcé de retirer son sortilège, mais au-delà de ça, elle voulait être libérée de lui. Jamais elle ne retournerait à l'appartement, auprès de lui. Jamais.

Épouser Gray n'annulerait en rien la malédiction, mais sa sécurité serait assurée. Bernard lui-même ne prendrait pas le risque de s'attirer le courroux d'un Magicien d'Honneur – le rang le plus élevé accordé à une personne douée de pouvoirs magiques – surtout s'il appartient à la Maison des Dragons. Gray avait beau être inactif depuis plusieurs années, il était toujours très respecté. Même s'il avait abandonné sa place au sein de la Maison, le talent, le pouvoir et les compétences qui lui avaient à l'origine valu sa position honorifique étaient toujours en sa possession.

De plus, il y a certaines choses auxquelles il est impossible de renoncer.

Lucinda rentra le menton et rabattit la capuche de son manteau vert sur sa tête ; elle dévala les marches branlantes et pataugea dans les flaques qui parsemaient le trottoir craquelé. En cette première semaine de mars, l'hiver maintenait toujours son emprise sur le Texas. Les gouttes de pluie froide éclaboussaient son visage et s'infiltraient dans ses chaussures. Elle s'éloigna de la maison victorienne en traînant les pieds et se dirigea vers la rue qui la mènerait en centre-ville. Il lui restait de quoi s'acheter un repas frugal. Peut-être que se reposer et manger un morceau l'aideraient à s'éclaircir les idées, suffisamment pour décider de la suite des événements.

Elle sentit l'angoisse monter. Bon sang, elle avait de vrais ennuis. Quand on tenait à la vie, on ne se mettait pas Bernard Franco à dos. Au début, Lucinda avait réellement pensé qu'il se souciait d'elle. Pendant un temps, il avait entretenu son rêve de couple. Elle n'avait pas eu conscience d'être une maîtresse parmi tant d'autres – son petit harem des horreurs. Lucinda avait compris trop tard qu'il était incapable d'aimer, et encore moins d'éprouver de la pitié.

Comment ai-je pu être aussi aveugle ?

Même à la fin, quand elle avait découvert ce qu'il lui avait fait, elle n'avait pu en vouloir qu'à elle-même. Si elle se retrouvait aujourd'hui à Nevermore, à supplier Gray Calhoun sur le pas de sa porte, c'était uniquement à cause de ses propres choix.

Tout avait un prix. Et aujourd'hui, elle payait son dû.

Ne méritait-elle pas ce qui lui arrivait ?

Le Mexique était désormais la dernière solution possible. Bernard ne la suivrait probablement pas jusque là-bas car le pays était truffé d'ennemis. Elle resterait près du littoral et se servirait de son aquamanie pour gagner sa vie. Peu de membres de la Maison des Requins vivaient reclus, préférant vivre dans des villes de bord de mer, sur des îles ou des bateaux. Mais son don de l'eau n'était pas suffisamment fort pour qu'elle se permette de chercher refuge auprès de la Maison – et les Requins avaient tendance à être des personnes froides, au sens pratique, sans parler de leurs instincts de prédateur. Ceux qui possédaient son niveau de compétence se retrouvaient à travailler soit dans le secteur du divertissement, soit comme simples plongeurs.

À ce stade, elle était tellement fauchée qu'elle serait plus que ravie de pouvoir laver de la vaisselle pour quelques billets. Il valait mieux troquer les choses dont elle avait besoin que d'essayer de gagner l'argent nécessaire pour se les procurer. Au Mexique, elle pourrait échanger ses compétences contre le gîte et le couvert. La magie n'y était pas aussi réglementée et il lui serait également plus facile de s'y cacher.

Plus loin, Lucinda distingua les imposants bâtiments en briques qui longeaient Main Street. Contrairement à la plupart des petites villes, Nevermore n'avait pas adopté le moindre progrès en matière d'avancées technologiques. Aucun centre commercial ou fast-food comme ceux qui envahissaient les autres endroits. Beaucoup de petites villes tentaient de préserver un semblant de patrimoine, dans un intérêt principalement touristique, tout en essayant d'attirer le plus de monde possible.

Nevermore avait probablement le même visage qu'en 1845.

Elle n'avait croisé ni voiture ni piéton depuis qu'elle avait quitté la maison de Gray. Le coin semblait désolé.

La légère pluie céda le pas à des trombes d'eau glaciale. Lucinda rajusta la bretelle de son sac sur son épaule et accéléra le pas. Le temps d'arriver au Piney Woods Café, situé au croisement de Brujo Boulevard et Main Street, elle était trempée jusqu'aux os. Au-dessus des baies vitrées au verre embrumé se trouvait un panneau peint à la main et écaillé. Quelques pins décharnés formaient les lettres du nom du restaurant, autour duquel jaillissait une pluie d'étincelles dorées. Ces dernières étaient sans aucun doute censées représenter la magie, mais elles donnaient plutôt l'impression que les arbres étaient en flammes. Au-dessous de ce simulacre d'œuvre d'art, une plaque prétendait que l'endroit servait Nevermore depuis plus de cent cinquante ans.

Elle resta debout sous la pluie, tremblante, incapable d'entrer pour se procurer l'abri et la chaleur dont elle avait tant besoin. Elle était lasse d'être jugée et rejetée. Personne, de tous ceux à qui elle s'était adressée, n'avait accepté de l'aider. Solliciter sa sœur avait été absolument hors de question. Kerren avait toujours été une garce, mais la nuit où elle avait sacrifié Gray, elle avait franchi la limite en devenant un demi-démon. Apparemment, elle n'avait pas lu les petits caractères au bas de son contrat de mariage avec Kahl. Trois jours par mois, Kerren reprenait sa forme humaine et retrouvait la terre ferme, généralement pour faire de véritables ravages pour le compte de son mari – et dévaliser un temple du shopping des alentours.

Lucinda ouvrit la porte et la clochette qui tinta au-dessus de sa tête la fit légèrement sursauter. Était-ce trop demander de pouvoir entrer dans une pièce sans attirer immédiatement l'attention de chacune des personnes présentes ? Non pas qu'elle aurait pu cacher le fait d'être trempée, d'être une sorcière, ou d'être une étrangère, mais...

Elle se souvenait de Gray qui parlait souvent de la douceur de vivre dans une petite ville, en ajoutant toutefois que tout le monde ou presque était au courant de vos histoires – parfois avant vous-même.

Ce qui n'était pas forcément pour lui plaire.

À cette époque, Gray avait toujours une étincelle dans le regard et un mot gentil pour tout le monde. Elle avait été trop absorbée par son propre drame adolescent pour lui prêter la moindre attention. Il

32

avait été le petit ami de sa grande sœur, par conséquent quelqu'un à rejeter. Leur mariage avait eu lieu dans une petite salle, uniquement en présence de la famille et des amis proches : une bataille gagnée par Gray, face à sa sœur qui aurait préféré un événement glamour célébré en grande pompe. Elle ne gardait que peu de souvenirs des noces – seulement qu'ils avaient interrompu ses propres projets autrement plus importants du samedi après-midi.

Elle frissonna en repensant à la fille qu'elle avait été. La femme qu'elle était devenue ne valait guère mieux.

Peut-être méritait-elle, elle plus que tous les autres, la malédiction des Rackmore.

Maintenant qu'elle se trouvait à l'intérieur de l'établissement, Lucinda ne savait plus trop quoi faire. Le silence qui régnait lui mettait les nerfs à vif. La pluie dégoulinait de ses vêtements sur le linoléum craquelé et elle baissa les yeux. Elle sentit tout son courage la quitter, mais parvint à jeter un œil par-dessous le rebord sa capuche.

Tout le monde la dévisageait.

— Désolée. Nous sommes fermés, déclara une femme rondelette derrière le comptoir, un magazine dans une main, une cigarette dans l'autre.

Elle portait une tenue de jogging rose et une paire de tennis usées. Ses cheveux formaient une masse de boucles grises, ses yeux étaient d'un bleu glacial et la ligne pincée de sa bouche fine exprimait tout son dégoût envers la nouvelle arrivée.

Le regard de Lucinda dériva vers la salle remplie de clients avant de se poser de nouveau sur la femme.

— J'attendrai qu'une table se libère, dit-elle.

— Pas la peine, répliqua la femme. On ne sert plus.

Lucinda sentait l'odeur typique des petits plats maison – le poulet frit et croustillant, le pain de viande à la sauce tomate et même la sauce au poivre qui nappait la purée de pommes de terre. Elle percevait sans aucun doute possible les cliquetis des ustensiles et des cuisiniers qui préparaient toute cette merveilleuse nourriture. Elle se mit à saliver et son estomac gronda.

— Partez, maintenant, dit la femme en désignant la porte d'un coup de menton. Allez.

— Je ne comprends pas, s'entêta Lucinda.

Mais elle comprenait parfaitement. Ils savaient qu'elle était une Rackmore et ne voulaient rien avoir à faire avec elle. Les nouvelles circulent vraiment vite dans les petites villes.

— C'est une propriété privée. Je me réserve le droit de refuser de servir quelqu'un, insista la femme dont le regard étincelait de dégoût. On n'a rien pour vous, ici, continua-t-elle avec un sourire sinistre. Vous devriez peut-être aller voir chez Ember. Je parie que cette cinglée va vous accueillir à bras ouverts.

— Maman ! s'exclama une jeune femme en s'approchant, un sourire aux lèvres.

La femme grossière leva les yeux au ciel et tira une bouffée de sa cigarette. La jeune femme était très maigre – l'opposé total de la silhouette et des manières de sa mère. Elle portait une tenue de serveuse jaune, couverte d'un tablier à volants blancs. Un carnet de commandes et des stylos sortaient de ses poches avant. Ses cheveux bruns étaient relevés en queue-de-cheval et ses yeux bleus exprimaient beaucoup plus de douceur. Elle jeta un regard d'excuse à Lucinda.

— Bienvenue à Nevermore, dit-elle. (Puis elle sembla se crisper, ne voulant manifestement pas paraître trop accueillante.) Vous séjournez en ville ?

— Non, répondit Lucinda.

La jeune femme hocha la tête en se mordillant la lèvre inférieure. Son regard dériva vers sa mère avant de revenir sur Lucinda.

— Je suis vraiment désolée. Vraiment.

— Ne t'excuse pas, gronda sa mère. Elle n'a aucune raison d'être là.

— Le salon de thé d'Ember est juste de l'autre côté de la rue, déclara la fille. C'est un terrain neutre.

Elle avait un regard pressant et Lucinda y répondit, même si elle ne comprit pas pourquoi cette fille se montrait aussi préoccupée par son bien-être.

— Merci, dit-elle.

— Dépêchez-vous d'aller là-bas, pépia la serveuse en faisant un geste apaisant des mains. (Elle jeta un regard en biais vers le fond du restaurant, avant de revenir sur Lucinda.) Prenez le thé à la camomille d'Ember. Il est vraiment délassant.

Son sourire était plus fragile qu'éclatant, et si Lucinda n'était pas en train de se noyer dans son bourbier émotionnel, elle se serait demandé quels ennuis tourmentaient cette fille. Il était évident qu'elle n'était pas heureuse. Mais devoir se coltiner cette mère chaque jour devait sans aucun doute saper le moral de n'importe qui.

— Bonne journée, dit-elle à la serveuse, faisant écho au congédiement de Gray un peu plus tôt.

Elle rabattit sa capuche, hissa son sac sur une épaule et ressortit sous la pluie battante.

Malgré cette dernière, elle avait l'impression d'avoir un énorme poids en moins sur les épaules. Le Piney Woods Café avait été oppressant, l'atmosphère alourdie par les émotions négatives de sa propriétaire. Même si c'était pire à l'intérieur du café, le déséquilibre d'énergie affectait la ville entière. Elle avait senti le décalage dès son arrivée. C'était un peu comme si Nevermore glissait dans un sens et dans l'autre au rythme d'un tape-cul. Mais c'était tout de même un endroit charmant. Malgré la fluctuation magique, elle percevait un sentiment de paix sous-jacente – masquée, certes, mais bien présente. Elle semblait attendre, à l'affût. Attendre quoi, Lucinda n'en avait aucune idée. Elle reprit péniblement sa marche. Elle avait fait la majeure partie du trajet jusqu'ici en auto-stop, mais avec ce ciel qui braillait comme un nouveau-né en pleine crise de colère, elle n'avait aucune chance de trouver une voiture jusqu'à Dallas, et encore moins jusqu'à la frontière mexicaine.

Son corps tremblait de froid, de faim et d'épuisement. Elle agrippa la bretelle de son sac. *Allez, Luce. Tu vas t'en sortir*. Elle poussa un profond soupir, s'arrêta au coin de la rue et observa la route. Deux lignes de briques noires s'étendaient dans la direction opposée des lignes rouges qui délimitaient le passage clouté. Il n'y avait pas de feu rouge ni de panneau de stop. Elle se demanda comment se régulait la circulation. Mais quels problèmes de circulation pouvait-il bien y avoir dans une ville qui comptait 503 habitants ?

Avec appréhension, Lucinda jeta un regard autour d'elle. La peau de sa nuque la picotait et elle avait la nette impression d'être observée. Certains clients du café avaient probablement le nez collé à la vitre en attendant de voir la foudre s'abattre sur elle.

Il n'y avait personne dans la rue et même si plusieurs voitures étaient garées le long du trottoir, aucune n'était en mouvement. Nevermore était vraiment un endroit calme. Que lui avait dit Gray, un jour ? Oh, oui. Qu'à l'heure où s'allument les réverbères, le soir, il n'y a plus personne dans les rues et plus rien à faire à Nevermore. Après avoir connu une vie exaltante en Europe et à New York, elle n'aurait jamais pensé envisager de vivre un jour dans une si petite ville. Aucun restaurant gastronomique, ni cinéma ni théâtre, ni aucun Neiman Marcus[1] en vue... Quelques mois plus tôt, elle aurait été épouvantée. Mais aujourd'hui, sans rien d'autre que quelques vêtements et quelques billets encore plus rares en sa possession, et personne pour se soucier d'elle, Nevermore lui faisait plus l'effet d'un sanctuaire. Presque comme si elle y était à sa place.

Ne sois pas stupide, Luce.

Même si Gray le permettait – et ce ne serait pas le cas – elle pouvait s'attendre au même traitement que celui reçu au café. Au Mexique, au moins, personne ne se soucierait de son identité.

---

1. Neiman Marcus est une chaîne de grands magasins de luxe. (*N.d.T.*)

De nombreux parias finissaient là-bas, n'ayant, comme elle, nulle part où aller.

Oh Déesse, elle était fatiguée.

Debout sur le trottoir, elle essayait de prendre une décision ; rejoindre directement l'autoroute, ou aller faire un tour dans ce salon de thé – au moins en attendant que la tempête se calme. Elle observa l'endroit à travers le rideau de pluie, de l'autre côté de l'étroite rue à deux voies. Le bâtiment d'angle en brique à un étage avait un toit plat et une façade peinte en violet. Carré et courtaud, il ressemblait à une part de gâteau d'anniversaire. Les inscriptions dorées sur l'unique fenêtre teintée indiquaient :

CHEZ EMBER, THÉ ET PÂTISSERIES
TOUT LE MONDE EST BIENVENU

— J'espère que c'est vrai, murmura Lucinda.

Une bonne tasse de camomille chaude accompagnée d'un scone au citron serait un véritable paradis. Elle regarda des deux côtés de la rue puis descendit du trottoir pour traverser.

Alors qu'elle était encore au milieu de la chaussée, le rugissement d'un moteur la fit sursauter et elle pivota en direction du bruit. Une Mustang noire avec des flammes rouges et jaunes peintes sur le capot fonçait sur la route.

Et se dirigeait droit sur elle.

Lucinda puisa aussitôt dans ses pouvoirs d'aquamanie et les dirigea vers la pluie. Elle orienta son pouvoir bleu et tourbillonnant vers les gouttes qui s'abattaient entre la voiture et elle.

— Glace ! hurla-t-elle.

Instantanément, les gouttes devinrent aussi tranchantes que des poignards. Elle dirigea les tessons vers les pneus et des centaines de grêlons pointus s'enfoncèrent dans la gomme.

La voiture était à moins de six mètres quand les quatre pneus explosèrent simultanément.

Lucinda laissa retomber ses bras et traversa la rue en courant, le cœur battant, son sac rebondissant dans son dos. Une traînée de magie la suivit dans son sillage car elle ne l'avait pas libérée correctement. Elle glissa sur le trottoir mouillé et dérapa. Elle se rattrapa à l'angle du bâtiment puis se retourna en s'appuyant contre le mur de brique. Elle rappela sa magie à elle, libérant les cordes de pouvoir bleues étincelantes, tout en adressant une brève prière de remerciement aux êtres vivants auprès desquels elle avait emprunté l'énergie.

La voiture s'arrêta au milieu du carrefour dans un crissement de pneus.

L'avant du véhicule pointait vers elle, comme s'il était une boussole et qu'elle était le nord. Les vitres teintées étaient si sombres qu'elle ne distinguait par l'intérieur de l'habitacle ni le nombre d'occupants. Le moteur rugissait avec un bruit menaçant. Le conducteur lui faisait savoir qu'il avait bien eu l'intention de la renverser et qu'il recommencerait à la prochaine occasion.

Pourtant, il n'avait manifestement pas le courage de sortir de sa voiture pour l'affronter directement.

— Va te faire voir, murmura-t-elle.

Elle fit un doigt d'honneur à la Mustang et à celui qui se trouvait à l'intérieur, puis se précipita vers la porte du salon de thé. Elle non plus ne se sentait pas d'humeur courageuse, aujourd'hui.

— Ah. Vous voilà.

Cette curieuse déclaration teintée d'un accent jamaïcain provenait d'une femme à la peau couleur cacao qui se tenait à moins d'un mètre d'elle.

Lucinda se demanda prudemment si la femme avait été témoin de ce qui venait de se passer à l'extérieur, puis si elle devait s'expliquer – ou même seulement signaler l'incident. Après quelques secondes de réflexion, elle décida qu'il serait préférable de faire comme s'il ne s'était rien passé.

La femme lui adressait un large sourire, dévoilant une rangée de dents étincelantes. Elle portait une paire de lunettes aux verres violets. En réalité, l'un des deux était violet et l'autre totalement noir. Elle faisait au moins un mètre quatre-vingts et portait une robe, violette elle aussi, qui moulait sa silhouette ronde, ainsi qu'une paire de bottes noires à talons ornées de roses pourpres cousues sur les orteils. Ses longs cheveux étaient une masse de minuscules tresses de diverses nuances de pourpre, et d'autres d'un noir de jais.

— Ça sent le code couleur… dit Lucinda en dévisageant la femme, avant de faire une grimace. Excusez-moi. C'était grossier.

— Ah bon ? fit la femme. C'est ma couleur, le violet. C'est ma magie, ma couleur fétiche, mon *gri-gri*, vous voyez ? J'ai pas honte d'être qui je suis.

— Je vous envie.

— Eh bien, reprit-elle en jaugeant Lucinda. Faut d'abord savoir qui on est avant de pouvoir s'accepter. (Elle hocha la tête.) Je m'appelle Ember. Entrez, reposez-vous.

Cette invitation simple mais sincère la prit de court.

— M-merci.

— Oh, je vois qu'on a besoin d'un peu de réconfort, ajouta Ember en prenant le sac de sport des mains de Lucinda. Viens, petite. Je vais m'occuper de toi.

— Je...

Lucinda se figea. Sa sauveuse tourna les talons et se dirigea vers le fond, ne lui laissant pas d'autre choix que de la suivre. Pourtant, elle hésita. Le salon de thé était faiblement éclairé et envahi d'étoffes aux motifs tourbillonnants, mais qui procuraient une sensation de confort... non, plutôt de tranquillité. Un long comptoir bordé de tabourets en cuir noir s'élevait non loin de la petite entrée dans laquelle elle se tenait. Il ressemblait à un bar, mais les bouteilles et flacons exposés au mur sur les étagères en verre n'avaient rien à voir avec de l'alcool. L'endroit sentait la terre, ce qui sans aucun doute était dû aux nombreux bâtons d'encens qui brûlaient à intervalles réguliers.

Puis elle remarqua qu'elle était soumise à l'examen minutieux d'une personne assise au bar. C'était un homme de grande taille sans le moindre gramme de graisse. Il la dévisageait par-dessous le rebord d'un chapeau de cow-boy usé. Il portait un uniforme brun aux contours noirs, une étoile à cinq branches épinglée sur le côté supérieur droit de sa poitrine. Une grosse ceinture noire garnie des outils typiques d'un homme de loi ceignait ses hanches : un pistolet, une paire de menottes, une matraque et une petite bourse, sans doute remplie de gemmes de justice ou autres objets magiques autorisés.

Elle déglutit pour faire passer le nœud dans sa gorge.

— Nouvelle en ville ? s'enquit-il d'une voix éraillée. Vous êtes passée vous faire enregistrer au centre des visiteurs ?

Le « centre des visiteurs » était l'autre formule pour désigner le « point de contrôle magique ». Les grandes villes possédaient généralement des ambassades de chaque Maison. Cependant, beaucoup de petites villes comme Nevermore s'alliaient à une Maison en particulier, afin d'obtenir les financements et protections associés. Toute ville placée sous la tutelle de magiques devait obéir aux lois promulguées par le Gardien désigné.

Nevermore était une ville Dragon et les Calhoun en étaient les Gardiens depuis toujours. Gray se fichait de ce qui pouvait lui arriver, et Lucinda doutait sérieusement qu'il intervienne si jamais le shérif décidait qu'il fallait la mettre en quarantaine.

— Je ne reste pas, je ne fais que passer, répondit-elle en haussant les épaules. En réalité, je viens rendre visite à un vieil ami. Gray Calhoun.

Dans les yeux de l'homme, d'un vert vif, plus clairs que les siens, brillait une lueur de suspicion. Il fronça les sourcils.

— Vous connaissez Gray ?

Elle avait pensé qu'en jetant le nom de Gray, elle échapperait au regard insistant du shérif, mais elle s'était trompée. Elle n'avait fait qu'aiguiser son attention.

Elle avait l'impression d'avoir la langue collée au palais. Bien. Comme si elle allait admettre qu'elle était venue au Texas pour supplier son ex-beau-frère de la protéger – *vous savez, l'homme que ma sœur a tout sauf tué il y a une dizaine d'années*. Et ce qui était foutrement sûr également, c'est qu'elle n'avait pas l'intention d'avouer qu'elle était une Rackmore. Il semblait que tous ceux qu'elle avait croisés depuis le grand règlement de comptes devaient quelques-unes de leurs souffrances à un Rackmore.

— La ferme, Mooreland. Tu effraies la môme, intervint Ember en réapparaissant.

Elle ne portait plus le sac. Lucinda avait envie de lui faire confiance, mais elle sentit son estomac se nouer à l'idée de ne plus avoir ses dernières possessions terrestres. Elle n'avait pas grand-chose et ne voulait pas perdre le peu qu'il lui restait.

Mooreland semblait impénitent.

— C'est juste que je ne veux aucun problème.

— Alors arrête d'en créer, rétorqua Ember. Cet endroit est un terrain neutre. Tu n'as aucun pouvoir, ici. Bois ton thé et réfléchis à la manière d'améliorer les compétences de tes citoyens.

Mooreland baissa brièvement les yeux sur la tasse fumante posée devant lui. Il jeta un regard à Lucinda comme pour dire « Je t'ai à l'œil, chérie », avant de l'ignorer. Elle était surprise qu'il n'ait pas répondu à la provocation d'Ember. Mais cette dernière pouvait le mettre dehors sans conséquence ; seul le titulaire de l'acte déterminait ce qui se passait en terrain neutre.

— Allez.

Ember prit Lucinda par la main et l'entraîna au milieu d'une rangée de petites tables, de l'autre côté d'une petite scène munie de rideaux pourpre et argent, puis l'introduisit dans l'arrière-salle pour la mettre à l'abri des regards indiscrets.

— Retire ce manteau. Je vais le mettre au sèche-linge.

— Vous avez un sèche-linge ?

— Mon appartement est au-dessus, répondit-elle. Avec mon mari, Rilton, on a acheté ce bâtiment il y a quelques mois.

— Vous êtes nouvelle ici ? demanda-t-elle. Et les gens sont gentils avec vous ?

— Je suis pas venue dans cette ville pour rencontrer des gens gentils. J'suis venue parce que c'est ma place, ici. On a tous une destinée, ma petite, et la mienne est ici.

L'accent d'Ember s'intensifiait considérablement.

— Est-ce vraiment un terrain neutre ?

Lucinda se glissa avec reconnaissance sur la banquette, juste à côté de son sac. Elle aurait voulu s'y blottir et dormir, mais il était mouillé, bosselé et crasseux, et elle n'était pas suffisamment épuisée pour ne pas le remarquer.

— Tous ceux qui entrent ici sont en sécurité, déclara Ember en pliant le manteau sur son bras. Bon. Je vais t'apporter quelque chose, ce qu'il te faut.

— Attendez.

Lucinda ouvrit une poche de son sac et fouilla à l'intérieur. Ses doigts rencontrèrent un trou qui ne s'y trouvait pas un peu plus tôt. Les quatre dollars et onze centimes qu'il lui restait avaient disparu.

Elle aurait dû s'y être habituée à l'heure qu'il était, mais elle se sentit dévastée par cette perte.

— Je n'ai plus d'argent.

— On dirait que tu n'as plus grand-chose, dit Ember. T'inquiète pas pour ça, va.

— Il n'y a pas de menu ? demanda Lucinda, avant de se demander pourquoi elle avait posé la question.

Ember se mit à rire.

— Pourquoi les gens veulent-ils des menus, ici ? Ils savent pas ce qui est bon pour eux.

— Mais vous, si ?

— Bien sûr, ma petite. (Elle sourit.) Reste assise et détends-toi. Je vais t'apporter ce qu'il te faut.

— Ember. (Lucinda déglutit.) Je n'aurai jamais d'argent. Plus jamais. Je m'appelle Lucinda Rackmore.

Elle attendit l'inévitable expression de dégoût, s'apprêta à entendre Ember lui demander de partir, se prépara au rejet qui finissait toujours par arriver.

— Eh bien bonjour, Lucinda Rackmore. Bienvenue, bienvenue.

Ember lui tapota l'épaule, puis tourna les talons et disparut de l'autre côté de la porte située à quelques mètres de là. Lucinda perçut les sons en provenance de la cuisine et les odeurs de plats qui mijotent.

La bienveillance d'Ember fissura le fragile contrôle de Lucinda. Tous ceux qu'elle connaissait lui avaient tourné le dos, et cette étrangère lui offrait aide et réconfort – même après qu'elle lui avait révélé son identité de sorcière Rackmore.

C'était trop.

Lucinda posa la tête sur la table et se mit à pleurer.

2

— Ce n'est pas une manière de parler à une dame, fils, s'exclama une vieille voix grincheuse depuis la cuisine où l'accent texan vibrait dans la moindre syllabe. J'attends mieux que ça de ma propre famille.

— Ouais, mec, carillonna une autre voix, plus jeune celle-là, toute en nuances californiennes des années 1980. C'était un sale coup. Tu crains.

Gray Calhoun leva les yeux au ciel. Il n'avait pas besoin des conseils de son grand-père, Grit, encore moins des réprimandes de Dutch le Surfeur.

Pendant les cinq dernières minutes, Gray était resté appuyé à la porte d'entrée pour essayer de reprendre son souffle. D'étroites fenêtres encadraient l'épaisse porte en bois, et il avait suivi Lucinda des yeux à travers l'une d'elles. Il l'avait vue s'éloigner du porche et rejoindre la rue en direction du centre-ville sous une pluie battante. Il s'était presque attendu à ce qu'elle fasse demi-tour pour insister. Il était évident qu'elle n'avait plus aucune fierté. Il n'avait jamais vu quiconque, et encore moins Lucinda, la fille autrefois hautaine et pourrie gâtée, souffrir d'un tel désespoir.

Même s'il ne lui devait absolument rien, il se sentait coupable.

Il n'aurait pas dû lui claquer la porte au nez. Il aurait pu au moins lui proposer à manger et lui permettre de se reposer un peu avant de la renvoyer. Bon sang, il aurait même pu la conduire à la gare routière et lui payer un ticket pour Dallas, Houston ou autre.

Il était un bel enfoiré.

La tempe lancinante, il leva la main pour tracer le contour de la cicatrice. Ce n'était pas Lucy qui lui avait fait cette marque, ni causé ses mauvais souvenirs et ses cauchemars. Elle n'avait pas approuvé les actes de sa sœur ni essayé de faire la même chose à quelqu'un d'autre pour sauver sa peau. Non pas qu'il pensait que se prostituer auprès de salauds comme Bernard Franco la rende meilleure. Quoi qu'il en soit, elle s'était détruite elle-même plutôt que quelqu'un qu'elle prétendait aimer. Il ne pouvait pas non plus oublier le fait qu'elle n'était qu'une enfant quand la malédiction des Rackmore avait été initiée. Elle avait dû compter sur sa mère, puis sur l'amant de celle-ci, pour survivre. Elle n'avait jamais eu à prendre soin d'elle-même. Elle savait seulement être prise en charge... alors comment pouvait-elle résister aux charmes visqueux d'un magicien aussi puissant et fortuné que Franco ?

Kerren, de son côté, était adulte – mariée à quelqu'un de puissant, à quelqu'un qui l'aimait. À *lui*, bon sang. Il aurait remué ciel et terre pour l'aider, mais elle n'avait rien demandé. Elle avait déjà mis des plans en action pour sauver tout ce à quoi elle accordait de la valeur – et il n'en avait pas fait partie.

Il s'était fourvoyé sur la véritable nature de sa femme. Tous ces caprices et ces excentricités qu'il trouvait adorables n'étaient que des manifestations de son égoïsme. Oh, elle était passée maîtresse dans l'art de faire la moue. Dans l'art de se servir du sexe pour l'amadouer, ou pour le contrarier. Il avait également été séduit par sa beauté et son corps appétissant, mais c'était aussi une femme d'une vive intelligence, perspicace et avant-gardiste. Il avait cru trouver son âme sœur. Même la nuit où elle l'avait tuée ne lui avait pas causé de douleur aussi vive que le moment où il avait découvert qu'elle ne l'avait jamais aimé. Elle avait jeté son dévolu sur lui et manœuvré pour entrer dans sa vie, dans le seul but d'obtenir le cœur d'un Dragon à donner à son amant démoniaque.

L'amertume prit un goût métallique et infect dans sa bouche. Dix années.

Il aurait dû s'en être remis. Non pas qu'il éprouve encore des sentiments pour Kerren. Elle pouvait aller au diable… ou plutôt, elle pouvait rester où elle était. Ce qu'elle avait provoqué par le rituel avait exigé un prix auquel personne ne s'était attendu. Il faisait toujours des cauchemars, même s'ils devenaient de plus en plus rares.

Bon sang.

Il passa une main sur son visage.

Voir son passé surgir devant lui et le supplier de l'aider était bien la dernière chose à laquelle il s'était attendu. Et il avait eu sa dose de surprises, surtout de la part des Rackmore. Pendant qu'il avait passé des années à essayer de comprendre ce qui lui était arrivé et comment contrôler la créature qui en était ressortie avec lui, quelle qu'elle fut, les magiques avaient géré les retombées des Rackmore : les Maisons révoquèrent les adhésions des Rackmore et refusèrent tout nouveau membre affilié à leur lignée. Des poursuites furent engagées. De nouvelles lois proposées, rejetées, représentées. De nombreux Rackmore quittèrent les Maisons de leur propre initiative, tandis que d'autres s'accrochèrent bec et ongles à leurs positions tout en se battant pour leurs droits.

Des centaines se suicidèrent.

Le père de Lucinda avait fait partie de ces victimes. Sa mère, Wilmette, avait tenu malgré tout et pris un amant fortuné pour assurer la sécurité de sa plus jeune fille. Elle avait publiquement répudié Kerren, allant jusqu'à compléter le rituel magique et les documents terrestres pour retirer la femme des registres des Rackmore.

Il avait fallu deux ans au Grand Tribunal pour délivrer son verdict. Les Rackmore avaient comploté avec des démons et exercé la magie de la mort ; par conséquent, ils étaient destitués de leurs droits et privilèges de toutes les Maisons confondues. Peu importe que certains Rackmore actuels n'aient pas passé le moindre accord et qu'ils souffrent déjà suffisamment – les lois concernant les magiques étaient différentes, et souvent bien plus dures, de celles des terrestres. Les magiques avaient une plus grande responsabilité envers le monde, et payaient donc le prix fort quand ils étaient reconnus coupables d'abus de pouvoir.

Ce fut la Maison des Corbeaux qui connut la plus grande perte, nombre de leurs magiciens et sorciers étant des Rackmore. Ceux qui restaient se sentirent trahis et pleins de rancœur. Après deux mille ans d'existence, une des Maisons les plus puissantes du monde devenait du jour au lendemain l'une des plus petites et des plus faibles. C'était impardonnable. Les Corbeaux devinrent bientôt les plus grands ennemis des Rackmore.

Malgré la déconvenue de l'évasion de Gray, Kerren l'avait laissé en paix. Pourquoi reviendrait-elle l'ennuyer ? Elle avait obtenu le prix du sang dont elle avait besoin pour sauver sa peau. Il avait passé beaucoup de temps à essayer de se remettre de ce qu'elle lui avait fait, pas seulement physiquement, mais au plus profond de lui. Il savait que, de l'avis de tout le monde, la trahison de sa femme et sa tentative de meurtre l'avaient tellement affaibli et lui avaient porté un tel coup qu'il n'était plus en mesure de s'acquitter de ses fonctions au sein de la Maison des Dragons.

C'était en partie la vérité. Mais il y avait autre chose qu'il n'avait jamais avoué. Il n'avait jamais parlé à personne, pas même à sa propre mère, de sa mort et de sa résurrection. Ces secrets étaient son fardeau. Quelle importance ? Il menait la vie qu'il s'était confectionnée, qui le satisfaisait, même si parfois il avait l'impression de vivre dans la clandestinité ou, pire, d'être en cavale.

Lucinda Rackmore.

Pourquoi avait-elle seulement pris la peine de rechercher sa protection ? Et de lui demander, à lui, de l'épouser, *elle* ? Avait-elle perdu la tête ? Il étouffa un rire cassant. Il s'en était bien sorti. Bien sorti. Et maintenant, son passé venait déborder sur son présent et il n'aimait pas ça.

— Arrête ton char ! lança son grand-père, toujours aussi grincheux. J'ai pas le temps de rester assis toute la journée à ta disposition.

— Ouais, mec, si t'as fini d'être cruel avec les nanas, on aurait bien besoin de ton aide.

— D'accord, j'arrive ! s'exclama Gray.

Ce n'était pas comme si Grit ou Dutch avaient quelque part où aller – ils étaient des livres d'âme, leur âme imprimée dans un livre. Il avait hérité de son grand-père, qui s'était lié d'amitié avec Dutch pendant son année requise à la Grande Bibliothèque. Quand l'heure était venue pour Gray de réclamer le vieil homme, Grit n'avait pas voulu se séparer de son ami. Gray était donc coincé avec deux petits malins.

— Ne froissez pas vos pages !

— On a entendu, mec !

Gray leva les yeux au ciel en s'écartant de la porte et se dirigea vers la cuisine. Les images de Lucinda en train de marcher sous la pluie vers le centre-ville de Nevermore envahissaient son esprit. À mi-chemin de la cuisine, il s'arrêta. *Merde.*

Il essaya de se convaincre qu'elle était forte. Elle s'en était sortie jusque-là, et elle pourrait trouver son chemin toute seule. Il n'était pas responsable d'elle. Elle n'était plus une enfant. Mais il avait une imagination fertile, et dans son esprit défilaient tous les scénarios possibles de ce qui pouvait mal tourner pour une sorcière Rackmore à Nevermore.

— Je fais un saut en ville, cria-t-il en faisant volte-face.

Il devait changer de vêtements et mettre des chaussures, sans parler de trouver à la hâte un manteau adapté.

— Mec ! s'exclama Dutch. Ramène-nous des beignets !

— Mais pas ces beignets frits à la confiture de femmelette, ajouta Grit. Ceux avec de la pâte à gâteaux, c'est mieux.

Gray ignora leurs requêtes et monta les escaliers vers sa chambre. Sous leur forme actuelle, ni Grit ni Dutch n'étaient en mesure de manger quoi que ce soit. Mais ils aimaient beaucoup l'odeur de la nourriture, surtout celle des desserts.

Il se déshabilla et enfila un jean délavé et un pull à torsades. Par miracle, il dénicha une paire de chaussettes propres et, après avoir fouillé le sol de sa penderie, il parvint à trouver des bottes de cowboy noires.

Le problème, c'était le manteau.

Il avait égaré son vêtement habituel qui indiquait « Je suis le Gardien Dragon ». Il s'agissait d'une simple cape noire à capuche, avec un dragon doré cousu devant sur le côté gauche. Il ne l'avait pas vu depuis un moment, pas depuis qu'il s'était aventuré en ville... il fronça les sourcils. Il ne s'était pas rendu à Nevermore depuis la célébration du solstice d'hiver. Bon sang. Cela faisait-il aussi longtemps ?

Le problème, avec son mode de vie, c'était qu'il avait tendance à laisser ses affaires éparpillées, là où elles tombaient à vrai dire. Parfois, il passait une semaine entière à ranger cette pagaille, mais l'ordre ne régnait jamais très longtemps. Il n'arrivait pas à se souvenir de la dernière fois qu'il avait fait le ménage en profondeur, ce qui était probablement la raison pour laquelle il était incapable de retrouver quoi que ce soit.

En tant que Gardien de Nevermore, il devait répondre à certaines… heu, attentes des habitants. Nevermore avait toujours été une ville de Dragons, et non seulement sa famille avait participé à sa création avec l'aide de quelques centaines d'humains, mais ils en avaient également été les protecteurs attitrés.

Malheureusement, la lignée des Calhoun s'était réduite pour ne laisser… que lui. Quand il était revenu à Nevermore cinq ans plus tôt, il ne restait que son grand-père, et le vieil homme n'était plus en état d'accomplir ses devoirs minimums, encore moins de réaliser ces sorts de protections actuels. La mère de Gray était partie depuis longtemps poursuivre ses objectifs politiques personnels, et avait formé son fils pour faire la même chose. Elle n'était pas revenue à Nevermore depuis le jour où elle avait aidé son fils à s'installer dans la maison de son père.

À l'époque, quand il avait encore des ambitions politiques, il n'avait eu aucun problème à suivre les traces de sa mère. Comme elle, il voulait faire la différence. Et lui aussi aimait jouer le jeu, toutes ces manœuvres, ces magouilles et ces placements. Il ne gagnait pas toujours, mais il apprenait chaque fois quelque chose de nouveau, quelque chose qu'il pouvait mettre dans son propre petit sac à malices. Il avait été bon dans son domaine et il aimait l'énergie et l'ambition. Difficile de croire qu'à une époque de sa vie, il avait eu l'impression de pouvoir conquérir le monde.

Son père était mort quand lui-même commençait à marcher, et Leticia Calhoun ne s'était jamais remariée malgré les innombrables propositions qu'elle avait reçues. Aussi impliquée politiquement qu'elle était, elle ne se remarierait pas pour consolider une alliance. *Une fois que tu as connu l'amour*, lui avait-elle dit dans un de ses rares moments de mélancolie, *tu ne peux plus te contenter de moins*.

Il avait aimé Kerren, ou du moins pensait l'avoir aimée. Sa mère n'avait jamais été ravie à l'idée qu'il emmène une Rackmore devant le prêtre. Les Dragons et les Corbeaux n'étaient pas franchement bons amis. Quand il regardait en arrière, il se demandait si une infime partie de lui n'avait pas su que Kerren et lui ne partageaient pas le même genre d'amour profond, le genre qui vous lie à la vie à la mort, que celui que ses parents s'étaient voué.

— Sauf que c'est qu'une foutaise de conte de fées, murmura-t-il tout en ouvrant le sac noir suspendu entre ses pulls et ses tee-shirts.

Sa mère désirait l'homme qu'elle ne pourrait jamais avoir, et s'était fait de l'amour une image aussi brillante et lumineuse que des ailes de fée.

Argh ! Si seulement il pouvait mettre la main sur la cape, il n'aurait pas à chercher de tenue de remplacement. Il sortit la robe rouge d'abord et grimaça. Il ne l'avait pas portée depuis son dernier jour sur le sol de la Maison, le matin où il avait donné sa démission officielle au Tribunal. Il la fourra de nouveau dans le sac et attrapa le cintre d'à côté.

Bon sang !

Pourquoi avait-il fallu qu'il garde le costume blanc dans lequel il s'était marié ? Il le jeta par terre, dégoûté. La magie contenue dans les symboles cousus dans le tissu n'avait plus ni signification ni pouvoir. Ce n'était pas comme s'il manquait de rappels de son mariage raté et de son ex-femme perfide.

Son agacement se transforma en colère. Il ne devrait même pas aller en ville. Pour quoi ? Pour sauver Lucy ? On ne pouvait pas exactement dire qu'il avait de bons souvenirs d'elle. Ce n'était pas une mauvaise fille, seulement une égocentrique. Elle ne pouvait pas être contrariée par quoi que ce soit ou quiconque qui n'avait pas de rapport avec elle, et cette attitude était fortement liée aux affres classiques de l'adolescence, et plus encore avec le fait d'avoir des parents fortunés et indulgents. Sans préciser qu'il s'agissait d'une thaumaturge, qui un jour avait été courtisée par toutes les Maisons, même celle des Dragons. Sa propre mère avait mis de côté l'héritage de Corbeau de Lucy pour la courtiser. En grec, « thaumaturge » signifiait « celui qui fait des miracles ». Quelqu'un doté des compétences de Lucy pouvait manipuler la vie elle-même – guérir des blessures graves, réparer des os cassés, éradiquer les maladies. Il avait entendu dire que les thaumaturges les plus qualifiés pouvaient insuffler la vie dans un corps.

Mais son appartenance à la famille Rackmore avait entaché sa réputation, et aussitôt que le Grand Tribunal avait prononcé sa décision, plus aucune Maison n'avait pu l'accepter en tant que membre, même si elles avaient été prêtes à en prendre le risque.

Tout en sortant un troisième manteau mystère, Gray se demanda s'il ne devait pas simplement la laisser tranquille. Elle était sans ressource, mais il ne pouvait rien y faire. Elle n'aurait plus jamais d'argent, grâce aux actes de ses cupides ancêtres. Non. Ce qui le motivait, c'était la lueur de désespoir dans ses yeux verts, ses traits amaigris par la faim et sa frêle silhouette, ses épaules croulant sous un fardeau trop lourd à porter, et l'abattement qui l'enveloppait bien mieux que ce manteau vert et usé.

Et il avait anéanti ses derniers espoirs. Il avait vu la lueur s'éteindre dans ses yeux quand elle avait compris qu'il refusait de l'aider. Combien de personnes avaient-elles déjà claqué leur porte à son joli visage ?

Foutu Bernard Franco. Il avait toujours été un sale type, même avant sa « démission » de son poste au sein de la Maison des Corbeaux. Après le dernier scandale, la rumeur avait circulé que le Tribunal interne de la Maison lui avait posé un ultimatum pour partir de son propre chef. Pire encore, certains disaient qu'il avait été payé pour garder les secrets les plus sombres de la Maison. Lucy s'était retrouvée dans son lit, acceptant ses cadeaux, subissant son humiliation et jouant la maîtresse enamourée.

Ça le rendait malade.

Il serra le cache-poussière en cuir noir qu'il tenait dans ses mains. Une ancienne magie palpitait dans ses coutures ; le cuir murmurait des souvenirs des jours écoulés – et de certaines personnes, également. Il prit conscience qu'il avait appartenu à son grand-père, et à d'autres Calhoun avant ça. Un dragon rouge brillait dans son dos, un puissant symbole de sa Maison et de sa famille. Il ne l'avait jamais essayé, mais le vieux fou lui avait clairement fait comprendre qu'il voulait voir Gray le porter.

Il n'avait jamais enfilé ce manteau parce que... il aurait dû admettre qu'il assumait pleinement son rôle de Gardien. Que cette vie était la sienne et le serait toujours. Même après cinq années passées ici, il n'avait pas la sensation d'être à sa place dans la ville qui l'avait vu grandir et, même s'il accomplissait tout ce que ses fonctions exigeaient, il n'était pas du genre très sociable. Il ne voulait plus être proche de personne, pas même de ses anciens amis.

Et il se fichait bien de ce que ça signifiait.

Gray enfila le cache-poussière et quitta la maison avant de changer d'avis. D'ordinaire, il se serait rendu en ville à pied, mais n'étant pas certain de l'endroit où il pourrait retrouver Lucy, sans parler de la tempête incessante, il décida d'emprunter le vieux pick-up Ford de son grand-père. C'était un vieux tas de ferraille, mais il roulait encore et suffirait bien pour emmener Lucy à la gare routière. Tout ce qu'il avait à faire, c'était lui acheter un billet pour la destination de son choix. Il n'aurait alors plus l'impression d'être un minable et elle pourrait continuer à fuir Franco.

Il ne pensait pas qu'elle s'était arrêtée en ville. C'était une sorcière suffisamment expérimentée pour ressentir les énergies négatives. Quand elle avait posé le pied en ville, il ne s'était probablement pas écoulé dix secondes avant que tout le monde soit au courant de son arrivée et porte un jugement. Ils n'avaient même pas besoin de savoir qu'il y avait une histoire entre Lucy et leur Gardien. Son appartenance à la famille Rackmore suffisait à lui attirer la méfiance de la plupart des gens.

La maison de Gray était perchée sur une vaste colline qui dominait le centre-ville. La rue devant la demeure victorienne se terminait brusquement, mais Main Street passait sur la gauche de sa maison. Il s'y engagea, puis tourna à droite. S'il avait pris sur la gauche, la route aurait fini par devenir du gravier. Elle menait à trois exploitations familiales et s'arrêtait devant l'entrée de la ferme Gomez.

Une fois sur Brujo Boulevard, Gray tourna à droite et, juste après l'école, prit Cedar Road sur la gauche. C'était la seule route qui menait à l'autoroute ; en voiture, c'était le seul moyen d'entrer dans la ville ou d'en sortir.

La tempête avait redoublé d'intensité et les essuie-glaces peinaient sous l'effort. La pluie tombait en trombes glacées et malgré lui, il s'inquiétait pour Lucy qui survivait là-dessous. Il fut de nouveau assailli par un sentiment de culpabilité, mais il parvint à l'écarter. *Ce n'est pas mon putain de problème.*

Mais ça l'était bel et bien.

Gray ralentit et plissa les yeux pour tenter d'apercevoir quelque chose à travers le rideau de pluie. Bon sang. Elle était tombée dans un fossé, avait fait du stop ou s'était abritée quelque part. Il se gara sur le bas-côté. Il ne voulait pas utiliser de sort d'invocation. Il n'avait pas la moindre idée de l'endroit où elle pouvait se trouver et, si elle était

parvenue à quitter la ville, il ne voulait certainement pas l'y attirer de nouveau. Pour utiliser un
sort de localisation, il lui aurait fallu avoir dans les
mains un des effets personnels de la jeune femme.
Un cheveu aurait suffi, mais il n'avait absolument
rien.

Peut-être s'était-elle rendue auprès du shérif. Il
était possible que son vieil ami l'ait collée en quarantaine magique. Le père de Taylor Mooreland
s'était enfui avec une sorcière Rackmore – c'était
du moins ce qu'Edward avait avoué dans le mot
qu'il avait laissé. Il avait été trop lâche pour affronter Sarah, la femme qu'il avait trahie, et l'avait laissée seule à élever leurs sept jeunes enfants. Taylor
était alors le plus âgé et, à quinze ans, il avait pris
la relève en tant qu'« homme de la maison ». Gray
fronça les sourcils. Taylor n'enfermerait probablement pas Lucy dans l'équivalent d'une cellule de
magicien uniquement parce qu'elle partageait sa
lignée avec la femme responsable de l'éclatement
de sa famille.

Malgré tout...

La rue était déserte. Seul un idiot s'aventurerait
dehors par ce temps – et il avait définitivement la
sensation d'en être un. Agacé par son besoin de
voler au secours d'une demoiselle en détresse, il fit
demi-tour et reprit la direction du centre-ville.

Il se gara devant le Piney Woods Café. Si Lucy
avait eu l'audace d'y entrer, l'accueil n'avait pas dû
être des plus chaleureux. Cathleen Munch était
une femme acerbe, et elle illustrait à la perfection
l'expression de la pomme qui ne tombe jamais loin
de l'arbre. Elle et sa mère, Cora, vivaient dans une
caravane délabrée près du lac. Apparemment, le

père de Cathleen s'y était noyé. La perte de son mari avait transformé Cora en méchante femme. Elle avait élevé sa fille de sorte que cette dernière haïsse tout et tout le monde exactement comme elle.

Le café était le seul endroit en ville où l'on pouvait manger un morceau, et même ceux qui n'aimaient pas Cathleen ou le déséquilibre de l'énergie qui régnait sur les lieux s'y arrêtaient – généralement pour commander des plats à emporter. Mais Cathleen se fichait bien de se faire des amis. Ce qu'elle aimait, c'était l'argent.

Une raison de plus pour avoir jeté Lucy dehors, qui était sans le sou.

Il prit quelques profondes inspirations et renforça ses boucliers magiques. Il voulait éviter que ce qu'il pourrait toucher dans le café ne s'accroche à lui. Le bouclier agissait comme du Teflon face aux mauvaises ondes. Et Cathleen en était entourée d'un sacret paquet.

Gray pressa le pas et s'engouffra à l'intérieur. Il s'arrêta dans l'entrée pour se débarrasser des gouttes de pluie et adressa un signe de tête à Cathleen. Comme à son habitude, elle était assise derrière la caisse et fumait une cigarette en lisant un magazine de potins.

— Qu'est-ce que je te sers, le Gardien ? demanda-t-elle.

Elle tempéra le ton railleur de sa voix avec un petit sourire.

Il savait qu'il valait mieux commander quelque chose. Rien ne la rendait plus revêche qu'un client essayant de respirer son oxygène gratuitement. Heureusement, la nourriture était plutôt bonne.

— Une part de tarte à la noix de coco, répondit-il. Vous avez des beignets ?

— Plus tard dans la journée, dit-elle en pinçant les lèvres. Mais je pense qu'il en reste à la confiture.

Gray retint un sourire.

— Je les prends.

Le sourire, c'était en pensant aux conséquences quand il déposerait les beignets à la confiture devant Grit et Dutch, et bon sang, il avait hâte de voir ça ; mais Cathleen se redressa sur son siège et ébouriffa ses cheveux.

Il réprima son sourire et détourna les yeux ; il aperçut Marcy qui disparaissait derrière la porte portant l'inscription TOILETTES. La détresse de cette femme s'infiltra sous ses boucliers.

— Cette fille, déclara Cathleen d'une voix cassante, mérite tout ce qui lui arrive. Tu sais qu'elle a essayé d'aider cette garce de Rackmore ?

Gray résista à l'envie dévorante de jeter une boule de feu au visage de Cathleen. Mais il sourit et se retourna.

— Rackmore ?

— Ouais. Elle est venue tout à l'heure, et elle voulait que je lui donne à manger. J'ai demandé à Marcy de laver l'entrée. Je ne veux pas que des germes de Rackmore infectent mon café, sifflat-elle en reniflant. Tu as l'intention de faire quelque chose ? Elle est allée chez Ember. Elle s'est précipitée tout droit chez cette garce porte-malheur.

Il semblait que toutes les femmes, en dehors d'elle-même, méritaient d'être qualifiées de garces. Il n'avait jamais rencontré Ember et était encore moins entré dans son salon de thé. Il avait demandé au shérif d'accueillir les nouveaux habitants à sa place.

Son estomac se noua. Avait-il vraiment le culot de penser qu'il avait fait son travail ? Son sentiment de culpabilité lui fit l'effet d'une armée de fourmis rouges sur sa peau, qui le piquaient sans relâche. Il n'aimait pas cette sensation. Il n'aimait éprouver *aucune* sensation.

— Qui va me préparer ma tarte et mes beignets, alors ? demanda-t-il.

Cathleen se rendit compte que son seul assistant était sorti et qu'elle allait devoir l'attendre. Ça ne lui plaisait pas, mais Gray ayant le pouvoir sur tous les autres en ville, elle se glissa à contrecœur de son tabouret pour aller préparer sa commande.

Il décida d'aller trouver Marcy. Ça l'ennuyait de la voir bouleversée, et ça l'ennuyait encore plus que sa belle-mère semble penser qu'elle méritait de souffrir. Derrière la porte marquée TOILETTES s'ouvrait un couloir sombre et étroit, aux murs lambrissés recouverts de photos poussiéreuses du café lors de son ouverture en 1845. C'était l'un des premiers établissements fondés par les terrestres, et Gray se souvenait de son propriétaire précédent, le beau-père de Cathleen, Wilber Munch, avec beaucoup de tendresse. Son fils Leland avait été un type bien, mais un peu trop influençable en matière de femmes.

Les portes des toilettes des hommes et des femmes s'ouvraient de chaque côté du couloir. Tout au bout se trouvait une porte en métal noire surmontée d'un gros panneau rouge SORTIE. Il supposait qu'il s'agissait d'une issue de secours, mais sans aucun doute cassée, Cathleen étant trop radine pour réparer et entretenir les lieux.

Il la poussa. Les odeurs de poubelle étaient si fortes qu'il eut un haut-le-cœur. Seigneur tout-puissant ! Il était pourtant certain que la ville avait un service de ramassage des ordures. En jetant un regard autour de lui, à la recherche de Marcy, il remarqua les deux bennes à ordures qui débordaient et encombraient l'étroite ruelle.

Gray s'éloigna au bout de la ruelle. Il repéra facilement Marcy dans sa robe jaune vif. Elle était blottie sous un porche à l'angle du bâtiment pour s'abriter de la pluie, et se tenait le visage dans les mains.

— Marcy ?

Elle releva la tête, surprise, étouffant des sanglots. Il vit son œil au beurre noir. Il était récent, tout comme sa lèvre fendue qui saignait encore. La colère explosa des vestiges de son apathie. Avait-il tellement cessé de se soucier des autres qu'il avait laissé la ville entière descendre aux enfers ?

— Que s'est-il passé ?

— Rien. Je… heu, me suis pris une porte.

— Soit tu me dis ce qui s'est passé, dit-il doucement, soit je jette un sort de vérité à tout le café pour trouver qui t'a fait ça. Je découvrirai les secrets de tout le monde, y compris les tiens.

— Gardien. Pitié, dit-elle en secouant la tête. Je… je ne peux pas.

— Tu peux me faire confiance, Marcy.

Elle le dévisagea, les yeux écarquillés, et ouvrit la bouche. Puis elle frissonna et secoua de nouveau la tête. Gray était stupéfait de constater qu'elle était plus effrayée par son bourreau que par lui. Il comprit que, quelque part en chemin, la ville avait perdu foi en lui. En réalité, il ne parvenait pas à se souvenir de la dernière fois où quelqu'un était venu le voir spontanément pour lui confier un problème ou une préoccupation. Il avait supposé que tout allait bien puisque personne ne venait le déranger.

Mais il semblait que personne ne venait le déranger parce qu'ils avaient compris qu'il s'en fichait. Une impression qu'il avait véhiculée en n'exerçant qu'une magie sommaire et de pure forme, n'apparaissant que les jours de fêtes et effectuant son pèlerinage annuel à la Maison de Dallas pour réaffirmer le dévouement de la ville aux Dragons. Il ne se rendait jamais à Nevermore pour une autre raison, ne se mêlait jamais aux citoyens, n'essayait jamais d'être plus que le Gardien Dragon qui vivait dans sa grande maison au sommet de la colline.

Je ne suis pas qu'un enfoiré. Je suis le plus gros enfoiré de la Terre.

Si Lucy n'avait pas refait surface et titillé sa conscience, il ne serait pas sorti de chez lui, il ne serait pas là. Il ne serait pas au courant des ennuis de Marcy ni que le café tombait en ruine. Il ne savait pas s'il devait remercier la petite sorcière ou être encore plus furax contre elle. Il observa le visage jeune et pâle de Marcy et décida que Lucy méritait sa reconnaissance. Et son aide, songea-t-il.

Mais il n'allait pas l'épouser.

— Dis-moi qui t'a fait du mal, Marcy.

Il ne voulait pas la toucher, ne voulait pas qu'elle craigne que lui aussi puisse la blesser. Il la regarda donc au fond des yeux et soutint son regard. Des larmes se mirent à couler sur ses joues et ses lèvres tremblèrent.

— Qu'est-ce que vous lui ferez si je vous le dis ?

Le tuer. Le mutiler. Lui faire remonter ses couilles dans la gorge.

— Tu connais les règles, Marcy. Le Gardien décide de la peine pour les transgressions commises dans l'enceinte de la ville.

— V... vous allez devoir écouter les deux versions de l'histoire ?

Il hocha la tête. Cela aussi faisait partie de la procédure.

— Je l'aime, murmura-t-elle. (Elle regarda Gray, l'air égaré.) Comment est-il possible d'aimer quelqu'un capable de faire des choses aussi horribles ?

Son cœur se serra – ce même cœur que Kerren avait brisé avec sa trahison, puis transpercé avec son poignard.

— Il nous arrive parfois d'être aveuglés par nos émotions. Mais nous avons toujours le choix.

— Oui, murmura-t-elle. C'est vrai.

— Alors dis-moi son nom et je te protégerai.

— Protégez-vous vous-même !

Elle le repoussa et s'enfuit en courant.

Gray chancela et tomba en arrière dans une pile de cartons détrempés. Il jura en roulant sur le côté pour se relever – juste à temps pour voir Marcy s'arrêter au coin du café, se retourner et crier :

— Sauvez la sorcière aussi. Elle a des ennuis. On en a tous !

Puis elle disparut.

Gray se lança à sa poursuite, mais une fois dans la rue, il ne la vit plus nulle part. La pluie lavait tout et effaçait les éventuelles traces qu'elle aurait pu laisser et dont il aurait pu se servir pour créer un sort de localisation. Mais il pouvait certainement trouver quelque chose qui lui appartenait à l'intérieur du café. Ou il pouvait se rendre directement à la maison qu'elle partageait avec Cathleen et la rattraper là-bas. Il s'appuya à l'angle du bâtiment, le flanc douloureux, et réfléchit à la marche à suivre. Il doutait que Marcy veuille qu'on la retrouve, mais tant pis. Et que signifiaient ces avertissements au sujet de Lucy et des autres qui étaient tous en danger ?

Il détestait se sentir indécis, surtout dans cet environnement, assailli par la pluie froide et l'odeur atroce des ordures du café. Bon, il ne pouvait peut-être pas faire grand-chose pour Marcy ou Lucy à cet instant précis, mais il n'allait pas se gêner pour rappeler aux habitants qui était le Gardien de Nevermore.

Gray entra de nouveau dans le café par l'issue de secours et se rendit aux toilettes pour se sécher. N'importe où ailleurs, il aurait puisé de l'énergie pour créer un sort de séchage ; mais avec toutes les ondes négatives qui régnaient ici, il n'osait même pas essayer. Il pouvait finir englouti dans les flammes – qui se ressemble s'assemble, le mal engendre le mal, c'est bien connu. La magie était une question d'équilibre, et la plupart des sorts puisaient leur énergie dans tous les éléments vivants alentour. Une fois la tâche achevée, les sorciers et magiciens devaient relâcher de nouveau l'énergie et la restituer.

Maintenir l'équilibre était crucial.

Le café n'était plus en phase avec la ville. La ville entière n'était plus en phase avec ses habitants. Et tout ça par sa faute. Réflexion faite, il ne faisait plus lui-même vraiment partie de cet équilibre instable, et ce n'était donc pas surprenant qu'il n'ait pas remarqué que le monde autour de lui tombait en ruine pour se transformer dangereusement. Nevermore était vulnérable, et c'était sa faute. La ville était hors de l'alignement magique, les portails pouvaient s'ouvrir – portails qui permettaient l'accès aux gremlins, créatures agaçantes mais généralement inoffensives, et à ceux qui invitaient des démons, tout aussi agaçants mais nettement plus dangereux. Toutes les espèces de démons étaient liées à l'enfer par la magie, et même s'ils parvenaient à errer sur la terre ferme, que ce soit par le biais de portails ou de sorts d'invocation, ils ne pouvaient jamais rester très longtemps. Malgré tout, il fallait très peu de temps à un démon pour faire des ravages ou, pire, faire affaire avec des terrestres ou des magiques, et mettre le souk dans les énergies sacrées. Honnêtement, il était presque surpris qu'aucun portail ne se soit ouvert au beau milieu du café.

Il avait mis tout le monde en danger, mais il pouvait arranger ça. Rien de grave n'était encore arrivé pour l'instant. L'avertissement de Marcy résonnait encore dans sa tête, mais il aurait su si un portail s'était ouvert ou si des démons traînaient dans les parages. Ce genre de magie ne pouvait pas être dissimulée, surtout pas de lui. Il chassa les doutes qui emplissaient son esprit, qui lui disaient qu'il était rouillé, qu'il était aveugle, qu'il était parti trop loin, qu'il était trop tard.

Il n'est jamais trop tard.

C'était le credo de Grit. Gray s'y était lui aussi accordé, jusqu'à ce que Kerren lui prouve que parfois, si, il était bel et bien trop tard.

Son manteau l'avait bien abrité de la pluie, mais il avait trempé son jean dans sa chute et ses cheveux étaient en pagaille. Il peigna ses mèches mouillées comme il put, mais ne s'attarda pas devant son reflet dans le miroir. Il n'arrivait pas à croiser son propre regard, pas encore prêt à affronter la honte qui le hantait.

Il sortit des toilettes et retourna dans la salle. Cathleen attendait devant la caisse ; ses sourcils froncés et ses doigts crispés trahissaient son impatience. Gray posa les yeux sur la petite boîte en polystyrène et le sac en papier graisseux. Il n'avait d'appétit ni pour la tarte ni pour les beignets.

Cathleen appuya sur les touches de sa caisse désuète. La magie avait tendance à étouffer les gadgets sophistiqués et la plupart des gens ne s'embarrassaient pas des technologies modernes, du moins pas dans les villes sous protection des magiques. Gray sortit son portefeuille et feuilleta ses billets.

— Cinq onze, dit Cathleen. J'ai demandé à Josie de frire vite fait les beignets, donc ils sont frais.

Gray lui tendit les billets avec un sourire. Voilà qui expliquait le sac imbibé de graisse. Les beignets attendaient probablement dans l'arrière-cuisine depuis Déesse sait quand, et c'était la raison pour laquelle elle les avait plongés dans la friteuse.

Cathleen compta soigneusement la monnaie avec une mine renfrognée, puis referma sèchement le tiroir métallique. Elle avait encore suffisamment de respect pour sa position pour ne pas se percher aussitôt sur son tabouret et reprendre sa lecture.

— Quand vos ordures ont-elles été ramassées pour la dernière fois ? demanda Gray.

Elle cligna les yeux, comme si elle ne comprenait pas la question. Sa bouche s'affaissa mollement.

— Quoi ?

— Vos bennes à ordures débordent. Cet encombrement est interdit par le règlement de la ville.

— Il n'y a pas d'encombrement.

— Êtes-vous allée dans la ruelle récemment ? demanda Gray d'un ton aimable. Le ramassage des poubelles à Nevermore a lieu deux fois par semaine. On ne dirait pas que les ordures du café ont été ramassées depuis longtemps.

Cathleen passa nerveusement sa langue sur ses lèvres. Son regard se remplit d'incertitude.

— J'y peux rien si mes employés ne font pas correctement leur boulot.

— En fait, répliqua Gray sur le même ton plaisant, si. Parce que vous êtes la propriétaire – ce qui vous rend responsable du bien-être de cet établissement, de vos employés et de vos clients.

— Elle a annulé le service de ramassage.

Un jeune homme se glissa à bas de son tabouret de bar et s'approcha de Gray sans se presser. Grand et mince, il portait une combinaison rouge. Sur sa poitrine était cousu un petit dragon doré avec l'inscription SERVICES SANITAIRES DE NEVERMORE au-dessus et au-dessous, le nom de « Trent ». Les pointes de ses cheveux courts et hérissés étaient teintes en rouge vif. Un tatouage en forme de flamme courait dans son cou. Gray discerna plusieurs trous dans ses oreilles et songea qu'il devait probablement porter des piercings quand il n'était pas en service.

Il s'arrêta à côté de Gray et s'accouda au comptoir, son regard brun et insolent posé sur Cathleen.

— Elle a appelé il y a deux mois environ pour se plaindre des frais de service. Elle a dit au patron qu'elle ne paierait plus pour le ramassage et qu'on pouvait passer notre chemin.

— Pourquoi ne me l'a-t-on pas signalé ? demanda Gray.

Trent le regarda.

— Pourquoi l'aurait-on fait ?

Sa question trahissait l'étonnement, mais aucun ressentiment. Il posa un billet de dix sur le comptoir et salua Cathleen.

— Vous n'êtes plus le bienvenu ici ! cria-t-elle d'une voix perçante. Je ne vous servirai plus, espèce de sale race !

Trent sourit et agita ses doigts vers elle.

— Je préfère aller chez Ember, de toute façon. Ça sent trop la vieille garce ici.

Il sortit et la porte claqua derrière lui, puis la clochette tinta bruyamment dans le silence qui suivit.

Ce gamin avait des couilles. Gray l'apprécia aussitôt. Il se tourna vers Cathleen et se délecta de son expression outrée.

— Cathleen Munch, vous transgressez l'arrêté municipal 3.125 concernant l'évacuation appropriée des déchets. (Gray se surprenait à se souvenir de cet arrêté. Peut-être n'était-il pas aussi rouillé qu'il le croyait, après tout.) Je vous somme d'évacuer les ordures de la ruelle et par la présente, je vous adresse un procès-verbal d'inspection. Comme spécifié par nos lois, vous avez vingt-quatre heures pour vous préparer à la venue de mes inspecteurs mandatés et de moi-même. Jusque-là, je ferme le café.

Cathleen écarquilla les yeux, bouche bée. Puis elle se mit à postillonner en agitant les bras.

— Vous ne pouvez pas ! Vous allez me ruiner ! J'exige un avocat !

— Si vous ne souhaitez pas respecter les lois Dragon, déclara Gray d'un ton égal, alors ne venez pas vivre dans une ville Dragon. (Il se tourna vers les clients qui le dévisageaient, toujours assis à leurs tables.) Le café est fermé. *Sortez.*

Chacun savait reconnaître un ordre de Gardien quand il l'entendait. Ils se hâtèrent de quitter leurs places et de sortir du café.

— Attendez ! s'écria Cathleen. Vous devez quand même payer ! *Attendez !*

Personne ne prêta attention aux protestations de la femme au visage rouge. Sa fureur vint éclabousser les boucliers de Gray comme de l'huile bouillante. Gray était un magicien trop puissant et Cathleen trop terrestre pour que ses émotions affectent sa magie, mais il était malgré tout époustouflé par l'intensité de sa haine. Comme un cœur qui bat.

Le café fut bientôt vide à l'exception de la cuisinière surmenée. Josie Gomez sortit de la cuisine sans se presser, en tenant son grand sac rouge sous son bras. Gray était allé à l'école avec elle. Elle était une classe en dessous de lui et travaillait dur en cours ainsi que dans l'exploitation de sa famille. Elle était l'aînée de trois filles, dont les deux autres étaient beaucoup plus petites, et également l'une des seules jeunes à ne jamais évoquer le moindre désir de quitter Nevermore. Elle aimait sa famille, la ville et sa vie de manière générale. Petite, avec de jolies formes, elle avait une peau éclatante couleur caramel, même après avoir passé plusieurs heures dans une cuisine surchauffée. Elle portait une longue tresse de cheveux noirs.

— Gray, dit-elle, ça me fait plaisir de te voir.

— Ne t'avise pas de lui parler ! s'écria Cathleen. Il ferme mon établissement. Et je ne compte pas te payer non plus. Pas de travail, pas de paie ! Je me fiche de savoir que ton père est malade.

Des flammes jaillirent au bout des doigts de Gray. Josie haussa les sourcils.

— Je comprends ton sentiment, dit-elle. Mais elle n'en vaut pas la peine.

Il lui fallut un effort pour éteindre les flammes. Sa colère était presque palpable.

Josie se tourna vers Cathleen.

— J'ai supporté une année entière les bêtises qui sortent de votre bouche. Vous êtes une femme mauvaise et amère dont l'âme est atrophiée. Vous allez mourir seule, Cathleen. Et il n'y aura personne pour vous pleurer.

Cathleen prit une expression outrée et son corps potelé trembla de fureur.

— Comment oses-tu !

— Comment osez-*vous* ! répliqua Josie. Je démissionne.

Cathleen souffla d'indignation et croisa les bras, comme si elle réfléchissait à la prochaine méchanceté qu'elle allait pouvoir sortir. Ou peut-être qu'elle essayait de digérer la perspective de perdre le seul cuisinier prêt à travailler pour elle.

Gray posa la main sur l'épaule de Josie.

— Angel est malade ?

— Il a un cancer. Il commence les traitements. On a de l'espoir. (Elle l'enlaça brièvement.) Passe le voir si tu peux. Il sera ravi.

Gray éprouva un nouveau pincement de culpabilité. Comme Gardien, il n'avait pas assuré. Il adressa un signe de tête à Josie et la regarda partir. Puis il se tourna vers Cathleen, furieux. Elle chancelait toujours sous le coup du discours d'adieu de Josie, mais ça ne lui faisait ni chaud ni froid.

— Je reviendrai dans quarante-huit heures pour achever l'inspection, déclara-t-il. Si je trouve la moindre petite chose de travers, si vous approchez ne serait-ce que d'un cheveu de la violation d'une seule loi de cette ville ou d'une loi Dragon, vous pourrez mettre la clé sous la porte.

— Vous ne ferez pas ça, railla-t-elle. C'est le seul endroit où manger en ville. Il existe depuis le commencement ! Les gens seront furieux si vous faites quelque chose de si stupide, Gardien.

Gray se pencha par-dessus le comptoir et la regarda droit dans les yeux.

— Je fermerai le café, et je vous ferai expulser.

Ce qui ressemblait à de la peur passa sur ses traits, mais Gray avait la curieuse impression que ce n'était pas à cause de lui.

— Bien, cracha-t-elle.

Il laissa ses achats sur le comptoir. La seule idée de manger quoi que ce soit préparé dans ce bouge lui donnait la nausée. Tandis qu'il tournait les talons, Cathleen siffla :

— Maintenant que vous avez fini d'ennuyer les honnêtes gens, vous allez faire quelque chose pour cette garce de Rackmore ?

— Je suis le Gardien, dit-il d'une voix dure et grave. Je vous suggère de ne pas oublier que je suis capable de bien pire que de fermer votre établissement et vous forcer à partir par un sortilège.

Cette fois, il savait que c'était lui qui avait provoqué la lueur de peur qui passa dans son regard. Elle s'écarta du comptoir, l'air incertain. Comme si elle prenait conscience que le chiot qu'elle avait taquiné était un cerbère. Cette femme savait qu'il n'était pas seulement un Dragon, mais aussi un magicien qui avait posé le pied sur les terres du Ténébreux – avant d'en revenir pour en faire le récit.

— Vous ne me ferez pas disparaître, dit-elle, la voix pincée de terreur.

Il lui adressa un sourire féroce.

— Je vais me gêner.

Il pivota pour partir, puis s'arrêta et jeta un regard par-dessus son épaule.

— Pour votre information, j'accorde à Lucinda Rackmore les privilèges des magiques et le droit de résider à Nevermore. La prochaine fois que vous la croisez, je vous suggère de vous montrer polie.

3

— On est faits comme des rats.

La voix paniquée résonna dans le sous-sol faiblement éclairé tandis que l'homme de grande taille
descendait les marches et se dirigeait vers la table
recouverte d'objets magiques.

— Il faut qu'on se tire.

— Non, Lennie.

La silhouette en tunique noire tendit le bras
pour arrêter son ami, qui rassemblait les objets et
les fourrait dans ses poches.

— On va avancer le calendrier.

— Deux jours ! s'exclama son compagnon. Tu es
stupide ou quoi ? Le portail…

— … est déjà en train de s'ouvrir.

— Vraiment ? Alors on va être riche. Hein ?

— Tu seras noyé sous une pluie d'or, mentit-il.

Oh, il y aurait abondance de richesses, oui, mais
pas le genre que l'on pouvait dépenser. De la
magie. Il en avait besoin. Un besoin ardent. Il la
méritait. Et la magie de démon était la plus puissante. Tout ce qu'il avait à faire, c'était invoquer
un seigneur démon et proposer un échange. Gray
Calhoun serait bientôt en enfer, la place qui lui

appartenait… et la magie du Gardien deviendrait la sienne.

Il lui avait fallu cinq longues années pour réunir les objets que son ami fourrait si négligemment dans ses poches. Son pouvoir avait été trop dilué avec du sang de terrestre pour qu'il puisse s'en servir sans un sort d'amplification. Une fois que la magie serait en sa possession, il ne serait plus si faible. Alors, il pourrait refermer le cercle. Ce qui avait commencé pendant son enfance pourrait être achevé. Quand il serait fort, plus fort que chacun d'entre *eux*, ils sauraient tous la vérité et s'inclineraient tous devant lui – non, ils le supplieraient à genoux. Il ferait un bien meilleur Gardien que ce pathétique geignard de Gray Calhoun.

— Je me fais du souci.

Son grand débile d'ami était un véritable boulet.

— Pas la peine. Tout est sous contrôle.

— Miss Ember a dit…

Il poussa un soupir pour couper court.

— Je t'ai dit de ne pas écouter les divagations d'Ember, dit-il en tapotant l'épaule de Lennie. Est-ce la raison pour laquelle tu as essayé d'écraser la sorcière ?

— J'ai pensé que je pouvais lui régler son compte, tu vois ? On n'a pas besoin d'avoir une Rackmore dans les pattes pour tout faire foirer.

On n'a pas besoin non plus que toi, tu fasses tout foirer, songea-t-il. Mettre son vieux camarade dans la combine avait été une erreur due à la sentimentalité. N'avait-il pas retenu la leçon, concernant l'endurcissement de son cœur ? Son ami lui avait été utile, mais il craignait qu'il ne représente bientôt plus qu'un obstacle.

— Repose les objets. J'ai une autre mission pour toi.

L'homme s'exécuta à contrecœur et reposa les objets en rangées bien alignées.

— Je croyais qu'on avait tout ce qu'il nous fallait.

— C'est le cas.

Il baissa les yeux vers la table, vers le pouvoir qui étincelait parmi les artefacts composés de magie. Il ne lui en manquait plus qu'un – la clé pour tous les activer. Celle qu'on lui avait volée.

— Tu dois me promettre de ne rien faire à la sorcière. J'ai besoin d'elle.

— Pourquoi ?

Il observa l'expression soupçonneuse de son ami.

Tous ces ignorants pensaient que la malédiction des Rackmore était un fléau semblable à la peste – qu'en touchant une sorcière, on risquait aussi de perdre tout son argent. Ils ne comprenaient pas la subtilité et la complexité de la magie de démon, la beauté et la précision du travail de magie nécessaire à dépouiller des milliers de Rackmore de leur fortune pour toujours, sans possibilité de la récupérer. Il admirait la finesse artistique de la malédiction, la cruauté de l'orchestration requise pour créer une toile de malheur d'une telle délicatesse et d'une telle solidité à la fois. Il était fasciné et plus que tout, il voulait apprendre à maîtriser cet art.

— Je te promets, reprit-il, que la sorcière ne vivra pas. Mais avant de mourir, elle va nous rendre un grand service.

— Si tu le dis. Bon, que veux-tu que je fasse encore maintenant ?

Il sourit et attira cette grande nouille de Lennie loin de la table et de la magie qu'ils avaient volée, pour lui dire ce qu'il devait faire ensuite.

— Eh bien. Vous voilà, dit une voix à l'accent jamaïcain.

Une grande femme noire aux formes voluptueuses se tenait dans l'entrée. Elle portait une tenue dans les tons noirs et violets, ses mains pleines de bagues jointes devant elle.

— Excusez-moi, dit Gray. Vous m'attendiez ?

Son rire profond le prit au dépourvu. Décontenancé, il la regarda se donner une tape sur la cuisse en s'esclaffant.

— Vous attendre. Oh, la Déesse, elle a le sens de l'humour, celle-là. Vous *attendre*.

— Je crains de ne pas saisir la blague.

— Non, dit-elle, son fou rire commençant à s'essouffler, c'est normal. Depuis quand n'avez-vous pas eu l'occasion de rire de quelque chose, Gardien ?

Il semblait que personne, dans cette ville, pas même les nouveaux résidents, ne respectait sa position. Il admettait ne pas avoir été le meilleur des Gardiens, mais il était bien décidé à s'améliorer. La ville et ses citoyens le méritaient. Mais tout de même. Son ego en prenait un coup aujourd'hui – et il ne pouvait en vouloir à personne d'autre qu'à lui-même.

— Bon, maintenant, vous inquiétez pas, dit-elle en s'approchant pour le prendre par le coude. Il y a une raison à tout. Pas toujours la raison qui vous plaît. Ou que vous voudriez. Mais parfois, on est incapable de voir ce qui est bon pour soi.

Elle se tapota la tempe gauche, ce qui attira l'attention de Gray sur le côté noirci de ses étranges lunettes. Il percevait la magie à travers, mais il prit également conscience qu'elle aussi avait levé des boucliers. Il tendit le bras en essayant de comprendre ce qui était si curieux à propos de son pouvoir, mais elle fit claquer sa langue et agita un doigt, d'un air de dire « oh, le vilain garçon ».

— Là, là. On arrête ça maintenant. Je promets que je n'apporte que de la bonne magie à Nevermore.

— Vous me pardonnerez si je me montre quelque peu sceptique.

Elle gloussa.

— Pas assez sceptique pour venir nous rencontrer en face, mon Rilton et moi. Pas si inquiet alors, hein ?

Il nota que son accent était plus prononcé de temps en temps, comme une station de radio mal réglée. Il n'aimait pas qu'elle ait vu juste au sujet de son entretien d'admission. Il avait laissé Taylor s'occuper des nouveaux venus magiques. Mais Taylor était un imbécile fini, encore plus sceptique que Gray, et détestait le changement, surtout quand il s'agissait d'inclure de nouvelles personnes au tableau de la ville. Si Ember et son mari avaient passé cette inspection avec succès, alors ils avaient dû bigrement impressionner le shérif.

— Alors comme ça, vous la laissez rester.

Il fut surpris par la déclaration d'Ember et se rendit compte qu'elle l'avait guidé vers le fond du salon de thé. Elle n'avait pas formulé de question et il n'eut aucun problème à comprendre qu'« elle » signifiait « Lucy ».

— Elle est là ?

Ember s'arrêta devant un box vide et baissa les yeux. Gray procéda à un examen hâtif mais remarqua seulement que la table était humide et qu'il régnait une odeur de pluie et de terre. Il ouvrit ses sens et des émotions s'infiltrèrent derrière ses boucliers : le désespoir, le soulagement, la panique.

Lucy.

— Où est-elle allée ?

— Sais pas. (Elle secoua la tête.) Parfois, quand les gens sont touchés, ils voient les choses à l'envers.

Gray haussa les sourcils.

— Qu'est-ce que ça signifie ?

Elle soupira, comme s'il la décevait. Il éprouva une pointe d'agacement. Il n'était pas un foutu novice et il détestait qu'elle lui donne cette impression. Réprimant son impatience, il ne la lâcha pas du regard et attendit.

— Vous n'avez jamais joué au jeu des contraires ?

— Bien sûr que si, répondit Gray, quand j'étais petit.

Elle hocha la tête.

— D'accord. Alors tout ce que vous dites ou faites pendant le jeu est le contraire de ce que vous pensez. Mais pour Lucy, ce n'est pas un jeu. Elle s'est sortie d'une mauvaise situation. Libérée des mauvaises personnes. Elle a appris à croire qu'elle n'a aucune valeur. Alors, quand quelqu'un se montre gentil avec elle…

Elle laissa sa phrase en suspend et le regarda.

Gray eut l'impression qu'elle venait de lui mettre un coup dans l'estomac. Lucy s'était attendue à ce qu'il agisse comme un sale type, même si une infime partie d'elle avait espéré qu'il soit différent de tous ceux qui l'avaient rejetée et humiliée.

— Vous vous êtes montrée gentille avec elle, dit-il doucement, et elle n'a pas su le gérer.

— Le jeu des contraires, murmura Ember. Elle a besoin d'un peu de temps pour trouver comme remettre son monde à l'endroit. (Elle l'observa, un seul œil sombre visible à travers l'unique verre violet de ses étranges lunettes.) Elle n'est peut-être pas la seule.

— Peut-être, acquiesça Gray.

— Alors très bien ! (Ember lui fit un grand sourire et lui tapota le bras.) Vous restez boire un thé, Gardien ? J'ai exactement ce qu'il vous faut.

— Je reviendrai, promit-il. Pour l'instant, j'ai une course à faire.

— Bien sûr. Elle était assise là. Peut-être qu'elle a laissé quelque chose.

Elle retira sa main de son bras, lui donna une dernière tape avant de tourner les talons. Il la regarda franchir une porte battante marquée CUISINE et disparaître.

Gray examina le box. Il s'agenouilla sur le côté droit, où la présence de Lucy lui paraissait la plus forte, et se pencha pour voir si elle n'avait rien oublié dont il pourrait se servir pour créer un sort de localisation. Malgré son examen minutieux, il ne trouva rien, pas même un fil de son manteau ou une peluche de son sac de sport.

— Bon sang.

Il recula et posa les yeux sur la table. Elle était toujours humide de… *oh*. Lucy avait bien laissé quelque chose derrière elle.

Ses larmes.

— Espèce d'idiote, murmura Lucinda, assaillie par les gouttes de pluie.

Le vent semblait lui aussi crier « à bas la sorcière » et la fouettait comme autant de lames. Elle avançait péniblement sur le bas-côté gravillonné de la route, ses tennis usées imbibées d'eau, son manteau échouant à assurer ses fonctions imperméables. Son corps gelé tremblait, et elle se blâma de nouveau.

Idiote. Tellement idiote.

Elle n'aurait pas dû quitter la chaleur et la sécurité du terrain neutre – surtout quand des gens comme cette vieille chouette du café et ce crétin fou du volant voulaient lui faire la chasse. Le temps passé auprès de Bernard lui avait appris à suivre ses instincts… du moins quand il s'agissait de pressentir une attaque. Et ils s'étaient aiguisés pendant ses errements des trois derniers mois, traquant tous ceux qui pouvaient être en mesure de l'aider. Oh, Déesse ! Quand elle repensait à toutes ces fois où elle avait laissé Bernard… *Non*.

Une imbécile ? Peut-être. Mais elle ne pouvait en vouloir qu'à elle-même de s'être installée avec Bernard. Et pour quoi ? La sécurité ? Bravo, beau boulot. De jolis vêtements, un cadre luxueux, des voyages exotiques… elle avait renoncé à sa dignité et à son amour-propre pour des futilités. Il n'y avait qu'une maigre consolation à savoir qu'elle avait été ensorcelée. La magie imposée agissait mieux sur ceux qui étaient déjà en bonne disposition.

La putain Rackmore.

Ça sonnait presque bien.

Lucinda fit le tri dans ses pensées. Laisser le passé au passé. Fini, fini, *fini.*

Elle resserra les pans de son manteau autour d'elle mais les boucles étaient cassées, et le geste inutile. Elle avait été en mesure d'apprécier sa chaleur sèche quand elle avait repris sa marche pendant... une bonne trentaine de secondes. En un rien de temps, la pluie battante avait fait son œuvre et le manteau avait déclaré forfait.

À la seconde précise où Ember lui avait rendu son manteau tout droit sorti du sèche-linge et qu'elle s'était excusée pour se rendre à la cuisine, Lucinda avait bondi. Elle regrettait de ne pas être restée assez longtemps pour le thé, mais la gentillesse d'Ember lui avait paru étrange – un peu comme de trouver une assiette de cookies aux pépites de chocolat après être tombée dans un nid de vipères.

De plus, elle ne voulait attirer aucun malheur sur le salon de thé.

Difficile de ne pas se voir soi-même comme un fléau digne de la peste, même si elle savait que sa malédiction ne pouvait infecter les autres. L'une des lois les plus simples de la magie, c'était « qui se ressemble s'assemble ». C'était la raison pour laquelle on enseignait aux sorciers et magiciens dès leur naissance à maintenir l'équilibre. Certes, les gens victimes de malédictions vivaient un peu comme des parias, mais il subsistait toujours un moyen de s'en sortir. Et tous les magiques n'éprouvaient pas l'intérêt de maintenir l'équilibre du tout.

Elle ricana. Bernard avait perdu sa position officielle au sein de la Maison des Corbeaux, mais il avait toujours un pied dedans. Elle n'avait jamais été très certaine de savoir ce qu'il faisait pour ses anciennes cohortes, mais aucun doute que ça avait un rapport avec le renversement d'un petit pays, le contrôle de la drogue ou le massacre de portées de chatons.

Bip ! Bip !

Surprise par le klaxon de la voiture qui arrivait derrière elle – au temps pour ses instincts aiguisés –, Lucinda fit volte-face, le cœur battant. Les semelles éraflées de ses tennis glissèrent dans la boue et elle jeta un regard aux feux de freinage d'une Coccinelle Volkswagen jaune tout en essayant de trouver une prise. Elle moulina des bras en essayant de garder son équilibre mais elle ne pouvait compenser le poids de son sac passé sur son épaule.

Pendant une seconde ou deux, elle éprouva une sensation désagréable d'apesanteur quand elle bascula en arrière, tout droit dans le caniveau. Elle atterrit sur le côté, sur son sac de sport. Le filet d'eau était suffisant pour la tremper jusqu'aux os, mais pas assez, malheureusement, pour la noyer.

Parce qu'à cet instant précis, la mort aurait été une douce délivrance.

La douleur remonta le long de sa hanche, et son bras écrasé entre son sac et son corps était engourdi. L'eau tourbillonna autour de ses jambes, s'infiltra sous son tee-shirt et commença à imprégner son manteau. Peut-être qu'en restant

86

ainsi assez longtemps, la terre s'ouvrirait sous elle pour l'engloutir.

Était-ce trop demander ?

Apparemment.

Lasse et endolorie, Lucinda se redressa en ramassant son sac. S'il était déjà lourd auparavant, le poids de l'eau donnait l'impression qu'on avait glissé une enclume à l'intérieur.

— Oh, mon Dieu !

Sous la pluie et le vent, son exclamation ne fit pas plus de bruit qu'un murmure. En relevant les yeux, Lucinda aperçut la serveuse du café agenouillée au bord du caniveau, en train de lui tendre la main.

— Que vous est-il arrivé ? demanda Lucinda en voyant l'œil au beurre noir de la fille et sa lèvre fendue.

— Moi ? (Elle écarquilla les yeux.) Et vous ?

— Ce n'est que de l'eau, dit Lucinda.

Elle se releva, agacée. Elle regarda l'eau boueuse qui tourbillonnait autour de ses chevilles, rassembla sa magie et cria :

— Séparation !

L'eau s'écarta sur le côté, révélant le fond détrempé et rocailleux du caniveau. Elle poussa son sac et la serveuse s'empara de la bretelle pour le hisser sur son épaule.

Dès qu'elle fut remontée sur le trottoir, Lucinda relâcha sa magie en remerciant silencieusement la nature pour ce petit emprunt d'énergie.

— Je m'appelle Lucinda.

Elle tendit sa main la moins boueuse à la serveuse, et essaya de ne pas se vexer en voyant la fille hésiter à lui proposer la sienne en retour.

Puis elle finit par redresser les épaules et accepter la main de Lucinda.

— Je suis Marcy. Marcy Munch. (Elle tressaillit.) Je sais. Munch est un nom débile. C'était l'horreur au lycée.

— La vie n'est qu'un horrible parcours, renchérit Lucinda. Qui vous a frappée ?

Marcy détourna les yeux.

— Vous voulez que je vous dépose quelque part ? Je pars pour de bon. J'ai assez d'argent pour aller jusqu'à la frontière.

— Vous allez au Mexique ?

Lucinda ne put retenir la nuance de soupçon dans sa voix. Voici ce que l'expérience lui avait apporté : quand une bonne chose se présentait, il ne pouvait s'agir que d'un coup monté pour la très mauvaise chose qui se préparait. Elle n'aimait pas cette coïncidence : elle avait besoin d'un véhicule et Marcy décidait soudain de quitter la ville – pour la même destination.

— Montons dans la voiture, d'accord ? proposa Marcy. Le temps est déchaîné.

Lucinda suivit des yeux la serveuse, qui se dirigea vers la Volkswagen. Deux choix s'offraient à elle : se traîner sous la pluie jusqu'à ce que quelqu'un d'autre la prenne en pitié, ou monter dans une voiture chauffée à l'abri de la pluie sans perdre une seconde.

Elle suivit la fille jusqu'à la petite voiture. Marcy ouvrit le coffre et Lucinda jeta son sac dans l'espace vide. Puis elles montèrent dans la voiture et bouclèrent leur ceinture. Le chauffage était au maximum – louée soit la Déesse – parce qu'elles étaient toutes deux trempées et frissonnantes.

— Vous n'avez emporté aucune valise ? demanda Lucinda tandis que Marcy mettait le contact et reprenait la route.

Elle nota que son tablier blanc était taché de graisse et huma des odeurs de nourriture que même la pluie n'avait pas réussi à éliminer.

— Vous ne vous êtes pas changée.

— Pas le temps, répondit Marcy. Nous faisons bien de partir. Nevermore est…

Elle s'interrompit, apparemment incapable de trouver l'adjectif adéquat, et haussa les épaules.

— Et votre mère ?

— Cathleen, siffla Marcy, n'est pas ma mère – même si elle insiste pour que je l'appelle « maman ». Elle aime me rappeler qu'elle m'a élevée, mais ce n'est pas vrai. Elle a épousé papa quand j'avais dix ans. Il est mort quatre ans plus tard et lui a laissé le café. À elle ! Elle n'est même pas une vraie Munch ! (Elle souffla et repoussa ses cheveux mouillés.) Ma famille possède le café depuis la création de la ville. C'est horrible ! J'aurais tout changé. Si papa m'avait fait confiance… mais je suppose qu'il ne s'imaginait pas mourir tout de suite. Qui peut s'imaginer ça, hein ?

— Comment savez-vous qu'il ne vous faisait pas confiance ? demanda Lucinda.

Marcy lui jeta un regard incrédule.

— Parce que je ne suis pas propriétaire du café. Peut-être qu'il aurait modifié son testament si j'avais été plus âgée.

Lucinda se demanda si le café n'était pas censé appartenir à Marcy et si sa belle-mère ne se l'était pas approprié. Qu'est-ce que ça pouvait bien lui faire, d'ailleurs ? Elle n'habitait pas Nevermore.

Deux heures passées à un endroit ne suffisait pas à faire d'elle une experte de la ville ou des gens qui y vivaient. Malgré tout, elle ne pouvait pas ignorer le fait que quelqu'un s'était servi du visage de Marcy comme punching-ball.

— Qui t'a fait ça ? demanda de nouveau Lucinda.

— Peu importe, dit Marcy avec une expression butée. Ça n'arrivera plus, de toute façon. Je m'en vais. Le Mexique, ce sera différent. C'est plus sûr là-bas.

— Ça dépend de ce que tu entends par « sûr », ajouta Lucinda.

— Et toi, qu'est-ce que tu vas faire là-bas ? demanda Marcy, sur la défensive.

— Échapper à mon ancien amant.

— Oh. C'est un magique aussi ? hasarda-t-elle en se mordant la lèvre inférieure.

— De la Maison des Corbeaux. Un véritable enfoiré.

— Wow.

— Ouais. (Lucinda tourna les yeux vers la fenêtre.) Quand j'ai des ennuis, ce n'est pas à moitié. Je fais les choses en grand.

Les deux femmes se turent, perdues dans leurs pensées. Le ronronnement du moteur et la pluie qui martelait les vitres remplissaient le silence. La route semblait s'étirer à l'infini, effet que le ciel nuageux ne faisait que renforcer – et la nuit tombait déjà. La route n'étant pas éclairée, seul le faisceau jaune des phares de la Volkswagen perçait l'obscurité.

Lucinda se sentait troublée. La tempête, doublée de l'obscurité grandissante, sans parler de la route isolée et de sa compagne de voyage en détresse, lui donnait l'impression d'être en plein film d'horreur. Dans une scène précédant l'apparition du monstre, ou un accident de voiture, ou...

Arrête ! Tout va bien se passer, songea-t-elle sévèrement.

— L'autoroute n'est plus qu'à quelques kilomètres, déclara Marcy en lui adressant un regard inquiet. Ça peut devenir vraiment flippant ici, surtout la nuit.

Lucinda sentit la voiture accélérer et fit la grimace.

— Ce n'est peut-être pas une bonne idée d'aller plus vite.

— Il faut qu'on atteigne l'autoroute avant le coucher du soleil.

— Pourquoi ?

— De drôles de choses arrivent. C'est la vérité, et c'est valable partout. (Elle prit une inspiration.) Quoi qu'il en soit, c'est peut-être des terres agricoles mais techniquement, on est toujours à Nevermore.

Marcy s'agrippait au volant et ses articulations blanchissaient.

— La limite, c'est l'autoroute. Dès qu'on y sera, on sera en sécurité.

Lucinda se tourna sur son siège et dévisagea Marcy. Les lueurs vertes du tableau de bord soulignaient son visage pâle et son expression inquiète. Un pressentiment fit dresser les poils de Lucinda sur sa nuque.

— En sécurité par rapport à quoi ?

— Merde !

Marcy écrasa la pédale de frein. La voiture dérapa sur la route glissante et fit une queue de poisson.

Lucinda fut propulsée vers l'avant et la ceinture la retint si brutalement que tout l'air fut expulsé de ses poumons, puis elle fut repoussée contre son siège et son crâne heurta l'appui-tête. De petites étoiles se mirent à danser devant ses yeux et sa poitrine palpitait de douleur.

La voiture s'arrêta en travers de la voie opposée et les phares éclairaient une clôture en fil de fer barbelé.

Marcy s'était heurté la tête contre le volant, comme l'indiquait la blessure sur son front. Elle était toujours consciente, mais sa terreur était intense.

— Tu l'as vu ? Juste là ? Oh Déesse, aidez-nous ! (Marcy appuya sur l'embrayage et passa la première, mais la voiture ne démarrait plus.) Merde ! Non, non, non !

— Calme-toi, dit Lucinda en détachant sa ceinture de sécurité. Que s'est-il passé ? Qui as-tu vu ?

Elle attrapa une serviette de fast-food sur la console centrale et essaya de nettoyer le sang qui coulait sur la tempe de Marcy.

— Arrête ! hurla cette dernière en repoussant la main de Lucinda. L'autoroute est à moins de deux kilomètres. Tu peux faire redémarrer le moteur par la magie ?

Lucinda secoua la tête. Ses réserves étaient bien trop faibles pour qu'elle tente quoi que ce soit. Les machines et rouages n'aimaient pas la magie et nécessitaient une délicatesse dont elle n'était même pas capable dans son meilleur jour.

— On va devoir courir.

Marcy retira sa ceinture et attrapa la poignée de la portière.

— Attends une minute, dit Lucinda en la retenant par le bras. Dis-moi ce qui se passe. Qui est après nous ?

— Je t'en prie, Lucinda. *Je t'en prie.* Il faut fuir. Je t'expliquerai tout quand on sera en sécurité.

Lucinda jeta un regard par la vitre, dans l'obscurité, et ne discerna rien ni personne. Ses boucliers étaient levés, mais elle était tout de même capable de détecter la présence d'éventuels magiques.

Mais pas de terrestres.

Qu'avait vu Marcy pour être aussi terrifiée ? Qui lui avait causé une telle frayeur qu'elle avait failli quitter la route ?

— Allons-y, dit Lucinda. Je te suis.

— Cours aussi vite que tu peux, dit Marcy en lui adressant un sourire tremblant. Ne t'arrête pas. Ne regarde pas en arrière. Suis la route directement jusqu'à l'autoroute.

— D'accord.

Elles sortirent de la voiture et Marcy partit comme une flèche. Lucinda lui emboîta le pas en gardant le regard rivé sur les éclats jaunes de sa robe dans l'obscurité. Elle était si fatiguée que ses jambes protestèrent. Elle avait également mal à la poitrine, douleur probablement due à la ceinture qui l'avait écrasée. Cette foutue pluie ne leur facilitait pas les choses non plus. L'eau s'abattait devant ses yeux, s'infiltrait dans sa bouche et martelait son corps meurtri.

Les jambes douloureuses, les poumons en feu, sa vue se brouilla.

— On y est presque ! hurla Marcy.

Elle semblait de plus en plus loin et les éclats de tissu jaune se faisaient de plus en plus rares.

Lucinda ralentissait beaucoup trop.

La volonté était bien là, mais pas la capacité physique. Elle n'avait même plus assez de force en elle pour invoquer sa magie et écarter les rideaux de pluie. Son aquamanie était un pouvoir mineur, de toute façon. Même ses capacités retrouvées, elle ne pourrait pas contrôler ce fichu temps.

Lucinda trottinait à présent, ses jambes menaçant de céder à tout moment. *Continue, Luce. Mets-toi à l'abri, et ensuite tu pourras te reposer.*

Ces jours-ci, ça semblait être sa devise.

Le cri de Marcy perça les ténèbres, la pluie et le cœur même de Lucinda.

Le pic d'adrénaline lui donna l'élan nécessaire pour accélérer le pas.

— Marcy !

Les hurlements de la fille la ratissaient comme autant de griffes empoisonnées. Oh, Déesse ! Que se passait-il ? Où était-elle ?

— J'arrive ! hurla-t-elle. Marcy !

Devant elle, Lucinda distingua les lumières de l'autoroute et la bretelle d'accès à quelques mètres. La sécurité était tout proche. Il fallait seulement qu'elle rattrape Marcy et elles y arriveraient.

Alors elle la vit.

Et l'homme accroupi au-dessus d'elle.

Marcy était agenouillée, les mains au-dessus de sa tête, et poussait des hurlements remplis de sanglots.

— Non ! Pitié ! pleurait-elle. Je suis désolée, je suis désolée !

L'homme immense portait une sorte de cape noire qui dissimulait son visage, mais pas ses mains massives. Il dégageait l'odeur de soufre de

94

la magie noire, mais quelque chose clochait, comme s'il la portait sur lui et non pas qu'il l'exerçait.

Un poing énorme s'enfonça dans le ventre de Marcy et elle s'effondra sur le gravier.

— Stop ! s'écria Lucinda. Arrêtez !

La silhouette ne lui accorda même pas un regard. Soit il ne l'entendait pas, soit il ne la considérait pas comme une menace. Marcy essayait de s'échapper en rampant, mais la brute lui attrapa les jambes, la fit pivoter et agrippa l'avant de sa robe.

Lucinda s'arrêta en dérapant et tenta de faire appel à sa magie de l'eau ; mais sa vue s'assombrissait et son corps était si douloureux qu'elle ne parvenait pas à se concentrer.

— Arrêtez de lui faire du mal !

Le vent balaya ses paroles.

Lucinda ne pouvait pas attendre de voir si son aquamanie allait fonctionner. Elle bondit sur le dos de l'homme en le bourrant de coups de poing.

— Laissez-la tranquille !

Elle était comme une fourmi essayant d'arrêter un géant.

Il assena un méchant coup sur le visage tuméfié de Marcy. Un craquement écœurant retentit et sa tête partit en arrière. La fille s'immobilisa.

— Nooon !

Elle assaillit son agresseur, mais il relâcha Marcy, attrapa Lucinda par son manteau et la projeta sur la route.

La terreur, le chagrin et la colère se bousculèrent en elle. Et le pire, une sensation de soulagement. *Il va me tuer*, songea-t-elle, *et tout sera fini. Enfin.*

À sa grande surprise, il se détourna, se pencha au-dessus de Marcy et commença à lui attraper ses vêtements. L'esprit de Lucinda la renvoya à un autre homme, une autre femme, une autre tragédie. Ce n'était plus l'agresseur qu'elle voyait penché au-dessus de Marcy, mais Bernard. Lui aussi s'était penché au-dessus d'une jolie fille innocente qui avait été sacrifiée aux désirs de Bernard. Il avait les mains ensanglantées, la sueur coulait sur son front et ses yeux étaient emplis d'un mépris glacial. *Tu crois l'avoir sauvée ?*

Lucinda revint au présent. Elle rassembla tout le pouvoir dont elle fut capable, le dirigea vers la pluie, puis se concentra sur le type qui croyait pouvoir poser ses sales pattes sur cette brave fille.

— Ébullition, murmura-t-elle.

Chacune des gouttes qui atterrirent sur lui était si brûlante que sa peau siffla. Sa cape ne pouvait pas le protéger des trombes d'eau chaude. Elle s'infiltra et ravagea sa peau. Il poussa un cri et s'écarta en titubant.

Elle maintint le sortilège et força l'homme à traverser la route.

Il hurlait de douleur et Lucinda sentit monter en elle une certaine satisfaction. C'était déplacé de prendre du plaisir face au supplice de quelqu'un, mais elle ne pouvait pas le plaindre. Pas lui.

Lucinda sentit un changement dans l'atmosphère, un picotement de magie, suivi du souffle d'un portail en train de s'ouvrir. Elle ne prit même pas la peine de regarder l'homme partir. À la place, elle relâcha la magie et se précipita vers Marcy.

La pluie lavait le sang de son visage. En fait, la tempête semblait se calmer et la violence de la pluie se transformait en douce caresse.

Elle écarta les mèches de cheveux du visage de Marcy. Les yeux de la jeune femme papillonnèrent avant de s'ouvrir.

— Oh, mon Dieu ! s'exclama Lucinda, son cœur bondissant dans sa poitrine ; sa nouvelle amie était vivante, l'espoir revint. Je vais chercher de l'aide. Mais ne… (Elle déglutit pour faire passer le nœud dans sa gorge.) Ça va aller.

Marcy toussa et du sang coula de sa bouche.

— Les poches.

Lucinda ne comprit pas tout de suite ce qu'elle voulait dire. Enfin, elle plongea les mains dans les poches du tablier sur la robe et en retira un bloc-notes, des stylos, des serviettes et une petite pochette en soie rouge.

— Prends… Cache… Important.

— Tu ne quittais pas simplement la ville, n'est-ce pas ?

— Essayais… de protéger… Nevermore.

Ses pupilles se dilataient et sa respiration ralentissait.

— Toi… vas-y.

— Marcy. Tu mérites mieux.

Lucinda ne pouvait pas la laisser mourir. Cette fille était trop jeune pour être aussi effrayée, aussi blessée, à la merci de ce monde.

Le regard de Marcy s'éteignit et elle rendit son dernier souffle. Son corps s'affaissa. *Non, non, pas encore*, songea Lucinda. Elle fourra la pochette rouge dans la poche avant de son jean ; puis elle s'agenouilla devant Marcy, ferma les yeux et se mit à tisser la magie dorée de sa thaumaturgie.

La vieille Ford fonçait sur la route obscure ; Gray suivait la ligne verte et étincelante créée par son sort de localisation. La pluie avait cessé, ce qui lui facilitait grandement la tâche. La ligne le mènerait tout droit à Lucinda. Cette fois, il s'assurerait qu'elle ait quelque chose à manger, qu'elle ait l'occasion de se reposer, et puis… ensuite, il lui offrirait un refuge. Il ne pouvait pas lui accorder sa protection personnelle, pas celle d'un époux, mais au moins, elle connaîtrait une certaine sécurité aussi longtemps qu'elle resterait dans les frontières de Nevermore.

Qu'est-ce que c'est que ce bordel !?

Il écrasa la pédale de frein avant d'enclencher la marche arrière. Il sortit précipitamment de sa voiture et examina le véhicule abandonné de Marcy, garée en travers de la voie opposée. Les phares étaient allumés, les deux portières ouvertes et le sort de localisation scintillait au niveau du siège passager. Lucy s'était trouvée dans cette Volkswagen.

Que faisait la voiture de Marcy ici ? Où étaient passées les deux femmes ?

Il retourna au pick-up avec un mauvais pressentiment. La ligne verte s'étirait dans l'obscurité en direction de l'autoroute. Quoi qu'il se soit passé, les femmes avaient visiblement pensé qu'elles seraient plus en sécurité en poursuivant leur route à pied. Ou peut-être qu'elles avaient heurté quelque chose ou que la voiture était tombée en panne.

Mais alors, pourquoi prendre la direction de l'autoroute plutôt que de retourner en ville ?

Au loin, il distingua un éclat circulaire d'or scintillant. La magie qui en émanait était si forte que ses boucliers se voilèrent. Le sort de localisation s'arrêtait à cette énorme sphère de lumière. Il agrippa le volant, appuya sur l'accélérateur et, quelques secondes plus tard, il était sur place.

Il gara le pick-up sur le bas-côté et bondit sans couper le moteur.

— Lucy !

Il dut s'arrêter à moins d'un mètre. Il essaya d'enregistrer toutes les informations en même temps. Marcy était effondrée au sol, les yeux ouverts et le regard vide, la peau grise.

Il sentit le sang quitter son visage.

Marcy était morte.

Lucy était agenouillée à ses côtés, irradiant cette lueur dorée. Ses mains se déplaçaient comme celle d'une tisserande et elle murmurait des paroles incohérentes.

Ses yeux étaient révulsés et concentrés sur le corps de Marcy.

Il fut cloué sur place par le choc qui se répercutait à travers son corps.

Gray n'avait jamais vu de thaumaturge en action. Mais... quelque chose clochait. Lucy était si pâle qu'il pouvait distinguer le délicat réseau de veines bleues sous sa peau. Elle transpirait à grosses gouttes. De temps en temps, son corps avait une secousse comme s'il recevait une décharge électrique. Elle avait les mains couvertes de sang, mais il ne savait pas s'il provenait du corps meurtri de Marcy ou d'une blessure à elle.

La magie ne fonctionnait pas. Quoi qu'elle essayait de faire pour Marcy, il était trop tard.

— Lucy, murmura-t-il en s'approchant. Tu dois arrêter. Elle est morte.

— Non !

Elle tourna son regard blanc vers lui. Il constata avec horreur que du sang coulait du coin de ses yeux et dégoulinait de ses oreilles. Sa voix avait une nuance métallique.

— Je peux la sauver. Je dois la sauver.

— Qu'es-tu en train de te faire à toi-même ?

Il s'accroupit à côté d'elle et tendit la main pour la toucher. Sa peau était si chaude qu'il se brûla le bout des doigts. Il retira vivement sa main.

Elle se concentra de nouveau sur Marcy et la lumière qui l'entourait explosa. Elle poussa un cri, mais posa les mains au-dessus de la silhouette sans vie de Marcy.

— Vis, supplia-t-elle. Vis !

Des cloques commencèrent à se former sur sa peau rougie. Son corps tressautait comme s'il subissait une électrocution continuelle, mais elle tenait bon. Elle essuya ses larmes de sang et son nez se mit à son tour à saigner.

— Arrête ça, Lucinda ! (Il l'attrapa par les bras, sa peau grésillant au contact de la sienne, et la secoua.) Tu es en train de te tuer.

— Et alors ? sanglota-t-elle.

Mais la lumière autour d'elle vacilla et sa peau se refroidit de quelques degrés.

— Lucy. (Il passa fermement ses bras autour d'elle, ignorant la piqûre de sa magie. Déesse, quelle puissance !) Bébé, arrête. *Arrête.*

100

Elle pleurait, mais il perçut son assentiment. La lueur finit par faiblir, puis par disparaître. La nuit se referma sur eux et Gray dut cligner les yeux pour chasser les points lumineux qui dansaient devant. La chaleur se dissipa à son tour en libérant de la fumée, comme quand on jette de l'eau sur des braises. Gray maintint Lucy fermement serrée dans ses bras, même s'il avait l'impression d'enlacer un porc-épic, jusqu'à ce qu'il fût certain qu'elle avait relâché toute sa magie. Puis la sensation de brûlure finit par s'estomper et elle se laissa aller dans ses bras.

Elle frissonna, toujours en pleurs, et il s'écarta légèrement pour voir son visage. Ses pupilles étaient de nouveau visibles et, Déesse merci, les saignements semblaient avoir cessé. Les traînées rouges sur son visage et son cou ressemblaient à des peintures de guerre.

— Est-ce que ça va ?

Elle eut un sourire abattu.

— Ça ira dans trois jours.

— Quoi ?

Il l'observa en fronçant les sourcils.

— Je me suis servie de mon don, répondit-elle. Maintenant, je dois en payer le prix.

— Le prix ? Lucy, de quoi tu...

Elle fut prise de convulsions dans ses bras et poussa un hurlement.

4

Gray sentit la raideur des muscles de Lucy, les tremblements de douleur de son corps. Elle s'écarta et se laissa tomber à genoux, puis se pencha pour vomir dans l'herbe.

Il tendit le bras vers elle mais elle s'effondra, secouée par d'autres convulsions.

C'est alors que Gray comprit.

Il était témoin de la malédiction de Bernard Franco. Non, il *avait été* témoin. Tous les dégâts que Lucy s'était causés à elle-même en utilisant son pouvoir étaient également du fait de Franco. Il n'avait jamais vu de magie se retourner contre son maître de cette façon. Il avait pris Franco pour un type sans valeur, mais il n'avait pas réalisé quel sadique il était réellement. Il s'agenouilla à côté de Lucy, qui tremblait sur le sol en gémissant. Il l'attrapa par les épaules et elle hurla comme s'il venait de lui verser de l'acide sur la peau.

Bon sang ! Il la relâcha immédiatement et elle roula sur le côté pour se mettre en boule.

— Qu'est-ce que je peux faire, Lucy ?

Elle ne répondit pas.

Pour Lucy, Marcy avait été une quasi-étrangère, mais elle avait essayé de la sauver malgré tout, en sachant pertinemment le prix qu'elle aurait à payer. Il éprouva un malaise jusqu'au plus profond de son être.

En restant aussi proche d'elle que possible sans la toucher, il chercha des yeux un canal pour un sort de communication. Un téléphone portable aurait été sacrément plus pratique, mais il n'y avait aucune antenne-relais alentour – la plupart des compagnies évitaient les villes qui abritaient une trop grande quantité de magie. Quel intérêt ? La magie et la technologie étaient incompatibles, même si bon nombre de magiques et de terrestres essayaient de trouver un moyen de les relier.

Pour entrer en communication avec le shérif, il lui fallait une substance aqueuse et il repéra une flaque toute proche. Il ne voulait pas laisser Lucy, mais ce n'était pas comme s'il lui apportait son aide ou du réconfort. Il ne s'était jamais senti aussi impuissant… bon, peut-être pas, non. Rien ne lui donnerait le même sentiment d'impuissance que lorsqu'il s'était réveillé enchaîné sur une dalle de pierre, avec sa femme en train d'appuyer un couteau sur sa poitrine.

Mais il n'en était pas loin.

Il aurait voulu pouvoir toucher Lucy, la consoler, mais ce serait pire que tout pour elle. Franco avait pensé à tous les détails avec sa malédiction, qui causait non seulement un supplice physique à Lucy, mais aussi, apparemment, l'incapacité à accepter le moindre geste de réconfort.

Gray se releva, se dirigea vers la flaque puis s'accroupit à côté. Il rassembla la magie, créa rapidement le sort de communication et l'envoya vers la nappe d'eau. Le liquide boueux accepta les étincelles rouges, absorbant l'intention de cette magie et, quelques secondes plus tard, le visage de Taylor Mooreland lui faisait face et le regardait attentivement. Gray remarqua une tasse de café sur le côté et se rendit compte que le sort avait surpris le shérif en train de faire la vaisselle dans sa cuisine.

— Que se passe-t-il, Gray ?

— Marcy est morte, déclara-t-il. Et Lucy… Lucinda Rackmore est blessée.

— Où es-tu ?

Taylor avait pris une expression toute professionnelle. Seuls ses yeux trahissaient son inquiétude.

— Sur Cedar Road, près de la bretelle d'accès à l'autoroute.

— Il y a un portail tout près de là, répondit Taylor. Ça me prendra moins de dix minutes pour arriver à celui qui est au bureau.

Gary hocha la tête. Les portails de transport étaient un vestige de la magie antique, créés par les Dragons pour aider le peuple de Nevermore à se déplacer rapidement entre leurs exploitations et la ville. Personne ne les utilisait plus vraiment, et certains emplacements avaient même été oubliés avec le temps.

— Tiens bon, dit Taylor. J'arrive tout de suite.

Une pensée traversa l'esprit de Gray, qui, d'instinct, se décida à en faire part à son ami.

— Taylor ?

L'expression du shérif trahit son impatience.

— Oui ?

— Amène Ember.

Les yeux de Taylor s'agrandirent une fraction de seconde, mais il ne discuta pas. Il hocha la tête et disparut. L'image flottant au-dessus de la flaque s'estompa.

Gray retourna auprès de Lucy. Elle était trempée de sueur et de pluie, le corps tremblant, les dents serrées. Elle avait fermé les yeux, mais il lui était impossible d'échapper à son supplice. Franco s'en était assuré.

— Gray ?

Sa voix était un murmure à peine perceptible.

— Là, bébé. Je suis là.

Il s'assit sans se soucier du sol dur et de la terre mouillée. Seigneur, il avait envie de la toucher… Rien que pour écarter une mèche de cheveux, ou pour passer son pouce sur sa joue.

Elle ouvrit les yeux. Les ombres qui s'étiraient sur sa peau délicate juste au-dessous trahissaient l'épuisement et la faim qui la rongeait. Il voyait à présent combien elle paraissait fragile, pâle et frêle. Elle avait été proche de l'évanouissement quand elle était venue le trouver cet après-midi, et elle parvenait pourtant à tenir bon.

Comment avait-il pu la repousser ?

— Je suis vraiment désolée, dit-elle.

Les larmes coulèrent de son regard dévasté. Elle frissonna, et il comprit que l'effort de parler était douloureux. Il était assailli par la culpabilité. Quel con égocentrique !

— Ne t'excuse pas, dit-il fermement. Pour rien.

— Je n'aurais pas dû venir ici.

Son corps fut secoué d'un spasme et elle siffla en serrant les poings.

— Ne parle pas ! lui dit-il brusquement avant de prendre une voix plus douce. N'empire pas les choses.

Elle parvint à rire. Elle le regarda, le corps tordu de douleur, mais une lueur joyeuse brillait dans ses yeux. Il était stupéfait. Lucinda Rackmore était une survivante. Il n'aurait jamais pu deviner que la petite fille gâtée qu'il avait connue si longtemps auparavant possédait une âme d'acier.

— Regarde ce que j'ai fait, reprit-elle. Marcy… ce n'était qu'une gamine.

Elle déglutit péniblement et il vit ses jambes trembler. Était-elle sérieuse ? Lucy elle-même n'avait que vingt-cinq ans. Mais il savait pertinemment que le grand règlement de comptes ainsi que le traitement de Franco l'avaient vieillie prématurément. Elle s'exprimait avec une amertume et une résignation que personne ne devrait utiliser, surtout pas une fille dotée d'un tel pouvoir, d'un tel potentiel. Mais il entendait l'épuisement qui émanait de ses paroles. Elle était prête à renoncer, il le sentait.

L'acier lui-même pouvait fondre, dans les bonnes conditions.

— Ce n'est pas ta faute, répondit-il, mais il perçut le doute dans sa propre voix.

Il ne savait pas ce qui s'était passé. Peut-être était-ce effectivement sa faute. Il ne pensait pas qu'elle ferait du mal à Marcy intentionnellement, mais… et si Marcy avait souffert à cause de la tragédie que Lucy avait apportée avec elle ?

Elle détourna son visage barbouillé de sang et il eut l'impression de lui avoir de nouveau fait défaut. Il essaya de retrouver son sentiment d'indignation face à l'audace dont elle avait fait preuve en venant le trouver – il essaya même de retrouver l'apathie qui lui avait jusqu'alors si bien rendu service – mais il en fut incapable. Au diable tout ça. Lucy n'avait personne.

Pas même lui.

— Gray !

Il releva les yeux et aperçut le shérif et Ember qui accouraient vers lui. Derrière eux chatoyait l'ouverture ovale du portail, qui se referma comme le clignement d'un œil immense. Il était soulagé car il n'était plus tout seul à devoir gérer cette pagaille. Le shérif jeta un bref regard à Lucy avant de se diriger vers le corps de Marcy.

Ember s'agenouilla à côté de Lucy, et la compassion qu'il lut dans ses yeux ne fit que rappeler à Gray sa propre absence d'émotions.

— Ne la touchez pas, dit-il. Ça empire la douleur.

— Je connais cette malédiction, répondit-elle doucement. C'est l'œuvre d'un démon.

Gray eut l'impression de recevoir un coup.

— *Quoi ?*

— Vous ne pensez quand même pas que la Déesse nous accorde une telle magie ? dit-elle en secouant la tête. La magie est neutre, Gardien. Vous savez ça. C'est pourquoi il doit y avoir un équilibre, expliqua-t-elle avant de renifler. Mais le Ténébreux ne joue selon aucune autre règle que les siennes.

La magie de démon. *Bon sang.* Il sentit la peur remonter le long de sa colonne.

— Vous êtes sûre ?

— Je ne dis pas ce genre de chose à la légère.

Il ne lui était jamais venu à l'esprit que Franco avait puisé dans les pouvoirs de l'enfer. Bien sûr,

108

c'était logique. Ça expliquait la complexité et l'horreur de la malédiction de Lucy. Si Franco s'amusait à puiser dans la magie de l'enfer et que Gray pouvait le prouver, il tiendrait ce sale type par les couilles.

— Vous pouvez l'aider ? demanda-t-il.

Ember semblait pensive. Puis elle secoua lentement et tristement la tête.

— Elle doit endurer la souffrance.

Il pâlit.

— Elle a dit que ça durerait trois jours.

— Je suis désolée, Gardien. Peux rien faire pour arranger ça.

— Gray, appela le shérif.

Il regarde par-dessus son épaule et vit Taylor accroupi près de Marcy qui lui faisait signe d'approcher. Gray hésita à laisser Lucy.

— Allez-y, dit Ember. Je reste là.

Le shérif et le corps de Marcy n'étaient qu'à quelques mètres, mais Gray avait l'impression de s'éloigner à des kilomètres. Il ne voulait pas s'interroger sur ce besoin de rester près de Lucy. Il aurait trop l'impression d'en avoir quelque chose à faire.

Quand il regarda la silhouette affalée de cette fille qui n'avait pas eu la chance de vivre sa vie, Gray eut encore davantage la sensation d'avoir échoué. Si seulement Marcy lui avait fait confiance, il aurait peut-être été en mesure de la sauver. Elle était tellement effrayée… Effrayée par la personne qui l'avait frappée – et probablement la même personne qui avait achevé le travail. « Sauvez la sorcière », avait-elle dit. Puis elle était partie pour essayer de sauver Lucy par ses propres moyens.

— C'est la sorcière qui a fait ça ? demanda Taylor.

Gray releva vivement la tête.

— Quoi ?

— Ton amie. (Son visage n'exprimait rien et son ton était aussi plat que le Texas Panhandle[1].) Marcy est morte, et pas elle.

— Va jeter un coup d'œil à Lucy d'un peu plus près, répliqua Gray dont la fureur bouillait dans ses veines. Dis-moi si elle a la force d'avoir battu une fille à mort. Et ensuite, espèce de crétin moralisateur, tu me donneras son motif pour avoir attaqué la personne qui essayait de l'aider.

Le shérif était trop professionnel pour laisser l'animosité de Gray l'atteindre, mais il ne put retenir la surprise qui apparut dans son regard. Oui, bon, il n'était pas le seul à être surpris. Les instincts de protection rouillés de Gray s'étaient réveillés.

Taylor recula son chapeau sur sa tête avec une attitude faussement embarrassée que Gray savait être savamment calculée.

— Désolé, dit-il avec cette sincérité typique des gars de la campagne, mais je vais devoir lui poser quelques questions.

— Bien sûr, dit Gray, les dents serrées. Si elle survit, tu pourras lui poser tes satanées questions.

Taylor ne dit rien. Au lieu de cela, il tendit la main pour la poser sur l'épaule de Gray. Ce dernier n'apprécia pas cette tentative d'apaisement. Il se dégagea de l'étreinte de son ami.

— Tu ne l'as pas vue… ce qu'elle a fait. Lucy a failli mourir en essayant de ramener Marcy. C'est une thaumaturge.

---

1. Le Texas Panhandle (« queue de poêle ») est une région de l'État du Texas surnommée ainsi à cause de sa forme rectangulaire. (N.d.T.)

Cette fois-ci, le shérif ne put réprimer sa stupeur.

— Bordel de merde… Et pourquoi ça n'a pas marché ?

— Parce que Marcy était déjà morte. Bernard Franco s'est servi de magie de démon pour jeter sa malédiction sur Lucy, déclara Gray. Elle a utilisé sa thaumaturgie et maintenant, elle va agoniser de douleur pendant des jours. Tu penses qu'elle aurait pris ce risque si elle avait tué Marcy ?

— Peut-être qu'elle n'avait pas l'intention de la tuer et qu'elle essayait de la ranimer.

Mais le shérif ne semblait pas convaincu.

— J'ai une idée. Pourquoi ne chercherais-tu pas des preuves avant de servir une théorie ? Et essaie de ne pas laisser tes préjugés sur les Rackmore fausser ton jugement.

Taylor rougit et plissa les yeux.

— Tu penses que je l'arrêterais uniquement parce que c'est une Rackmore ?

— N'est-ce pas ce que tu essaies de faire ?

Les narines de Taylor se dilatèrent et il fit un pas en avant, la main posée sur son holster. Gray voulait amener le shérif à le frapper. Rien n'aurait pu lui plaire davantage qu'une bataille vile et mesquine à cet instant précis, car il avait vraiment envie de cogner sur quelque chose.

— Ça suffit ! s'exclama Ember en s'approchant d'un pas lourd. On n'est pas dans une cour de récréation et vous n'êtes pas des enfants. On a des choses à faire. Des choses importantes. (Elle s'agenouilla à côté de Marcy et murmura quelque chose d'incompréhensible, peut-être une prière, puis referma les yeux de la jeune femme. Elle se tourna vers le shérif.) Et me dites pas non plus de pas toucher aux preuves. Cette fille est affalée sur la route comme un mouchoir usé. Et vous, qu'est-ce que vous faites ? Vous piquez des crises de colère comme des enfants gâtés. Vous devriez avoir honte tous les deux !

Taylor détourna le regard et se racla la gorge.

Gray sentit la rougeur de l'embarras naître à la base de son cou. Ember avait raison. Il se conduisait comme un crétin. Encore une fois. Malgré ses idées arrêtées concernant les Rackmore, Taylor faisait bien son métier. Au final, il faisait confiance à son ami et savait qu'il ferait ce qu'il fallait.

— Et ne l'appelle plus jamais « la sorcière » sur ce ton mesquin, dit Gray. Elle s'appelle Lucy.

Il pivota et retourna auprès de cette dernière. Il s'accroupit pour l'examiner. Elle était dans un sale état – tremblante, crasseuse et courageuse...

Ember le rejoignit après s'être brièvement entretenue avec le shérif.

— Utilisez le portail, dit-elle, et son accent avait presque disparu. (Celui-ci semblait s'intensifier avec ses émotions. Elle reprenait le contrôle d'elle-même et Gray devait faire la même chose.) Je vous ramènerai votre pick-up chez vous, l'informa-t-elle.

— Merci.

Oh Déesse, il n'avait pas envie de soulever Lucy. Quelle souffrance lui causerait-il ? Il jeta un regard à Ember et vit, à son expression, qu'elle comprenait son dilemme.

— Il n'y a pas d'autre moyen ?

— J'ai bien peur que non, dit-elle en l'observant de son unique œil noir derrière le verre violet. Vous êtes un marche-rêve, n'est-ce pas ?

Il la dévisagea, surpris.

— Quoi ?

Elle lui adressa un sourire plein de mystère.

— Quoi *quoi* ? Vous êtes un Dragon, n'est-ce pas ?

Il eut l'étrange impression qu'elle ne parlait pas de l'appellation de sa Maison. Une sueur froide coula dans son dos et il secoua la tête. Puis il la hocha. Bien sûr que si, elle parlait de sa Maison. De quoi d'autre ?

Peu de magiciens, en dehors de l'Ordre du Dragon de la Lune, un ordre religieux de magiques strict consacré à la marche-rêve, avaient seulement essayé. Ce n'était pas chose facile, ce qui expliquait pourquoi la majorité des Dragons ne cherchaient même pas à en apprendre les subtilités. Il avait passé avec succès son test de marche-rêve pour l'examen d'entrée au lycée ; l'été précédant sa première année, sa mère l'avait envoyé dans l'un des temples de l'ordre en Californie, pour étudier l'art de pénétrer dans le subconscient des autres. Il n'avait pas pratiqué depuis des années – il était bien trop facile de se perdre dans les rêves, d'oublier le monde réel.

— Je ne peux pas arrêter la douleur de cette enfant, dit-elle doucement. Mais bientôt, son corps va s'épuiser et elle s'endormira. Pas longtemps. Cette malédiction est trop puissante pour lui accorder une trêve. Vous devez faire de la marche-rêve avec elle, lui redonner force et espoir.

Gray hocha la tête, même s'il n'était pas certain d'y parvenir. Mais s'il pouvait soulager son supplice ne serait-ce qu'un tout petit peu, lui donner quelque chose à quoi se raccrocher, ça valait la peine d'essayer.

— Emportez-la, dit Ember. Rien ne la fera aller mieux, si ce n'est de faire vite.

Elle orienta la paume de sa main vers le champ de l'autre côté de la route. Gray sentit un changement dans l'atmosphère, le picotement d'une puissante magie, et le portail s'ouvrit. Comment diable avait-elle fait ça ? Les portails nécessitaient des clés et elle n'en avait pas. Oh bon sang, peut-être que si. Ce n'était qu'un nouveau coup dur pour lui.

Je vais me racheter auprès de Nevermore. Auprès de tout le monde. Surtout de Lucy.

Il prit une profonde inspiration pour canaliser ses pensées, se pencha et souleva Lucy dans ses bras. Elle gémit et l'estomac de Gray se noua. *Pitié, Déesse, apportez-lui votre secours.* Il ne pouvait supporter l'idée de lui faire du mal. Il traversa la route en courant tout en essayant de ne pas trop la secouer, en vain.

Quand il passa le portail, les cris de Lucy se transformèrent en sanglots étouffés. La magie crépitait autour de lui et il sentit un souffle d'air ; puis, presque aussitôt, la lumière jaillit. Il n'avait même pas pensé qu'il risquait d'atterrir dans le bureau du shérif et qu'il devrait la transporter plus loin. Mais d'une manière ou d'une autre, Ember était parvenue à l'envoyer directement chez lui. Elle savait que sa maison possédait un portail – plusieurs, en réalité. Comment ? Il n'avait pas le temps de se préoccuper des étranges et nombreuses connaissances d'Ember. Il faillit lui-même pousser un cri quand il posa le pied dans sa chambre. Il se précipita vers son lit défait et déposa Lucy aussi délicatement que possible sur son couvre-lit noir. Elle ressemblait à une poupée de porcelaine brisée jetée au fond d'un trou. Il se risqua à installer un oreiller sous sa tête. Elle tressaillit et gémit, mais au moins, elle ne poussa pas un de ses hurlements déchirants. Il n'osa pas prendre le risque de la couvrir. Il ne voulait pas empirer la douleur.

Il avait fait suffisamment de dégâts.

Les paupières de la jeune femme papillonnèrent et son regard se fixa sur lui.

— Pourquoi ça sent les pieds et la mortadelle ici ?

Puis elle s'évanouit.

Gray ne put s'empêcher de rire. Il s'assit au bord du lit et referma ses doigts sur les draps noirs pour s'empêcher d'écarter les mèches de cheveux collées sur le visage si pâle. *Les pieds et la mortadelle.* Il renifla l'air et grimaça. Ça sentait effectivement le mâle, et pas dans le sens sexy du terme. Argh, il pouvait peindre les murs en rose et allumer des bougies à la vanille si elle voulait. Mais pour l'instant, il devait dépoussiérer ses compétences de marche-rêve. Il ne savait pas combien de temps elle passerait endormie et il voulait faire quelque chose pour lui apporter une aide concrète.

Gray rampa sur le lit en prenant bien soin de ne pas toucher Lucy. Il s'allongea à une dizaine de centimètres de son corps trempé et dévasté, et l'observa. Malgré ses frissons et ses spasmes, elle avait, comme l'avait prévu Ember, perdu connaissance. Sa poitrine se soulevait en rythme et il se surprit à apprécier la beauté de ce spectacle, avant de se reprendre. C'était un sacré joli morceau – et il était un abruti de le remarquer.

Tu vas brûler en enfer, Gray. Encore pire qu'avant.

115

Il posa le regard sur son visage, revoyant ses tristes yeux verts, ce mouvement têtu du menton, la fierté qui émanait de ses paroles même les plus désespérées. Il sentit sa respiration ralentir lentement et murmura une prière à l'attention de ses ancêtres Dragons, implorant leur protection quand il s'aventurerait dans le monde des rêves.

Quelques instants plus tard, il dormait.

Le ciel était d'un rose nacré, comme le dessous d'un coquillage. Lucinda ne distinguait aucun soleil ni aucune source de lumière. Hum. Peut-être que ce rose était la lumière.

Elle était allongée sur l'étoffe la plus douce qu'elle ait jamais connue. Son corps était recouvert d'un tissu soyeux, mais elle ne voulait pas bouger la tête d'un millimètre pour regarder plus bas.

La douleur avait disparu.

Elle se concentra sur le ciel de coquillage. Après quelques instants, elle prit conscience qu'elle flottait sur une sorte de courant. Elle craignait qu'en bougeant le moindre cil, ou même en prenant une inspiration trop profonde, elle serait frappée par la malédiction de Bernard, qui enflammerait ses veines et transformerait ses os en acide. Le mouvement doux et régulier de l'eau la berçait. Elle se sentait en sécurité dans ce curieux endroit.

Je suis en train de rêver.

Oh. Ça avait du sens. Elle dériva lentement sur la droite et se retrouva face à une mer qui s'étalait sous elle. Son « embarcation » était un rectangle de mousse épaisse. La sensation soyeuse, c'était une couverture destinée à apaiser plutôt qu'à réchauffer. Elle la repoussa pour regarder son corps, et gloussa. Elle portait un bikini argenté.

Son radeau de mousse se dirigeait vers la baie d'une île munie d'une plage interminable de sable blanc. Quelques mètres plus loin s'étendait la végétation luxuriante de la jungle, dont le périmètre était parsemé de palmiers. Puis elle distingua un homme debout au bord de l'eau, une main posée au-dessus de ses yeux pour suivre son approche.

— Nage ! lança-t-il. L'eau est excellente.

Gray ? Surprise de le voir dans son rêve, en train de l'attendre, elle hésita. Pourquoi rêvait-elle de lui ?

Décidant que l'identité de celui qui partageait la plage avec elle importait peu, elle se glissa dans l'eau chaude et se mit à nager.

Oh, que l'eau pourpre semblait éclatante autour d'elle ! Comme un millier de doigts qui la portaient vers le rivage et vers l'homme qui l'y attendait.

Elle posa le pied sur le sable en un rien de temps et sortit de l'eau pour rejoindre Gray. Il n'avait ni cicatrice ni tatouage. Il ressemblait presque à l'homme qu'il était auparavant et elle éprouva un pincement de culpabilité pour tout ce qui s'était passé. Ce qui lui était arrivé à lui. Et à elle.

Elle l'observa. Il était en forme et en bonne santé ; elle éprouva l'envie étrange de passer la main sur ses abdominaux bien dessinés, d'effleurer la ligne de poils noirs qui sortait de son maillot de bain noir.

Elle s'arrêta à moins d'un mètre de lui, incapable de détourner le regard de son corps de rêve. *Il pourrait être à moi. Tout de suite.* Elle était déconcertée par la nature érotique de ses pensées… et excitée, aussi. Elle se tordit les mains et se mordit la lèvre, incapable d'exprimer son trouble.

— Tu m'as demandé de t'épouser, déclara-t-il comme si elle avait dit quelque chose. Pensais-tu que tu échapperais à mon lit ?

— Tu as répondu non.

— Au mariage, dit-il. Mais pas au sexe.

— Je ne t'ai pas proposé de sexe.

Le sourire coquin qu'il lui adressa alluma des étincelles dans ses yeux bleus. Elle sentit quelque chose céder au creux de son estomac – une chaleur et des picotements qui descendirent jusque dans son entrejambe. Si le bas de son maillot de bain n'était pas déjà humide, il le serait maintenant, en réponse à son propre désir.

Son désir pour Gray Calhoun.

C'était une idée qui la choquait et la titillait à la fois.

Gray s'approcha d'elle et lui prit les mains.

— Où sommes-nous ? demanda-t-elle.

Quelque chose à propos de cet endroit lui semblait curieux, et elle prit conscience qu'il ne s'agissait pas d'une de ses propres créations. Elle visitait le paysage mental de quelqu'un d'autre.

Celui de Gray ?

— Oui. C'est à moi, dit-il en regardant autour de lui avec un petit sourire de satisfaction. C'est paisible. C'est un endroit qui n'exige rien de moi, précisa-t-il avant de reposer les yeux sur elle. Je suis ravi que tu aies accepté mon invitation à me rejoindre.

Son invitation ? Elle fronça les sourcils, mais il secoua la tête comme pour essayer de chasser ses préoccupations.

— Ne t'inquiète pas tant, d'accord ?

Il parlait d'une voix tendre qui ne lui ressemblait tellement pas qu'elle haussa les épaules, mal à l'aise.

— D'accord... Qu'est-il arrivé à...

— Chut, murmura Gray en lâchant une de ses mains pour poser son index sur ses lèvres. On parlera de tout ça plus tard, c'est promis. Je veux que tu te détendes. Tu as faim ?

Oh, oui. Elle avait faim, mais pas de nourriture. Elle vit le désir qui brûlait dans les yeux de Gray. Il avait envie d'elle, et elle pouvait le laisser faire. Le laisser la prendre ici, sur le sable blanc, avec l'océan pourpre qui venait leur lécher les jambes.

Elle ne put empêcher l'image de se former. La bouche de Gray posée sur ses seins, ses grandes mains hâlées caressant l'intérieur de ses cuisses, se glissant sous le triangle du tissu...

Avant qu'elle ait pu se débarrasser de cette image, Gray l'avait attirée contre lui et la serrait dans ses bras. Cette sensation lui était étrangère, mais elle se laissa aller. Elle n'avait pas senti le contact de quelqu'un depuis trop longtemps, pas reçu d'attention depuis trop longtemps aussi. Même si tout cela n'était pas réel, elle en avait envie.

Gray passa ses lèvres sur le lobe de son oreille.

— Est-ce ce dont tu as besoin pour te sentir mieux ? Tu veux que je te donne du plaisir, bébé ?

De sombres sensations s'éveillèrent en elle.

C'est Gray, songea-t-elle farouchement. *Il n'aura jamais envie de moi. Personne n'a envie de moi.*

— Stop, murmura-t-il. Cet endroit est différent. Il n'y a nulle part où se cacher. Aucun secret.

Aucun mensonge. Nous n'avons pas à protéger nos cœurs, ici. Je t'en prie, Lucy. Dis-moi ce que tu veux, et je m'exécuterai. Je ferai n'importe quoi.

D'une manière ou d'une autre, il lisait dans ses pensées. En étant dans son rêve à lui, peut-être avait-il accès à toutes les parties d'elle. Elle se sentait trop vulnérable. Elle ne voulait pas d'une partie de jambes en l'air inspirée par la pitié, mais ce serait tout de même mieux que cette insupportable bienveillance.

Des larmes se mirent à couler. Elle se trouvait pathétique de vouloir une chose d'une telle simplicité et de devoir, entre tous, solliciter Gray. Mais elle fut incapable de se retenir. Elle n'avait plus d'orgueil.

— Serre-moi, Gray.

Il s'assit sur le sable en l'entraînant avec lui. Puis il la serra contre lui en l'installant sur ses genoux. Elle se blottit comme un chaton ronronnant, posa son visage contre sa poitrine et écouta les battements de son cœur.

— Lucy, murmura-t-il en se penchant pour déposer un baiser sur sa tempe. Douce Lucy.

— Si tu m'appelles Lucie la Luciole, murmura-t-elle sombrement, je te colle une droite.

Il se mit à rire et le grondement à l'intérieur de sa poitrine lui fit l'effet d'un joyeux coup de tonnerre.

— Je ne t'appellerai pas Lucie la Luciole aujourd'hui, dit-il en resserrant ses bras autour d'elle. Mais demain, il se peut que je prenne le risque.

— Tu signes ton arrêt de mort, dit-elle en réprimant un sourire.

Pour la première fois depuis très, très longtemps, elle se sentait en sécurité.

120

C'est alors qu'un éclair zébra le joli ciel rose et la fit exploser en milliers de morceaux en fusion.

Elle entendit le cri de Gray, mais elle s'échappait déjà de son étreinte en flottant. Il essaya de la retenir autant par la force de sa volonté que celle de ses bras. Mais elle n'était plus qu'un fantôme désormais, dérivant vers le ciel, les membres en feu, tel un châtiment.

Gray se réveilla en sursaut et se redressa ; il se tourna vers la silhouette contorsionnée de Lucy à côté de lui. Elle avait les yeux ouverts, mais son regard était voilé et il savait qu'elle ne le voyait pas. Mais elle voyait assurément quelque chose. Des visions ? La malédiction incluait-elle aussi de mettre la pagaille dans son cerveau ? Ses lèvres tremblaient et des larmes coulaient sur ses joues.

— Non, murmura-t-elle. Non, ne lui faites pas de mal. Je ferai tout ! Pitié.

— Bon sang ! (Il s'approcha d'elle, le souffle court ; il avait tellement envie d'apaiser sa souffrance !) Lucy…

Elle se raidit, puis son corps se cambra et se mit à onduler. Sa crise fut si violente qu'il dut lui plaquer les épaules sur le lit pour l'empêcher de tomber sur le côté. Dès qu'elle cessa, il la relâcha et recula. Sa gorge bougeait comme si des hurlements y étaient emprisonnés.

Il n'avait jamais vu quiconque souffrir de la sorte auparavant. Lui-même n'avait pas enduré une telle agonie quand Kerren lui avait plongé son poignard en plein cœur et avait offert son âme à son amant démon. En luttant pour survivre, il avait connu neuf minutes d'un supplice inouï. *Neuf minutes.* Lucy avait des heures, des jours entiers devant elle.

Non. Il ne voulait pas la quitter mais il devait parler à Grit. Le vieil homme était malin comme un singe et si quelqu'un connaissait un moyen de contourner cette malédiction, c'était bien lui.

— Je reviens tout de suite.

Elle ne répondit pas, mais il ne s'était pas attendu à la moindre réaction de sa part.

Grit et Dutch étaient dans la cuisine, là où il les avait laissés. Il coupa court à leurs lamentations et leur relata en hâte les événements des dernières heures, y compris les détails de la malédiction de Franco.

— Impossible de déjouer la magie de démon, fiston, dit Grit. Comme Ember l'a dit, elle va devoir supporter la douleur.

— Z'auriez pas dû la rejeter, Votre Royale Créti-nerie, lança Dutch. Je parie que tu regrettes.

— Ferme-la ou c'est moi qui t'y oblige.

Il jeta un regard noir à la couverture bleue du surfeur. Aucun des livres n'était réellement pourvu d'yeux, mais ils voyaient malgré tout. Il n'avait pas besoin qu'on lui rappelle qu'il s'était comporté comme un imbécile. Certes, il aurait épargné à Lucy la décision d'activer la malédiction si elle avait été bien tranquillement en sécurité dans sa maison. Mais Marcy, elle, serait morte quand même. Tout ce qu'il pouvait faire maintenant, c'était essayer d'aider Lucy.

— La marche-rêve fonctionne ? demanda Grit.

— Ouais. Sauf qu'elle ne peut pas dormir long-temps. Un détail que Franco a sans aucun doute intégré à la malédiction – la maintenir éveillée pour plus de souffrance.

— Tout ce qu'on a à faire alors, c'est la plonger dans un sommeil plus profond, déclara Grit, l'air pensif. Règle numéro un en magie, garçon. Chaque sortilège a ses limites, et c'est pareil pour les malédictions. On ne peut pas penser à chaque petit détail quand on crée un sortilège, on est d'accord ? On est d'accord. Doit bien y avoir un endroit de son subconscient où Lucy peut aller et que la malédiction ne peut atteindre.

Gray sentit l'espoir revenir. La malédiction de Franco était peut-être odieuse, mais elle ne pouvait pas s'ajuster ou s'auto-corriger. Aucune malédiction ne le pouvait. Elles avaient toutes leurs paramètres précis, et aucun magique ne pouvait faire quoi que ce soit d'autre que les diriger. La magie était vivante, mais pas douée d'intelligence. Elle n'avait ni morale ni éthique. Elle s'en remettait à son maître pour lui dire quoi faire, comment se comporter.

— J'ai une préférence pour la racine de Sugandi, murmura Grit, mais on n'en a pas. Zut. On va devoir se contenter de Basilic Sacré.

Obéissant aux instructions de son grand-père, Gray passa un temps précieux à préparer de l'encens à partir de Basilic Sacré et quelques autres ingrédients. Il ajouta les effets magiques sur lesquels Grit insistait, ce qui lui prit encore plus de temps. De temps en temps, il entendait Lucy pousser un cri et son cœur manquait chaque fois un battement.

Enfin, l'encens fut prêt.

— Fais-le brûler le plus près possible d'elle pour qu'elle le respire bien à fond, indiqua Grit. Et tu devras faire la marche-rêve avec elle. Sinon, elle risquerait de ne plus en ressortir. C'est un truc de comateux, garçon. N'oublie pas non plus que tu rêves ! Si tu ne fais pas suffisamment attention, cette fille et toi pourriez vous retrouver pris au piège dans vos propres esprits.

Ses paroles tranchantes trahissaient l'inquiétude manifeste de son grand-père.

— Non, ça n'arrivera plus, dit Gray. Je reviendrai. Et elle aussi.

— Bonne chance, fiston.

— Ouais mec, carillonna le Hollandais. On se voit de l'autre côté.

Gray s'empara du bol d'encens et se hâta de retourner dans sa chambre. Il espérait que Lucy resterait inconsciente pour la durée des effets de la malédiction. Il ne doutait pas qu'à son réveil, elle aurait l'impression d'avoir été piétinée par un troupeau d'éléphants, mais il s'en inquiéterait le moment venu.

Tout ce que Lucy avait à faire, c'était survivre aux trois prochains jours.

5

Ember n'avait jamais douté de sa Déesse, mais parfois, elle n'aimait pas Ses méthodes.

— Tant de souffrance... murmura-t-elle en allumant les bougies parfumées sur l'autel. (Elle ressentit une réponse au plus profond d'elle : *nécessaire*.) Je sais, soupira-t-elle en regardant les flammes danser, le cœur lourd. Je sais.

Il était complexe et souvent déroutant d'essayer de comprendre le fonctionnement du monde. Diverses cultures trouvaient différentes interprétations et explications à des choses fondamentalement identiques. Les magiques étaient même allés jusqu'à revendiquer une filiation avec des êtres immortels, car les gens nés avec des pouvoirs avaient eux aussi besoin d'explications.

La Mère Créatrice, la Déesse, était la meilleure part de chacun. Elle inspirait la sagesse, la compassion, la solidarité, le courage et la bienveillance. Elle avait appelé Ember à Son service et Ember s'y était volontiers rangée, honorée d'être l'un de Ses prophètes.

Le don de la Déesse lui avait coûté la moitié de sa vision humaine. Elle avait retiré ses lunettes en pénétrant dans le sanctuaire, une chapelle créée dans l'ancienne penderie de la chambre principale. Elle caressa la peau sous son œil aveugle en se demandant si elle avait la force de faire ce qu'il fallait.

Oui, mon Élue. L'assurance de sa Déesse retira le poids qu'elle avait sur les épaules.

La grand-mère d'Ember lui avait appris que la destination importait moins que le voyage. *Peu importe la route qu'ils prennent, mon enfant. Tous les chemins mènent à la Divine.*

Bon. Peut-être pas tous les chemins.

Dans l'univers, toute chose avait son opposé – une condition nécessaire pour maintenir l'équilibre. Que devenait la joie si l'on n'avait jamais connu le chagrin ? Et comment connaître la paix quand on n'a jamais été dans la tourmente ?

Ce monde était un lieu d'apprentissage. D'autres mondes, au-delà de celui-ci, proposaient la tranquillité et l'illumination. On pouvait atteindre une joie éternelle et absolue, si c'était ce qu'une âme désirait vraiment. Hum. Ember songeait que le nirvana devait être une manière bien ennuyeuse de passer l'éternité.

Le Ténébreux était l'opposé de la Déesse. Sa nature était immuable, tout comme la Sienne, mais à cause de Son impatience, de Sa cupidité, de Son égoïsme, de Sa violence et de Sa haine, Il voulait toujours obtenir ce qui était hors de Sa portée. Et Il inspirait aux autres d'éprouver la même chose.

L'équilibre s'était dangereusement modifié à Nevermore, sous le nez du Gardien. Gray Calhoun avait son propre voyage à effectuer, mais Lucinda et lui faisaient partie intégrante du drame qui allait bientôt se jouer.

Ils auraient besoin d'elle.

Mais pour l'instant, elle n'était que la propriétaire d'un salon de thé, qui venait de connaître un essor certain grâce à la fermeture du café imposée par le Gardien.

Ember envoya un baiser à la statue d'argent de la Déesse, et se leva. Puis elle rassembla de l'énergie pour souffler toutes les bougies. *Va*, dit-elle à la magie, *et merci*. Elle sortit de la chapelle et entra dans la chambre.

Rilton l'attendait, assis sur le lit.

C'était un véritable cachet d'aspirine, son mari. Rilton Sanders était aussi pâle et mou que du pain blanc, et faisait près d'une tête de plus qu'elle, mais en plus mince – un peu comme si on avait attaché des branches de saule ensemble et collé un visage en carton au sommet. Il avait une petite dizaine d'années de moins qu'elle et ses cheveux blonds étaient coiffés en une tresse qui lui arrivait au milieu du dos. Doté d'une incroyable gentillesse, c'était une véritable beauté dans son genre et il lui vouait un amour inconditionnel.

Rilton était sa deuxième moitié.

Une fois qu'elle se fut consacrée à la Déesse, elle avait mis de côté tous ses autres rêves. Elle n'avait jamais pensé tomber amoureuse. Et elle ne l'aurait certainement jamais cru si on lui avait dit que son âme sœur était un jeune Blanc instruit et cultivé qui avait grandi dans une ferme de blé du Kansas. Parfois, Ember soupçonnait la Déesse d'être une romantique. Ou d'apprécier une bonne plaisanterie à l'occasion.

— Tu vas bien ? demanda-t-il doucement.

— Non, répondit-elle. Celle-là, elle va être difficile.

— Je peux faire quelque chose ?

Il lui caressa les cheveux. C'était Rilton tout craché. Il lui offrait un soutien immédiat et sans réserve. En homme réfléchi, il ne donnait jamais de réponse précipitée quand elle lui demandait conseil. Ça pouvait même être frustrant d'attendre qu'il ait examiné l'affaire sous tous les angles avant de faire une suggestion. Il lui avait dit que sa décision la plus rapide avait été celle de l'épouser – et cette décision avait été prise au cours de la première minute où il l'avait rencontrée.

Rilton ne mentait jamais non plus. Il n'aimait pas blesser les gens et gardait donc souvent ses vérités pour lui. Il n'avait lui-même aucun secret à cacher, mais on pouvait lui faire confiance pour garder ceux des autres. Il connaissait tous les siens et l'aimait malgré tout.

Ember s'appuya contre lui et il glissa un bras autour de ses épaules.

— On devrait y retourner, dit-elle, incapable de retenir un soupir. Beaucoup de gens ont besoin qu'on s'occupe d'eux.

— Toi aussi.

Le ton de sa voix trahissait quel genre d'attention il voulait lui donner. Elle le regarda ; son œil droit visualisait son corps physique et son œil gauche, sa forme spirituelle. C'était un homme accompli, en harmonie avec lui-même et avec le monde. C'était la raison pour laquelle elle pouvait le regarder, elle, mais pas d'autres. Certaines personnes avaient un côté spirituel tellement bancal qu'il était douloureux de les regarder. Rilton lui avait lui-même fabriqué les lunettes pour protéger son œil gauche de la laideur de l'âme des gens.

Il l'embrassa tendrement et la fit asseoir sur le lit. Ember passa ses bras autour de son cou et lui rendit son baiser.

La vie consistait à vivre... les moindres instants, même les plus infimes. Et la vie sans amour... eh bien, ce n'était pas une vie.

Lucinda se réveilla sur le sable blanc et soyeux, le ciel nacré au-dessus d'elle et les vagues pourpres chatouillant ses pieds.

Pendant un instant, elle savoura simplement le battement régulier de son cœur et le rythme de sa respiration.

Elle était en sécurité. Cette certitude absolue l'enveloppait comme une couverture chaude. Elle se délecta de cette sensation tant elle était agréable, elle qui n'avait rien connu d'autre que la peur et l'épuisement depuis si longtemps.

L'avantage avec les plages de rêve, songea-t-elle en se redressant tout en s'étirant, c'était que le sable ne venait pas s'infiltrer dans les moindres recoins. En fait, ce sable ne collait même pas du tout à sa peau. Elle remarqua qu'elle portait de nouveau ce bikini argenté – mais il avait été quelque peu modifié. Les minuscules triangles de tissu couvraient à peine les tétons de sa poitrine 95 C. Et le bas, c'était une plaisanterie. Le petit triangle devant était tout ce qui restait – les côtés se résumaient à des fils de soie et elle n'avait aucun tissu sur les fesses. Aucun doute que Gray était responsable de cette tenue ridicule. Même en rêve, les hommes restaient des hommes.

Elle se leva et jeta un regard alentour.

Elle était seule.

Ce fut la déception. Elle ne savait pas comment Gray avait réussi à la ramener dans son rêve, mais elle lui en était reconnaissante. Puis une autre pensée lui vint à l'esprit : était-elle morte ?

La dernière chose dont elle se souvenait, c'était l'alternance des sensations : comme si on la plongeait dans de l'eau glacée avant de la mettre au micro-ondes réglé sur puissance maximum. Après avoir été forcée à endurer le processus atroce et douloureux de la malédiction en elle-même, elle aurait pensé qu'elle avait compris quel genre de torture infernale il y avait pour elle en réserve dès qu'elle ferait appel à sa thaumaturgie.

Mais non. Absolument pas.

Elle frissonna. Combien de temps allait-elle passer ici ? Quel répit aurait-elle avant de réintégrer de nouveau son corps torturé ?

Son don lui avait un jour sauvé la vie. Pendant quelques précieuses minutes. Malgré tout, qu'est-ce qui lui avait fait penser qu'elle pouvait sauver Marcy, surtout avec des pouvoirs pervertis par une malédiction ?

La tristesse réduisit à néant son bien-être. Elle culpabilisait d'être sur une plage, en train de savourer la sensation du sable chaud sous ses pieds et l'odeur douce et parfumée de l'air. Marcy était morte.

Quelle raison aurait-on eu de vouloir la tuer ?

Pour le contenu de cette pochette rouge.

Son cœur manqua un battement. Qu'était-elle devenue ? Était-elle toujours dans la poche de son jean ? Elle n'était pas certaine de pouvoir honorer sa promesse faite à Marcy. Nevermore ne la concernait pas. En restant plus longtemps dans cette ville, elle ne ferait qu'attirer l'attention de Bernard – et sa colère avait déjà fait suffisamment de victimes. L'angoisse monta en elle. Elle portait déjà assez de secrets… elle n'était pas certaine de pouvoir soutenir le poids d'un autre.

— Hé ! appela une voix masculine.

Gray trottait vers elle, en maillot de bain noir, un sourire suffisant aux lèvres. Même ici, il dégageait une impression de force, de virilité, de danger. Ses genoux manquèrent céder sous elle et son estomac se noua.

De désir, pour Gray.

Elle était vraiment en plein rêve. Elle ne pouvait rien faire pour Marcy, ou pour la mystérieuse pochette rouge, ni même pour sa propre mort éventuelle. Tout ce qu'elle avait, c'était cet instant, ce lieu, la compagnie d'un homme qui n'avait aucune raison de lui prêter attention et encore moins de partager un rêve avec elle. Elle se souvenait qu'il était un Dragon et, naturellement, il devait également être un marche-rêve. *Perfectionniste*, songea-t-elle, maussade.

Il s'arrêta et lui jeta un regard langoureux qui mit le feu à ses veines. Oh, Déesse. Il savait pertinemment l'effet qu'il lui faisait. Il le faisait même exprès. Elle ne savait pas comment réagir. Vis-à-vis de la situation, et de lui.

Son sourire s'élargit.

— Comment ça va, Lucie la Luciole ?

Elle posa la main sur la hanche et feignit l'agacement.

— Je t'ai dit de ne pas m'appeler comme ça.

— Ah oui ? Et qu'est-ce que tu vas faire ?

Elle s'approcha d'un pas arrogant, les yeux plissés. Il avait une posture ferme, jambes écartées, bras croisés, une lueur de défi dans ses yeux brillants. Quand elle fut assez proche pour poser un doigt sur son torse, il la souleva dans ses bras et, d'un seul geste, la jeta dans l'océan pourpre.

Elle refit surface en toussant. Mais il l'avait déjà rejointe et il la fit couler tandis qu'elle reprenait son souffle ; il lui attrapa la cheville et la fit couler de nouveau.

Puis il éclata de rire et s'éloigna à la hâte en dos crawlé.

Quoi, ce…

Lucinda oublia absolument tout. Son inquiétude concernant la malédiction de Bernard, sa foutue malchance, la pauvre Marcy, la pochette rouge ou sa stupide attirance pour Gray. Son esprit se vida. Elle n'avait plus qu'une seule chose en tête : Gaaare à lui, elle avait lui faire payer ça !

Il lui fallut un moment – une heure, ou une après-midi ? – mais Lucinda parvint finalement à mettre Gray à l'eau. Elle arriva derrière lui à la nage et se servit de tout son poids pour le renverser. Il plongea sous les vagues pourpres dans un joyeux mélange de bafouillage et de toussotement.

Elle savoura son triomphe, même si elle savait qu'il s'était un peu laissé faire. Mais elle n'était pas stupide. Elle se dirigea vers le rivage aussi vite que possible. Quand elle mit le pied hors de l'eau, il était déjà sur ses talons en train de l'éclabousser.

Lucinda voulut se retourner, mais il la prit de vitesse. Elle poussa un petit cri en sentant ses doigts tirer sur le bas du bikini. Puis il l'attrapa par les chevilles et la fit tomber sur le sable en riant. Elle roula sur le dos et regarda Gray. Il se tenait au-dessus d'elle, le souffle court, les yeux étincelants.

— Je t'ai eue, dit-il.

Puis il se laissa tomber à côté d'elle. Il roula lui aussi sur le dos et ils restèrent étendus sur le sable chaud, épaule contre épaule, se délectant de la vue au-dessus d'eux.

— C'est tellement paisible, ici, murmura-t-elle. Comment peux-tu jamais revenir au monde réel ?

— Je ne le fais presque pas.

Lucinda se tourna pour le regarder. Il garda le regard rivé vers le ciel, mais elle percevait tout de même le trouble dans ses yeux.

— Raconte-moi.

Pendant un instant, elle songea qu'il ne lui dirait rien du tout. Pourquoi l'aurait-il fait ? Il était peut-être en train de l'aider en ce moment, mais elle ne se faisait pas d'illusion quant au prix qu'il lui faudrait payer. Il n'aurait pas changé d'avis s'il n'avait pas trouvé un moyen de se servir d'elle. C'était ainsi que le monde réel fonctionnait.

Mais cet endroit n'était pas le monde réel.

— Après Kerren… après ce qui s'est passé… être en vie était *douloureux*. J'ai erré pendant un certain temps.

— Cinq ans ?

Il haussa les épaules, mais ce geste désinvolte trahissait sa tension. Elle savait qu'il ne révélerait rien du moment précis où il avait disparu.

— Après m'être installé à Nevermore pour aider mon grand-père, j'avais besoin d'un endroit où m'évader. Je me sentais… confiné, emprisonné. Alors je suis allé de plus en plus loin dans mes rêves. J'ai créé cet endroit et j'ai commencé à passer mes journées à dormir. Je me réveillais seulement pour aller aux toilettes ou manger un morceau, mais au bout d'un moment, rien ne me semblait plus important que d'être ici. Mon grand-père... disons qu'il s'est débrouillé pour me ramener à la réalité.

Lucinda sentit son cœur se serrer.

— Oh, Gray.

— Non, je ne mérite pas ta compassion, dit-il doucement en se tournant vers elle avec une expression délibérément polie. Tu as faim ?

Il sembla apprécier poser cette question. Il s'écarta d'elle et elle se demanda s'il regrettait de lui en avoir autant révélé. Elle s'y connaissait en matière de réflexe d'autoprotection. La confiance était un don précieux.

— A-t-on besoin de se nourrir dans un rêve ? demanda-t-elle.

— On peut faire tout ce qu'on veut, dit-il. On peut faire un dîner de desserts. Ou manger du homard noyé dans du beurre. Ou se gaver de steaks, soutint-il avant de l'observer. Tu n'es pas végétarienne, si ?

— Déesse, non, répondit-elle. Cent pour cent carnivore.

— Bien. Je n'aurai pas à faire semblant d'aimer les carottes. Viens. (Il se releva et lui tendit la main pour l'aider à faire de même.) Je vais te préparer le meilleur repas de rêve que tu as jamais mangé.

Gray tint sa promesse. Il créa une terrasse faite de vieilles planches et, au centre, disposa un foyer. Puis il fabriqua d'immenses coussins sur lesquels s'installer. Il lui prépara un steak et du homard, fit apparaître du cheesecake, de la crème glacée et du chocolat. Ils parlèrent de tout et de rien – la Grande Bibliothèque, le Grand Tribunal de Washington, un endroit que Gray avait bien connu. Il n'y avait que deux Grands Tribunaux, l'un en Europe et sa copie aux États-Unis. Les représentants des deux Tribunaux se réunissaient une fois par an pour renouveler, retravailler, éliminer ou créer de nouvelles politiques universelles pour les magiques.

Ils évoquèrent brièvement la politique, y compris les rumeurs selon lesquelles les Grands Tribunaux remettaient en vigueur des lois interdisant le mariage entre magiques et terrestres.

— On n'est plus au Iᵉʳ siècle, déclara Gray. Même si c'était vrai, ces lois ne tiendraient pas longtemps. La vérité, c'est que le monde contient beaucoup plus de terrestres que de magiques ces jours-ci. Nous manquerions très vite de partenaires potentiels.

— C'est probablement les Corbeaux, dit Lucinda. Ils sont nombreux à être de véritables puristes.

— Oh, non, il n'y a rien de tel chez eux.

— Je sais.

La conversation dériva vers la législation de la détection de magique qui était en cours de discussion au Sénat des États-Unis. La proposition de loi visait à utiliser les nouvelles technologies pour déterminer si un fœtus possédait de l'ADN de magique, afin que les parents terrestres puissent se préparer convenablement.

Gray la regarda attentivement et soupira. Elle lui avait demandé de lui créer une robe, et il semblait regretter de l'avoir fait. Ce n'était pas pour la chaleur, mais la tentation devenait trop forte si elle restait à moitié nue en sa compagnie.

Malheureusement, Gray semblait moins se soucier de sa propre semi-nudité. En fait, elle le soupçonnait de savoir pertinemment l'effet qu'il lui faisait.

— Ne serait-il pas mieux de penser que les parents aimeront leur bébé peu importe ce qu'il est ? Que ce soit une fille ou un garçon ? Un magique ou un terrestre ?

— Tu as raison, approuva Gray. Ça ne devrait pas avoir d'importance.

Il évoqua ensuite Nevermore, l'enfance qu'on pouvait avoir en grandissant dans une ville de cette taille. Mais Lucinda avait perçu la peine dans sa voix, et prit conscience que la trahison de Kerren ne lui avait pas seulement coûté son rêve d'amours éternelles – mais aussi son rêve de paternité.

Lucinda réprima ses pensées. Les regrets fonctionnaient comme un poison lent, qui s'insinuait dans ses veines et lui volait sa vie goutte après goutte. Elle ne devait pas trop penser au passé, ni à l'avenir.

Elle écouta plutôt Gray évoquer son enfance, la ville qui faisait tant partie de lui et de son âme, et se laissa dériver avec plénitude dans les ondulations de sa voix.

Taylor Mooreland avala le reste de son café froid, puis s'adossa à son siège. Son bureau faisait face à la baie vitrée qui dominait Main Street.

Il était à peine huit heures du matin.

Il aimait le matin. Il était généralement à son bureau avant sept heures, deux bonnes heures avant les heures habituelles et avant l'arrivée de son assistante, Arlene. L'énergie et l'efficacité de

Taylor agaçaient au plus haut point cette mère de quatre grands enfants, âgée de cinquante-six ans, car elles entravaient trop souvent ses pulsions meurtrières de mère poule envers lui.

Il sourit. Arlene lui rappelait sa propre maman. Sarah Mooreland avait beau être décédée cinq ans plus tôt, il se surprenait encore à décrocher le téléphone pour l'appeler. Il ne s'y ferait jamais. Ces cinq années avaient passé aussi vite que ces cinq dernières minutes.

Le cœur un peu lourd, il reposa les yeux sur le rapport posé sur son bureau. Il avait déjà ouvert et étudié le dossier. Il avait déjà vu des photos d'autopsie auparavant – même celles de personnes qu'il avait connues personnellement. Nevermore était une ville trop petite pour avoir des étrangers. Mais il était affligé de voir le corps de Marcy étalé comme une dinde de Noël. Elle avait déjà été martyrisée par sa belle-mère. Oh, Cathleen n'avait jamais levé la main sur elle, non, elle frappait Marcy à coups de cruauté, en rongeant l'amour-propre de sa belle-fille jusqu'à ce qu'il ne lui reste plus rien.

Gray avait vu juste. Il était impossible que Lucinda Rackmore ait infligé ces blessures. Chez Ember, il avait remarqué combien elle était décharnée – et cette lueur dans son regard, eh bien, elle lui rappelait trop bien l'expression de sa mère après le départ de son père. C'était le regard d'une femme brisée. Elle n'avait pas la force, et encore moins la volonté, de faire du mal à Marcy.

Il aurait pourtant sacrément préféré que ce soit le cas, cela dit. Car si elle n'était pas responsable, ça signifiait que c'était quelqu'un de Nevermore qui avait commis les faits. À moins qu'un étranger ne rôde dans le coin sans qu'il l'ait remarqué. Il ricana. Personne ne pouvait se cacher à Nevermore. Les gens étaient trop curieux pour la boucler, en particulier si un inconnu rôdait. Bon sang, trois personnes lui avaient parlé de la femme qui s'était traînée jusque chez Gray avant même qu'elle ait l'idée d'entrer chez Ember.

Lucinda Rackmore allait devoir donner des réponses honnêtes à toutes ses questions. Pourquoi Marcy quittait-elle la ville sans rien d'autre que les vêtements qu'elle portait sur le dos ? Allait-elle seulement déposer la sorcière sur l'autoroute ? Avaient-elles prévu de partir ensemble, ou Lucinda faisait-elle du stop quand Marcy l'avait fait monter ? Pourquoi les poches de Marcy avaient-elles été vidées, et par qui ?

Il avait tout emballé et étiqueté, même les serviettes humides qu'on avait retrouvées éparpillées à côté du corps. L'eau avait tout ravagé – il n'était même pas certain de pouvoir obtenir des empreintes valables. Il possédait plusieurs objets magiques dont il pouvait se servir en tant que représentant de la loi. Les terrestres ne pouvaient manipuler la magie nécessaire à la création de sortilèges, mais ils pouvaient activer des objets à fonction magique. Cependant, une fois que la magie avait été déclenchée, l'objet devenait inutile. Le service de police avait son lot de précieux outils magiques, mais aucun d'entre eux n'avait la capacité de faire renaître des empreintes dégradées sur des carnets de commandes et des stylos détrempés par la pluie.

— Je n'ai rien, murmura-t-il.

Il repoussa le dossier, dégoûté. Puis il l'approcha de nouveau et aligna les bords avec le sous-main calendrier de son bureau. Le désordre ne faisait pas partie de ses gènes.

Gray avait disparu avec la sorcière depuis deux jours maintenant. Taylor était passé chez lui deux fois, mais ce fumier n'ouvrait pas la porte. Gray pouvait se montrer distant et de mauvaise humeur, mais son intégrité était solide. Un mauvais pressentiment s'insinua en lui et il se demanda s'il n'était pas arrivé quelque chose de grave dans la maison du Gardien.

Taylor n'ignorait jamais ses instincts, mais il n'était pas non plus du genre à tirer des conclusions hâtives. Il avait conscience que ses préjugés sur les sorcières Rackmore alimentaient son désir de rendre Lucinda responsable de tout ce qui allait de travers. Le scénario le plus probable était que Gray faisait la sourde oreille pour pouvoir s'occuper de Lucinda. Cette idée le laissait perplexe, car Gray plus que quiconque avait des raisons d'en vouloir méchamment aux Rackmore. La sœur de cette fille l'avait envoyé en enfer, pour l'amour de la Déesse !

Son sentiment d'appréhension s'intensifia encore.

Lucinda avait-elle fait quelque chose à Gray ?

Il n'arrivait pas à voir, chez la femme qui se tordait de douleur sur le bord de la route, une personne capable de faire le moindre mal au Gardien. Gray avait dit que la malédiction durait trois jours. Et s'il s'agissait de magie de démon... bon sang. Il fut pris de compassion. Malgré ce dont Gray l'avait accusé, il n'arrêterait pas Lucinda uniquement pour apaiser les blessures de son enfance. Il savait que c'était la décision de son père d'abandonner sa famille. En tant qu'enfant, il était plus facile d'accuser l'autre femme. Aucun enfant n'avait envie de croire que son père ne voulait pas de lui. Cela avait été sa première leçon de trahison. Et de lâcheté. Edward Mooreland n'avait pas eu le courage de dire à sa femme qu'il ne voulait plus d'elle ni de leur famille. Il avait laissé une foutue lettre.

L'enfoiré.

Il essaya de réprimer ces pensées et de se remettre à la tâche.

Lucinda était-elle aussi froide et insensible que sa sœur ? Il n'en savait rien. Elle avait fait quelque chose qui lui avait valu la haine de Bernard Franco. Lui, c'était officiellement une véritable ordure. Qu'avait fait Lucinda pour attiser ainsi la colère d'un Corbeau, au point qu'il façonne une malédiction de magie de démon contre elle ? Pourquoi ne pas simplement la tuer ? La Déesse le savait, suffisamment de ses ennemis avaient disparu au fil des ans.

Il lui manquait trop d'éléments et il n'était pas le genre d'homme à laisser une situation se dégrader et pourrir. Il lui fallait interroger Lucinda Rackmore, et si Gray refusait de la lui remettre, alors Taylor la mettrait en quarantaine magique s'il le fallait.

Son mauvais pressentiment battait comme un tam-tam primitif dans son ventre. Oh, tant pis. Il passerait de nouveau chez lui. Il frapperait jusqu'à ce que quelqu'un lui ouvre ou que la porte cède.

Il regarda sa tasse vide d'un air morose en se demandant s'il devait attendre Arlene pour qu'elle prépare une cafetière ou s'il devait se traîner en salle de pause pour le faire lui-même. Il se préparait toujours une thermos à la maison, qui durait jusqu'à l'arrivée d'Arlene, mais il n'avait pas dormi de la nuit – ni celle d'avant. Il avait besoin de toute la caféine possible.

Il reposa sa tasse et regarda de nouveau par la fenêtre. Peu de circulation. Un camion passait de temps en temps avec un bruit de ferraille. De l'autre côté de la rue se trouvait la vieille boutique de couture, dont la propriétaire, Thelma Clark, était décédée moins d'un an plus tôt. Sa fille, qui était partie en Californie le jour de ses dix-huit ans pour poursuivre ses rêves de star, allait soi-disant revenir pour reprendre l'affaire. La mère de Taylor avait grandi avec Mary Clark et avait confié un jour à son fils que « sa tête était farcie de paille ». Il n'avait pas vu l'ombre d'un cheveu de Mlle Clark, bien que les factures soient réglées chaque mois en temps et en heure. Il songeait qu'elle finirait bien par revenir à Nevermore à un moment ou un autre.

Il gardait de bons souvenirs de la boutique. Sa mère y avait travaillé la journée, et le soir au café, du moins jusqu'à ce que Cathleen prenne la relève. Pas même sa mère, qui avait pourtant le cœur tendre, n'avait pu trouver du bon chez cette femme. Ensuite, elle avait accepté des emplois ponctuels là où elle en trouvait, et lui avait commencé à travailler pour le vieux Joe, le propriétaire grincheux de la ferme voisine de la leur. Maman ne voulait pas qu'il arrête l'école, même s'il était l'aîné et le plus costaud. Le vieux Joe le bousculait, mais il ne lui avait pas fallu longtemps pour comprendre que cet homme était une guimauve. Il était mort à l'âge de quatre-vingt-douze ans et Taylor avait continué à travailler chez lui pendant toutes ses années de lycée. L'été suivant l'obtention de son diplôme, Taylor avait enterré son patron. Il avait pleuré comme un bébé, versant pour le vieux Joe toutes les larmes qu'il n'avait jamais pu verser pour son propre père.

Taylor avait découvert avec stupeur qu'il était le seul héritier des biens du vieux Joe. Il reçut la ferme, l'immense maison, la grange et les bêtes – absolument tout. Il revendit leurs misérables propres terres et leur maison étriquée, et sa famille entière emménagea dans la nouvelle demeure. Tout le monde avait sa propre chambre et la grande cuisine ouverte avait transporté sa mère de joie. Elle avait passé des semaines à récurer les moindres meubles et ustensiles, chaque mur et chaque centimètre de sol. Et les petits plats qu'elle préparait ! Cookies aux pépites de chocolat, tartes aux pommes, brownies, muffins aux myrtilles… Il soupira en salivant.

Après l'installation de la famille, il s'était aménagé un appartement pour lui dans l'une des dépendances abandonnées. Il avait tout remis à neuf lui-même. Il aimait les choses simples. Et le calme. Il adorait ses frères et sœurs, mais ils le rendaient fou. Le chaos au sein de leur famille ne cessait jamais.

Grâce à la générosité du vieux Joe, sa mère ne fut plus obligée de trouver des petits boulots et Taylor put enfin prendre des cours d'université en ligne. Ça lui avait pris un certain temps mais il avait fini par obtenir son diplôme de police. Puis il s'était rendu à l'académie pour suivre la formation adéquate. À son retour à Nevermore, il était allé directement trouver Grit pour lui annoncer son intention de devenir le shérif de Nevermore. Grit avait dépoussiéré le poste d'adjoint laissé vacant depuis trente ans pour le lui donner. Il dut attendre la fin du mandat du shérif en poste, qui avait été ravi de céder ses sales affections au petit nouveau.

Pour Taylor, peu importait. Il aimait son boulot.

Cinq ans plus tôt, tout avait été chamboulé. La vie s'écoulait tranquillement, comme il l'aimait. Ses frères et sœurs avaient quitté la maison les uns après les autres, jusqu'à ce qu'il ne reste plus que son frère de quatorze ans, Anthony, et sa sœur de dix-sept ans, Carrie. Annalise avait déménagé à Denver avec son compagnon, Onna, où ils avaient ouvert une galerie d'art. Kenneth avait épousé une fille du coin et s'occupait de l'exploitation de son beau-père au nord de la ville. Doreen s'était mariée dès sa sortie du lycée, avait divorcé un an plus tard, puis s'était remariée un an après... On lave, on rince et on recommence. Il avait perdu le compte des fois où elle était passée devant le prêtre, mais elle avait fini par prendre conscience qu'elle était amoureuse de l'*amour*, et s'était installée à Las Vegas pour devenir organisatrice de mariages.

La roue avait tourné.

Gray Calhoun était revenu à Nevermore pour s'installer avec son grand-père. *Paf.* Le shérif Billings avait décidé de prendre sa retraite et de s'installer en Floride. *Paf.* La même semaine, la maladie de Grit avait pris la pire des tournures et Gray l'avait emmené chez Leticia à Washington, où elle avait fait appel aux meilleurs guérisseurs.

Gray était reparu quelques jours plus tard, totalement abattu, et avait informé la population qu'il était le nouveau Gardien. *Paf*. L'une de ses premières actions fut de nommer Taylor comme nouveau shérif. *Paf*. Moins d'un mois après, sa mère faisait une mauvaise chute et se fracassait le crâne. Elle était morte seule sur le sol de la cuisine. *Bam*.

Le docteur avait fait la comparaison avec la chute d'un verre. S'il tombe sous le mauvais angle, il se brise. Sa mère était en train de cuisiner et avait laissé tomber un œuf. Elle avait glissé sur le jaune. Elle s'était heurté le crâne pile dans le mauvais angle, sur le rebord du comptoir, et avait perdu connaissance avant de toucher le sol. Sa chute et ce second coup à la tête l'avaient achevée.

Après les funérailles, Carrie acceptait d'aller vivre avec Annalise et Onna et il l'aidait à faire ses valises. Elle était restée à Denver et avait fini par devenir gérante de la galerie d'art. Il ne pouvait lui en vouloir, à elle ni à aucun de ses frères et sœur, de ne pas venir lui rendre visite très souvent. Bon sang, même lui n'arrivait pas à traverser la cuisine sans penser à sa mère étendue par terre en train de rendre son dernier soupir. Aujourd'hui encore, il évitait d'y entrer autant que possible.

Anthony vivait toujours avec lui. Il avait aujourd'hui dix-neuf ans et aimait travailler la terre. Il créait des jardins, toutes sortes d'aménagements paysagers. C'était comme de vivre au Pays des Merveilles. Naturellement, la ferme n'en était plus une. Taylor avait vendu la majorité des terres et du bétail. Il leur restait l'immense maison, une petite grange et quelques acres, ce qui suffisait grandement. Heureusement qu'il restait la grange où Ant recueillait des animaux errants. Plus ils étaient blessés et malades, mieux c'était.

Eh oui, il ne restait plus qu'Ant et lui dans cette grande et vieille baraque. C'était calme et tranquille la majeure partie du temps. Et sacrément isolé.

— Merde.

Taylor se passa une main sur le visage. Pourquoi ce plongeon dans le passé ? Le passé était le passé. Il ne pouvait rien y changer. Son estomac se noua. Il n'arrivait pas à se débarrasser de ce mauvais pressentiment, et il savait qu'il allait bientôt arriver quelque chose qui allait bouleverser son univers.

Il se leva de son fauteuil et s'approcha de la fenêtre. Grâce à Arlene, son bureau étincelait de mille feux. Elle pouvait repérer une trace sur les vitres à deux kilomètres. Il résista donc à l'envie de s'y appuyer. Il parcourut la rue déserte des yeux. C'était ainsi que se déroulaient la plupart de ses journées... des journées remplies de conflits mineurs, de P.V. occasionnels, de déjeuners chez Ember et de paperasse.

Le bureau du shérif était situé dans le même bâtiment depuis la création de la ville, bien que des améliorations et des modifications y aient été apportées de temps à autre. À l'exception de son adjoint à temps partiel, Terrence – que tout le monde appelait Ren –, il était le seul représentant de la loi en ville. Terrestres et magiques avaient tour à tour occupé le poste au fil des ans.

Taylor était fier d'être le shérif de Nevermore.

Son regard dériva vers les fenêtres sombres du Piney Woods Café. Situé à la diagonale de son bureau, il occupait l'angle du premier bâtiment érigé à Nevermore. À cause de la négligence de Cathleen, il portait le poids des ans. Il n'arrivait pas à croire que Gray l'ait fait fermer. Il n'aimait pas Cathleen Munch, mais il n'était pas sûr que la fermeture du café était la meilleure chose à faire. Voilà un autre point dont il devrait discuter avec Gray.

La porte du café s'ouvrit et Cathleen traversa la rue d'un pas lourd, vêtue d'un survêtement bleu et de baskets blanches. Il se crispa en attendant de voir si elle aurait le culot d'entrer chez Ember pour provoquer un scandale.

Mais la femme n'accorda pas même un regard au salon de thé. Elle descendit du trottoir avec l'allure d'une femme en mission, le regard rivé sur sa destination.

Le bureau du shérif.

Bon sang. Taylor s'écarta de la fenêtre et retourna à son bureau. Il souleva sa tasse vide et soupira. Pas d'Arlene. Pas de café. Pas le temps d'aller se cacher aux toilettes.

Il entendit la porte d'entrée s'ouvrir et le crissement des chaussures de Cathleen sur le plancher.

— Shérif ! cria-t-elle depuis le petit vestibule. Je réclame justice !

6

Gray s'assit sur le sable et regarda Lucinda sortir de l'eau. Les gouttes couleur lavande se détachaient sur sa peau pâle comme des grains de sucre sur le glaçage d'un gâteau.

Il avait envie de la lécher.

Ce n'est qu'un rêve, se dit-il. À son réveil, il n'éprouverait que de la pitié pour Lucinda. C'était tout ce qu'il pouvait se permettre de ressentir pour elle. Ce n'était pas comme s'ils pouvaient représenter quoi que ce soit l'un pour l'autre.

Ici, elle pouvait se sentir spéciale grâce à lui, en sécurité. Quand ils reviendraient à la réalité, il ne pourrait rien lui accorder d'autre que sa protection. Il demanderait à Ember de lui donner un travail et il lui trouverait un endroit où vivre. Si Bernard Franco posait un pied à Nevermore, Gray serait ravi de montrer à ce fumier sans cœur la signification du véritable pouvoir. Bernard n'ennuierait plus jamais Lucinda.

— J'ai l'impression d'être là depuis toujours, déclara-t-elle.

Elle soupira de contentement et s'assit à côté de lui.

Le regard de Gray plongea dans le décolleté de son minuscule bikini. L'eau avait déjà séché sur sa peau pâle et parfaite. Était-elle réellement aussi belle ? Ou lui avait-il créé un corps de rêve pour satisfaire ses propres désirs ? Il n'avait pu résister à l'envie de lui mettre un bikini sexy – et elle n'avait pas protesté. Et, la Déesse soit louée, elle s'était débarrassée de la robe.

— Ils ne parlent pas.

Gray cligna les yeux et regarda Lucinda.

— Quoi ? fit-il.

Elle posa les mains sur les côtés de ses seins, ce qui, bien évidemment, attira de nouveau son regard – et attisa son désir.

— Ils ne parlent pas. On dirait que tu espères avoir une conversation avec eux.

Ce n'est qu'un rêve. Il arracha son regard de sa poitrine pour le poser sur son visage.

— En effet, dit-il.

L'humour quitta le regard de Lucinda. Il perçut d'abord sa prudence puis, à travers, son désir. Elle avait envie de lui. Il le savait depuis la première fois qu'elle était entrée dans son rêve. Il entendait ses pensées… et oh, il sentait l'envie qui brûlait en elle quand elle le regardait.

— Ça n'aurait aucun sens, dit-elle.

Elle paraissait incertaine, comme si elle ne parvenait pas à décider si elle voulait que ça signifie quelque chose ou non.

— Je suis en conflit, admit-il.

Il aurait dû laisser tomber. La jeter de nouveau dans l'eau, mais… argh ! Il n'était pas un type fiable. « Gentil » n'était pas un adjectif qu'on utilisait souvent pour le décrire.

Il prit son visage en forme de cœur dans ses mains et la regarda dans les yeux.

— Au bout d'un moment, on va finir par se réveiller, et ce ne sera pas la même chose. Nous ne serons pas les mêmes. Je ne peux pas être avec toi. Je ne peux rien te donner.

Elle l'observa et son expression s'adoucit. Il se demanda ce qu'elle avait bien pu percevoir sur son visage qui méritait une telle compassion. Quels secrets avait-elle discernés ? Quelle peine n'avait-il pas réussi à masquer ?

Il laissa retomber ses mains mais elle l'empêcha de s'écarter. Elle posa une de ses petites mains sur son genou pour l'empêcher de se relever. Il aurait voulu fuir ce qui était en train de se préparer. Il n'avait pas le contrôle. Et il était furieux qu'elle puisse le lui faire ressentir.

Elle posa le bout de ses doigts sur sa mâchoire. Cette légère caresse le retint en otage, tout comme la lueur qui brillait dans ses yeux verts.

Elle se pencha en avant, puis l'embrassa.

Le contact léger et intime de ses lèvres mit le feu à ses veines. Elle était si tendre et attentionnée qu'il se sentit humilié. Comment pouvait-elle seulement lui donner cette petite partie d'elle-même ? Elle le traitait comme si elle pouvait se soucier de lui. Comme si... c'était déjà le cas.

Il s'écarta, le cœur martelant sa poitrine. Ça ne pouvait pas se passer comme ça. Ça ne pouvait être d'une telle douceur, non. Dur et violent, oui. Le désir brûlant et écrasant... l'enchevêtrement de leurs corps... la sueur et les gémissements... oh, bon Dieu oui.

Alors il n'aurait plus à écouter sa conscience.

Il ne résista pas quand elle l'embrassa de nouveau. Elle maintenait prudemment son visage, comme s'il était aussi fragile que de la porcelaine. Ses lèvres étaient comme un papillon, voletant, batifolant, atterrissant très brièvement avant de s'écarter de nouveau. Elle passa sa langue au coin de ses lèvres.

— Laisse-moi entrer, murmura-t-elle.

Il ouvrit la bouche et accepta sa langue. Il était décontenancé par la tendresse de son regard. Il avait eu envie de la faire basculer, de la prendre… et elle lui avait donné quelque chose. Quelque chose dont il n'avait même pas eu conscience d'avoir besoin.

Non. Il ne la laisserait pas faire ça. Il ne voulait pas ressentir ça de nouveau. Maudits soient les Dieux ! Trahi par son propre corps… manipulé par une autre sorcière Rackmore.

Dégoûté de lui-même, il s'écarta et la regarda. Il ne perçut aucun calcul dans ses yeux, uniquement chaleur et désir. Un désir qu'il pouvait assouvir. Sa bouche rose était charnue et gonflée. Il avait envie de sentir ces lèvres délicates partout sur son corps trop tendu. Elle tenait toujours son visage et il aimait la façon dont elle s'y prenait. Il aimait sa façon de le toucher – mais il ne méritait pas cette femme. Pire encore, il ne pouvait pas être certain que ses gestes étaient sincères et non destinés à provoquer une réaction bien précise.

Cependant, il était sûr d'une chose au plus profond de son âme.

Elle avait envie de lui. Et il avait envie d'elle.

Il ne prétendait pas qu'il s'agissait de quoi que ce soit d'autre que du sexe.

— Qu'est-ce que tu fais ? demanda-t-il d'une voix sèche.

Elle écarquilla les yeux et il se sentit stupide quand elle le relâcha. Son regard vacilla.

— Je pensais que j'étais en train de t'embrasser.

— Eh bien, ne le fais pas, dit-il avant de passer une main dans ses cheveux. J'ai envie de toi. Mais j'ai envie de te prendre vite et brutalement. J'ai envie d'être en toi, de te rendre folle, de te faire crier. Je veux qu'on se fasse mal.

Moi aussi j'aimerais ça, songea-t-elle. La pensée de Lucinda dériva dans l'esprit de Gray. Il éprouva un sentiment de triomphe et se pencha en avant, prêt à passer à l'attaque. *Si seulement il s'en souciait rien qu'un petit peu. Mais on s'est assez servi de moi.*

Gray se figea. C'était comme si elle venait de lui perforer la poitrine.

— Lucy.

— Je voudrais me baigner encore un peu. (Elle se leva et lui adressa un petit sourire tremblant.) Ce rêve va bientôt s'achever.

Traduction : il était déjà fini.

Il la regarda s'enfoncer dans les vagues jusqu'à la taille, puis plonger sous l'eau pourpre et s'éloigner à la nage.

Bien joué, ducon. Pourquoi ne lui avait-il pas donné ce qu'elle voulait ? Était-elle si différente de n'importe quelle femme qui désirait un peu de romantisme et de tendresse ? Ça n'aurait pas été réel, mais elle comprenait les règles ici… n'est-ce pas ?

Elle était brisée, amère et méfiante. Il ne pouvait pas baisser sa garde assez longtemps pour faire l'amour à une femme magnifique. Il lui avait dit qu'il n'y avait aucun secret ici, qu'il n'y avait aucune raison de protéger leur cœur.

Il s'était trompé.

Il devait ses remerciements à la sorcière.

La tentative pathétique de la jeune femme pour sauver Marcy avait été une aubaine inattendue. Le Gardien était complètement distrait à présent, ce qui était un avantage. Il avait besoin de temps pour trouver l'objet, créer le sortilège et réparer ses erreurs.

Ah, mais la sorcière lui avait aussi fait un autre cadeau. Elle fuyait Bernard Franco. En cas de besoin, il pourrait facilement échanger l'information de sa position contre l'aide du Corbeau. Mais la gratitude de Franco pourrait se transformer en trahison et il ne pouvait se risquer à laisser une autre personne échapper à son contrôle.

Malgré tout, cette nouvelle évolution lui faisait tellement plaisir qu'il avait décidé que la mort de Lucinda serait rapide. Oui, elle méritait son indulgence.

Et sa pitié.

Il observa les objets magiques sur la table à côté de lui. Il n'en manquait qu'un, le plus important, bien sûr. Marcy le lui avait volé. Il avait sous-estimé sa timide petite maîtresse. Quand il l'avait surprise dans le sous-sol du café en train de l'espionner, il avait perdu son sang-froid. Il pensait l'avoir suffisamment intimidée, mais il n'avait fait qu'attiser son audace. Dommage que la sorcière ait réussi à repousser Lennie et qu'il n'ait pas pu récupérer l'œil.

Oh, comme il s'était plaint en larmoyant d'avoir été ébouillanté ! Ce type n'avait pas la moindre résistance à la douleur. D'un autre côté, il ne lui avait pas fallu plus d'une bouteille de Jack Daniel's pour le faire taire.

Pendant que son ami pansait ses plaies, il avait réussi à s'introduire brièvement dans la clinique vétuste, le temps de fouiller le corps et les objets que le shérif avait emballés pour preuves.

L'œil n'en faisait pas partie.

La bonne nouvelle, c'était que s'il n'était plus en possession de Marcy, alors c'était la sorcière qui le détenait. La mauvaise nouvelle, c'était que cette femme était hébergée par le Gardien, et il était impensable de briser les protections. Il devait se préparer à divers scénarios. Si la sorcière s'était confiée à Gray à propos de l'œil, le sens du devoir inébranlable de cet homme le pousserait certainement à le remettre au shérif. Mais si la sorcière gardait le secret… eh bien, c'était une tout autre affaire.

Malgré ses prévisions, le portail ne s'était pas ouvert. Il avait senti la fragilité de la barrière et avait été certain qu'elle s'ouvrirait et lui permettrait d'invoquer Kahl. Gray Calhoun était comme tous les autres à Nevermore. Tout lui tombait dans la main – il n'était pas le Gardien parce qu'il le méritait. Il était né Calhoun, avait été élevé comme un Dragon et avait simplement débarqué en ville pour prendre la place qui lui revenait.

J'ai un droit de naissance moi aussi. Personne ne connaissait la vérité, et ceux qui avaient un vague soupçon – comme ces deux vieilles chouettes de bibliothécaires – l'avaient tu. On lui avait tout pris. Ses parents. Sa magie. Son identité.

La fureur monta en bouillonnant dans ses veines.

Dommage que le portail ne se soit pas ouvert. Il y serait parvenu s'il avait réuni tous les objets et achevé le sortilège. À présent, la barrière s'était consolidée et il allait devoir tout recommencer.

Il s'évertua à apaiser sa colère. Les choses ne se déroulaient jamais sans heurts la première fois. Ni même la seconde. Il avait encore beaucoup à faire, y compris récupérer son petit trésor auprès du Gardien.

Mais d'abord, il allait devoir faire un peu de nettoyage.

Taylor aurait voulu que sa tête explose sur-le-champ. La douleur entre ses deux yeux montait d'un cran dès que Cathleen ouvrait la bouche. Elle s'assit en face de son bureau dans un fauteuil en cuir qui crissait chaque fois qu'elle bougeait. Et Cathleen s'agitait beaucoup.

— Il n'est pas venu pour l'inspection, non monsieur. Et c'est marqué dans les registres de la ville que j'ai des droits. Si le Gardien ne tient pas sa parole, alors cette parole ne fait plus loi. C'est marqué juste là.

Elle se pencha en avant et tapota la page de son ongle rose et pointu.

Taylor regarda les pages jaunes du vieux registre en plissant les yeux. C'était l'un de ceux écrits par le premier shérif, une série de lois promulguées par le premier Gardien pour assurer la protection de la ville et de ses habitants. Comment Cathleen pouvait avoir eu connaissance de ce tome, ça lui restait en travers de la gorge. Ses

154

lectures ne contenaient pas la moindre vérité, et elle n'avait certainement pas la capacité de concentration ni l'intérêt pour fouiller les arcanes des livres de droit.

Elle s'était pourtant dirigée tout droit vers la bibliothèque qui s'étirait du sol au plafond, le long du mur gauche de son bureau, pour l'en extraire de la troisième étagère, première colonne. Il était coincé au milieu d'un paquet d'énormes livres de droit que Taylor avait trouvé de bon ton pour décorer son bureau plus que d'utilité pour son travail.

— Vous voyez, shérif ? (Elle releva le menton et renifla, bien décidée à jouer à fond le rôle de la partie lésée.) Je me suis assurée que tout soit propre et en ordre. Et il n'a même pas pris la peine de se montrer. Quel genre de Gardien est-ce là ?

— Voudriez-vous lui poser la question ?

Taylor s'adossa à son fauteuil et la cloua sur place d'un regard dur.

— Je suis certain que Gray sera ravi de vous faire une démonstration – juste pour que vous compreniez bien quel genre de Gardien il est.

Le visage de Cathleen rougit, mais elle saisit le message et ne répliqua pas. Taylor n'était peut-être pas d'accord avec les méthodes employées par Gray pour remplir son rôle de Gardien, mais ça ne voulait pas dire qu'il ne méritait pas sa loyauté et son soutien public.

Taylor lut de nouveau le registre. La loi était la loi. Gray serait furieux, mais c'était sa faute. Il aurait dû se rappeler cette foutue inspection. Taylor n'avait pas le choix. Il devait laisser Cathleen rouvrir le café.

— Hé, Taylor. Il y a un...

L'adjoint Ren Banton apparut à la porte et enregistra la scène. Son regard passa de Cathleen à Taylor. Il haussa un sourcil à l'intention de Taylor et eut le culot de sourire, juste un peu.

— Tu as besoin de quelque chose, Ren ?

— Un accident à la sortie de Brujo Boulevard, près de la fourche d'Old Creek.

Le regard de Taylor se posa d'abord sur le téléphone posé sur son bureau, puis sur le bol d'eau qu'il gardait à portée de main pour les sorts de communication. Il ne pouvait en émettre, mais pouvait en recevoir. Ren remarqua la direction de son regard et haussa les épaules.

— C'est arrivé près de notre ferme. Papa m'a appelé en découvrant l'épave.

Le père de Ren était Harley Banton – un veuf qui avait élevé seul son fils. Lara, la mère de Ren, avait commis le triste geste de se suicider. Ren n'avait que quelques mois à l'époque, à peu près le même âge qu'Ant. Le suicide de sa femme avait brisé Harley, qui s'était reclus. On n'avait jamais retrouvé de mot d'adieu, cependant, ce que Taylor avait toujours trouvé curieux. Lara était légèrement plus jeune que son mari ; elle était la nièce des jumelles Wilson qui était venue vivre avec ses tantes. Les Wilson tenaient la bibliothèque, du mardi au vendredi, de huit heures à seize heures Elles avaient dans les soixante-dix ans et étaient pointilleuses comme pas deux. Il valait mieux prier pour que la Déesse vous vienne en aide si vous rendiez votre livre passé la date limite. Elles aimaient tendrement leur nièce et avaient été dévastées quand cette dernière s'était ôté la vie en avalant une forte dose de Valium.

La ville s'en trouvait doublement frappée. D'abord, voir l'un des leurs abandonner sa famille pour courir les jupons, et ensuite, voir une jeune femme vive s'ôter la vie. Les deux événements n'étaient survenus qu'à deux semaines d'intervalle – et tous deux avaient alimenté les potins pendant des mois.

Alors, certes, Ren était jeune, à peine la vingtaine, mais il était solide. Il avait obtenu son diplôme avec Anthony et c'était l'un des rares gamins à être resté dans le coin. La plupart des enfants de Nevermore quittaient la ville. Certains restaient et d'autre revenaient, mais la majorité voulait vivre leur vie loin de cette petite ville et des travaux agricoles éreintants. Ant et lui avaient été proches à une époque, mais leurs intérêts ayant fini par diverger, ils s'étaient éloignés. Il semblait à Taylor que son petit frère se souciait moins des gens que de ses plantes.

— Taylor ?

Taylor cligna les yeux ; Ren et Cathleen le dévisageaient. Flûte. Il s'était de nouveau laissé dériver et avait perdu sa concentration.

— Bon, très bien, dit-il avec lassitude. Allons-y.

— Et moi ? s'exclama Cathleen d'une voix stridente. Et mes droits ?

— Vous pouvez rouvrir le café.

Il avait besoin de café et d'aspirine. Ren le salua et sortit, probablement pour mettre en route le seul véhicule des autorités, un SUV qui avait connu des jours meilleurs.

Taylor vit Cathleen bondir de sa chaise. On aurait dit un vilain petit oiseau en train de sauter de branche en branche en espérant pouvoir crever les yeux de quelqu'un à coups de bec. Elle n'avait pas posé la moindre question sur sa belle-fille ; ça le rendait malade. Pas une seule. Quand il lui avait appris la nouvelle deux jours plus tôt, tout ce qu'elle avait trouvé à faire, c'était se lamenter sur son manque de personnel. « Qui sera ma serveuse maintenant ? » avait-elle geint. Comme si on avait assassiné Marcy uniquement pour la mettre dans l'embarras.

— La veillée aura-t-elle lieu demain ? demanda plaisamment Taylor.

Cathleen s'arrêta sur le pas de la porte et se tourna vers lui, les sourcils froncés.

— Quelle veillée ?

— Pour Marcy, répondit Taylor. L'autopsie est finie. Son corps est prêt à être rendu. Je suppose que vous avez pris des dispositions pour son enterrement ?

Cathleen garda le silence un moment, et il savait qu'elle était en train de calculer tout l'argent qu'elle allait perdre en distribuant de la nourriture gratuite aux proches. Il sentit la colère monter. Il n'avait qu'une envie : sortir son pistolet et abattre cette femme sur place.

— Les veillées sont une tradition à Nevermore, dit Taylor comme si elle avait besoin qu'on le lui rappelle.

Elle avait survécu à son beau-père et son mari, dont les veillées avaient eu lieu toutes les deux au café. Qu'il soit maudit s'il la laissait s'en tirer sans en organiser pour Marcy.

— Tout le monde voudra une occasion de lui faire ses adieux.

Cathleen décida visiblement qu'elle avait gagné suffisamment de batailles pour aujourd'hui. Elle hocha la tête à contrecœur.

158

— Bien sûr que je fais une veillée. Elle était ma famille, soutint-elle les lèvres pincées. Je peux rouvrir le café tout de suite, n'est-ce pas ?

— Je ne peux pas vous en empêcher.

Elle était satisfaite. Elle lui adressa un sourire mielleux, fit volte-face et sortit.

— Bonne Déesse, pardonnez-moi mais je déteste cette bonne femme.

Taylor vérifia son holster et s'assura que tout était en ordre. Puis il ramassa son chapeau sur son bureau et le posa sur sa tête.

Il croisa Arlene sur le chemin de la sortie.

— Que diable voulait Cathleen Munch ? demanda-t-elle.

Puis elle vit son expression, ouvrit son grand sac rouge et en sortit une thermos de café et un flacon d'aspirine, qu'elle posa dans sa main.

Taylor se pencha et lui déposa un baiser sur la joue.

— Je crois que j'aimerais vous épouser, Arlene.

— Déjà prise, répondit-elle. Mais si les choses se gâtent, je vous le ferai savoir.

Il doutait d'avoir sa chance avec une femme heureuse en mariage depuis trente-cinq ans.

— Jimmy a sacrément de la chance.

Taylor sortit, d'un peu meilleure humeur.

Dans l'entrée, il se retourna.

— Il faut vraiment que j'arrive plus tôt, disait-elle au bureau vide. Je loupe toujours le meilleur.

Assis sur le rivage, Gray regardait Lucy nager. Elle semblait ne jamais se lasser de l'eau, ou peut-être était-elle simplement lasse de lui. D'accord. Elle ne l'avait pas vraiment évité. Elle gardait une

159

attitude naturelle, même quand elle lui avait demandé de lui créer un maillot de bain une pièce, ce qu'il avait fait à contrecœur. Malheureusement, ce n'était pas en se couvrant qu'elle parviendrait à apaiser sa libido déchaînée.

— *Gardien.*

Surpris, il leva les yeux vers le ciel rose.

— Ember ?

— *Oh, vous voilà. Il est l'heure de rentrer, maintenant. On a du travail.*

— Et Lucy ?

— *Maintenant que son supplice est terminé, elle va devoir récupérer. Toute cette souffrance a affaibli son corps.*

— On ferait peut-être mieux de rester ici jusqu'à ce qu'elle soit complètement remise.

— *Ce serait peut-être mieux pour* vous.

Gray soupira.

— Je la renverrai en premier. (Il s'interrompit.) Êtes-vous dans ma chambre ?

— *Avec le shérif. Désolée pour la porte.*

— La porte ?

Mais la voix d'Ember avait disparu. Il était une nouvelle fois impressionné par le pouvoir de cette femme, et se demanda quel genre de magique elle était exactement.

Depuis combien de temps Lucy et lui étaient-ils plongés en plein rêve ?

Soudain inquiet, il rappela Lucy sur le rivage.

Il était temps de retourner à la réalité.

Où l'attendaient ses regrets.

À son réveil, Gray avait l'impression que ses paupières étaient du papier de verre et sa gorge aussi sèche que le sens de l'humour texan. Il agrippa l'oreiller à côté de lui, là où la tête de Lucy aurait dû se trouver. Il se redressa d'un bond, paniqué.

— Holà, part'naire, dit Taylor de sa voix traînante, debout à côté du lit, un verre d'eau à la main. Ember a emmené Lucinda dans la salle de bains pour la laver. Elle était dans un sale état, précisa-t-il en lui tendant le verre, le nez plissé. Toi aussi ça te ferait pas de mal de faire trempette.

Gray avala le liquide frais d'un trait.

— Combien de temps suis-je resté inconscient ?

— Trois jours. Grit s'inquiétait pour toi.

— Ce n'est pas ce que tu crois, dit-il.

Taylor avait été au courant des incursions de Gray de plus en plus profondes dans ses propres rêves – et que le déclin soudain de Grit avait mis un terme à ces voyages. Il venait de confier son grand-père aux soins de sa mère avant que ce dernier s'effondre.

— Je le jure.

— Je te crois.

Gray avait les membres à la fois douloureux et engourdis. Et il avait sérieusement envie d'aller aux toilettes.

Taylor sembla lire dans ses pensées.

— C'est un miracle qu'aucun de vous n'ait pissé au lit.

— Je faisais de la marche-rêve avec elle. Le corps s'arrête presque quand on va aussi loin.

Taylor fit un signe du pouce par-dessus son épaule.

— Ember l'a emmenée dans la salle de bains de l'entrée parce que la baignoire est plus grande.

161

Gray sortit du lit. Ses jambes le picotèrent quand le sang afflua dans les membres qui avaient été immobilisés pendant trois jours. La position verticale lui fit tourner la tête et il laissa tomber le verre vide par terre, qui roula sous le lit et heurta quelque chose. Il ne savait pas ce qui se trouvait là-dessous. Il espérait seulement qu'il n'aurait pas trop de nettoyage à faire.

— Tu as besoin d'aide ?

— Non, c'est bon.

Gray se dirigea en titubant vers la salle de bains attenante pour se soulager. Il regarda son reflet dans le miroir tout en se lavant les mains. Il avait les cheveux gras, de la barbe au menton, et les yeux injectés de sang. Il dégageait une odeur de crottin de cheval. Ses vêtements étaient barbouillés du sang de Lucy et de sa propre transpiration, sans parler de la pluie qui les avait froissés et y avait laissé son odeur.

Quand il ressortit, Taylor se tenait près de la porte de sa chambre.

— Je me suis dit que tu voudrais d'abord la voir.

Bien sûr que Gray le voulait, même s'il était certain qu'Ember s'occupait très bien d'elle. Quelque chose chez cette femme inspirait la confiance et la compassion.

— Ferais-tu preuve d'indulgence envers moi, Mooreland ?

— Tu avais les doigts dans ses cheveux, dit-il. Et elle avait la main posée sur ta joue. Je ne sais pas si ça va te plaire, Gray, mais tous les deux, vous avez un lien, maintenant. Elle est à toi. (Il l'observa et repoussa son chapeau vers l'arrière.) L'est-elle ?

— Elle est à moi, acquiesça Gray.

162

La porte de la salle de bains était fermée, mais il était chez lui, bon sang, et il décida de l'ouvrir et d'entrer.

Ember était agenouillée sur le carrelage à côté de la baignoire montée sur pieds. Elle murmurait tout en nettoyant le visage de Lucy avec un linge. Lucy avait les yeux fermés et il se rendit compte qu'elle était toujours inconsciente. Elle était dans son propre pays des rêves à présent, et il regrettait de ne pouvoir y être avec elle.

— J'ai lancé un sort qui la maintient hors de l'eau, déclara Ember. Elle ne se noiera pas.

— Je vais m'occuper d'elle.

— Ah bon ?

Ember posa le linge sur le rebord de la baignoire et se releva. Elle se tourna, les mains sur les hanches, et le regarda de haut en bas.

De nouveau, Gray eut l'impression d'être un novice devant un maître Dragon.

— Elle est à moi, déclara-t-il simplement.

Ember n'était pas impressionnée.

— Ne la revendiquez pas parce que vous avez besoin de vous donner bonne conscience. Vous ne pouvez pas jouer sur les deux tableaux, Gardien. Vous ne pouvez pas vous sentir coupable d'avoir fait les mauvaises choses, puis l'accuser de manipuler vos sentiments.

La mâchoire de Gray tomba.

— Comment saviez-vous que j'étais... ce n'était que dans ma tête !

— La Déesse me l'a dit. Elle dit que vous ne pouvez plus vous cacher, précisa-t-elle en effleurant le côté sombre de ses lunettes. Tout a un prix. Parfois, de bonnes choses exigent des sacrifices, et parfois de mauvaises choses vous font des cadeaux. Vous êtes allé en enfer, mais vous avez eu un cadeau également.

— Non, dit Gray. (Son sang se glaça dans ses veines. C'était son secret, son fardeau à lui tout seul.) Il ne s'agit pas de moi.

— Ce le sera bien assez tôt. Mais c'est votre voyage que vous avez à faire, monsieur le têtu, soutint-elle en croisant les bras. Vous allez sortir ?

— C'est ma foutue maison !

Ember haussa les épaules et Gray comprit qu'il aurait plus de chance de déplacer une montagne que de faire sortir cette femme de sa salle de bains. Elle avait l'audace de le *chasser*.

— Allez vous occuper de vous. Puis revenez me dire comment vous allez revendiquer cette femme.

Elle agita de nouveau la main vers lui et Gray renonça. Sa propre odeur lui piquait les yeux. Et maintenant qu'il savait que Lucy allait bien, ça ne lui ferait effectivement pas de mal d'aller prendre une douche.

Taylor se tenait dans le couloir, un petit sourire aux lèvres.

— La ferme, dit Gray. Contente-toi de la fermer.

Lucinda se réveilla dans une eau tiède. Quand elle réalisa que la magie lui maintenait la tête hors de l'eau, le sort éclata comme une bulle de savon et elle glissa sous la surface.

— Lucy !

Elle entendit Gray crier, puis sentit ses mains sous ses aisselles. Il la tira hors de l'eau puis la fit basculer dans ses bras.

— Je… je suis nue, protesta-t-elle.

164

— J'essaie de ne pas y prêter attention, dit-il. Mais c'est pas gagné.

— As-tu remarqué que j'avais froid, aussi ?

Son regard dériva sur sa poitrine, s'attardant un tout petit trop longtemps sur ses mamelons en forme de perles, puis il fit une petite grimace.

— Ouais. En effet. Carrément froid.

Il se pencha vers un meuble et l'ouvrit. Il était rempli de serviettes de toilettes bleues et duveteuses. Elle en attrapa une et tenta de se couvrir, mais elle tremblait trop. La serviette tomba par terre comme un oiseau blessé.

— Je ne peux pas, gémit-elle en fermant les yeux. Je suis désolée.

Il sortit de la salle de bains, remonta le couloir et entra dans une chambre. Les murs étaient blancs, ornés d'une frise de fleurs roses et délicates. Les meubles étaient blancs également, y compris l'immense lit en fer forgé.

La pièce était absolument charmante.

Le couvre-lit s'accordait à la frise – paré de délicates fleurs roses. Les draps étaient roses, et la multitude d'oreillers dans les mêmes tons. On avait tiré les couvertures et Gray la déposa encore humide dans le lit. Il attrapa le coin de la couette, mais hésita.

Son regard parcourut son corps, mais pas de désir, cette fois-ci. Lucy détourna les yeux en le voyant observer les cicatrices qui zébraient sa peau. *Ne pose aucune question*, supplia-t-elle en silence. *Je t'en prie, ne pose aucune question.*

— Il faut que tu manges quelque chose. (Il remonta tendrement la couverture jusqu'à son menton et repoussa les cheveux humides de son visage.) Ember fait de la soupe. Tu penses que tu peux en boire un peu ?

— Oui, dit-elle. Mais je ne suis pas sûre de pouvoir tenir la cuillère.

— Il se trouve que je tiens très bien les cuillères.

Elle sourit. Elle aurait voulu pouvoir accepter sa gentillesse sans se poser de question, mais elle ne se souvenait que trop bien de l'expression dans son regard quand elle avait frappé à sa porte. Elle serait également incapable d'oublier le rêve qu'ils avaient partagé. Si elle avait pu accepter ses conditions et céder simplement à la passion qui les animait, elle aurait pu se raccrocher à quelque chose d'agréable pendant un petit moment. Mais elle savait qu'il se méfiait d'elle même s'il essayait de se montrer honorable.

— C'est bien mieux que ta chambre, dit-elle pour le taquiner.

— Je t'aurais bien amenée ici directement, mais le portail aboutit dans la chambre principale. J'avais peur de te transporter encore plus loin.

Le sérieux de sa réponse refréna ses autres tentatives de légèreté.

— Qu'est-ce qui t'a fait changer d'avis, Gray ? demanda-t-elle. Je te suis reconnaissante… vraiment. Mais tu ne voulais pas m'aider. Alors pourquoi le fais-tu, maintenant ?

— Tu n'es pas responsable des actes de ta sœur, répondit-il. Ce ne serait pas juste de les retenir contre toi.

— Merci, dit-elle sèchement. Tu es un saint.

Il passa une main dans ses cheveux humides.

— Je me suis comporté comme un imbécile, d'accord ?

166

— Ouais, acquiesça-t-elle. Un peu, ouais.

Il éclata de rire et le son résonna en elle. Il lui rappelait l'ancien Gray, celui qu'elle n'aimait pas, le sale gosse égocentrique. Elle savait mieux que quiconque que la tragédie pouvait si considérablement transformer les gens que leur âme s'en trouvait totalement reconstruite.

Gray ne pourrait jamais redevenir celui qu'il était.

Pas plus qu'elle-même.

Il s'assit prudemment sur le lit à côté d'elle. Pendant un instant, elle eut l'impression qu'il voulait lui prendre la main ou lui toucher le visage, mais il ne fit ni l'un ni l'autre.

— Je vais t'aider, Lucy. Tu peux rester à Nevermore. Je t'accorderai un sanctuaire officiel. Ember est prête à te laisser travailler au salon de thé en échange du gîte et du couvert. Elle a un appartement supplémentaire au-dessus du sien – il fait partie du même bâtiment. Il faudra un peu d'huile de coude pour le nettoyer, mais je t'aiderai.

— Je ne peux pas prendre ce risque.

Il la dévisagea.

— Quel risque ?

— Toi. Ember. La ville. Bernard viendra me chercher et mettra la ville à sac pour me retrouver.

— Qu'il aille au diable, gronda-t-il, l'expression orageuse. Je suis un Dragon. Un Magicien d'Honneur. Le Gardien de Nevermore. Il n'osera pas.

— Je suis certaine que tous tes titres l'effrayeront au plus haut point.

Gray fronça brusquement les sourcils.

— Si tu ne voulais pas exposer Nevermore à ce risque, alors pourquoi es-tu venue ici ?

167

— Pour te demander de m'épouser, soupira-t-elle. Si tu t'en souviens, j'étais en train de quitter la ville quand... (Elle sentit le sang quitter son visage quand le souvenir lui revint.) Marcy.

— Cathleen l'a déjà enterrée, l'informa Gray dont le ton suggérait qu'il voulait lui-même enterrer Cathleen – vivante. Ce matin, apparemment, sans avertir qui que ce soit. Mais elle fait la veillée ce soir.

— J'aimerais y aller.

— Très bien, dit-il en se frottant la joue. Je n'arrive pas à croire que Cathleen ait rouvert le café.

— Elle n'a pas fermé pour porter le deuil de sa belle-fille ?

— Pire que ça. Je l'ai fait fermer pour inspection, mais étant donné que je faisais de la marche-rêve avec toi, je ne me suis pas présenté. Elle a trouvé une loi dans les registres qui lui donne le droit de rouvrir le café, et je ne peux pas lui imposer d'autre inspection avant trente jours. Elle se sera racheté une conduite d'ici là et je ne pourrai rien faire.

Lucy attrapa la main de Gray.

— Je suis désolée. Le café semble tenir une place importante à Nevermore. Dommage qu'il soit géré par quelqu'un d'aussi cruel et égoïste.

Gray baissa les yeux sur les doigts de Lucy et cette dernière se sentit soudain ridicule. Elle essaya de s'écarter, mais il posa son autre main sur la sienne pour la retenir.

— Tu es étendue là, totalement affaiblie par cette foutue malédiction parce que tu as essayé de sauver une fille que tu connaissais à peine, et pourtant tu cherches encore à me réconforter pour une chose aussi insignifiante.

— Ce n'est pas insignifiant pour toi.

Il regarda leurs mains, puis son visage.

— Le mariage est le seul moyen de te protéger.

— Si quelque chose en est capable, oui, ajouta-t-elle. Bernard ne peut briser le lien matrimonial entre deux magiques. En devenant ta femme, j'aurais des protections qu'il ne pourrait pas altérer ou manipuler, insista-t-elle, désireuse qu'il comprenne que lui n'avait rien à gagner en acceptant. M'épouser ne rompra pas la malédiction. Rien ne le pourra. Ma thaumaturgie est pratiquement inutile.

— Nous trouverons un moyen de te libérer.

Lucy le dévisagea, le cœur battant.

— Gray, que dis-tu ?

— Je vais t'épouser.

Sous le choc, elle garda le silence, bouche bée.

— Ce n'est pas un mariage d'amour, prévint-il. Mais nous partagerons un lit. Et les responsabilités de la protection – la magie que tu possèdes doit servir à protéger la ville, comme la mienne. Tu seras ma femme pour tout ce que ça implique, Lucy.

Sauf dans son cœur, songea-t-elle tristement. Il ne s'agissait définitivement pas d'une romance. Elle avait besoin de lui et, même s'il refuserait certainement de l'admettre, il avait besoin d'elle. Et si leur rêve signifiait quelque chose, le sexe entre eux promettait d'être spectaculaire. C'était plus que ce qu'elle pouvait espérer – et c'était plus que ce qu'elle avait eu avec Bernard. Gray, au moins, était franc quant à ses intentions, et lui faisait savoir qu'il ne l'aimait pas. Elle préférait encore faire un mariage sans amour, mais avec respect et égalité, qu'être la maîtresse d'un homme qui prétendait l'aimer tout en la frappant jusqu'à lui faire perdre connaissance.

— Et si on trouve un moyen de lever la malédiction ? demanda-t-elle.

— Si on rompt la malédiction et qu'on supprime la menace de Bernard, dit Gray, alors je te ferai l'absolution du mariage.

Elle ressentit une vague de soulagement, assombrie par cette même douloureuse tristesse. Il n'avait pas envie d'elle, pas vraiment. Ah, mais la sécurité était là, à portée de main – elle avait envie de pleurer, mais elle avait déjà versé suffisamment de larmes.

— J'accepte tes termes, dit-elle. Merci, Gray.

Il hocha vivement la tête, lâcha sa main et se releva.

— Je vais en parler à Ember et au shérif Mooreland pour prendre les dispositions.

— Quand ?

— Tout de suite. Ils sont en bas en train de réparer la porte de derrière. Mooreland ne s'est souvenu de la clé sous le paillasson qu'après avoir défoncé la porte.

— Combien de temps sommes-nous restés dans notre rêve ?

Elle observait les minuscules fleurs roses du couvre-lit.

— Trois jours. Lucy ?

Elle releva les yeux. Il désigna la chambre d'un geste en fronçant les sourcils.

— Je sais qu'une cérémonie où la mariée est anéantie n'est pas très romantique, mais...

— Je me lèverai pour prononcer mes vœux, déclara-t-elle fermement. J'ai seulement besoin de me reposer un peu. Et de boire cette soupe que tu m'as promise.

170

Il hocha la tête.

— Taylor peut s'occuper de la cérémonie.

Lucinda comprit. Gray voulait une transaction légale et de pure forme. Elle ne pouvait pas lui en vouloir de ne pas tenir à la mise en scène d'un vrai mariage – qui lui rappelait bien trop le jour où il avait épousé sa sœur. Si ce n'était pas le cas pour Kerren, pour lui il s'agissait d'un mariage d'amour. Et pour Lucinda, choisir une robe et des fleurs ne serait qu'une manière de perpétuer le mensonge que leur relation était plus qu'un simple moyen d'arriver à une fin. Il était son protecteur, et pour son engagement, elle lui accorderait sa loyauté et le peu de pouvoir qu'il lui restait.

Elle aussi préférait que les choses soient claires, rien que pour se rappeler que la vérité, peu importe qu'elle soit laide, valait mieux qu'un joli mensonge.

— Mes vêtements ? demanda-t-elle.

— Ils sont dans la salle de bains. Je te les laverai.

— Non.

Il lui jeta un regard appuyé et elle tressaillit. Malgré ses beaux discours à propos de la vérité et du mensonge, elle avait des réticences à partager ses secrets. Bernard voulait la retrouver pour diverses raisons, dont l'une n'était pas moins que de récupérer ce qu'elle lui avait pris. Et à présent, elle avait aussi le secret de Marcy à garder.

Elle voulait faire confiance à Gray. Mais si jamais elle se confiait… et qu'il décidait de ne plus l'épouser ? Et s'il lui disait qu'elle ne valait pas tous ces ennuis ?

Alors c'est qu'il n'est pas l'homme que je crois.

Gray la dévisageait en attendant qu'elle se décide. Il comprenait qu'elle luttait avec sa conscience et il attendait de voir ce qu'elle allait dire. La confiance fonctionnait dans les deux sens. Elle ne pouvait pas continuer à tourner en rond en espérant qu'il cède ou qu'il renonce avant elle.

C'était elle qui allait faire le premier pas.

— Marcy m'a demandé de garder quelque chose pour elle. Elle m'a demandé de le prendre et de quitter Nevermore.

— Prendre quoi ? demanda-t-il.

— Dans la poche de mon jean. Il y a une petite pochette rouge. Je ne sais pas ce qu'il y a dedans.

Il observa son visage en fronçant les sourcils.

— Tu ne veux pas me dire.

— Elle est morte pour ça, Gray. Elle me l'a donné pour que je le protège, et maintenant je te fais confiance en te le disant. Pour elle.

Le reste demeura tacite, mais elle sut qu'il avait compris ce qu'elle pensait : *Ne nous laisse pas tomber.*

— Je vais m'en occuper. (Il hésita, puis s'approcha du lit et se pencha vers elle, puis déposa un léger baiser sur ses lèvres.) Et je vais m'occuper de toi.

C'était presque mieux que des vœux de mariage.

Presque.

7

Gray était assis à la table de la cuisine en compagnie de Taylor et Ember, et grignotait une fournée de cookies aux pépites de chocolat que cette dernière avait concoctés. Il venait de leur confier la situation de Lucy et la solution qu'ils avaient trouvée : le mariage.

— As-tu perdu la tête ? s'exclama Taylor. Tu vas épouser une autre sorcière Rackmore ? Et pas n'importe quelle Rackmore ! La sœur de ton ex-femme ! Une sorcière maudite par un Corbeau !

— Eh bien, vu sous cet angle… dit Gray avec sarcasme. Oui.

Il savait de quoi ça avait l'air. Il savait que c'était dingue, mais au fond de lui, il savait aussi que c'était la seule chance qui restait à Lucy. Franco finirait par la rattraper et la tuer.

Ou peut-être qu'il se contenterait de la torturer encore un peu plus.

Gray repensa aux cicatrices qui zébraient la peau pâle de Lucy et aurait voulu pouvoir détruire Bernard Franco. L'ordure. Il n'avait aucun doute que c'était l'œuvre de Franco, qu'il avait entaillée, fait saigner et souffrir la jeune femme. Pourquoi diable avait-elle supporté tout cela ?

— Ember, ça m'ennuie de l'admettre, mais ils sont aussi bons que ceux de ma mère.

Taylor soupira de contentement et attrapa un autre cookie.

— C'est gentil, répondit Ember. Merci.

Elle ne goûtait pas aux cookies, en revanche. Elle était trop fascinée par les deux livres posés devant elle. L'un était un épais volume en cuir, qui lui rappelait le cuir de selle, et la police utilisée pour le titre faisait très « conquête de l'Ouest ». L'autre était plus fin et plus petit, comme un recueil de poésie. Il était du même bleu que l'océan et la police ressemblait à des vagues.

— Tu ne voudrais pas me gratter la reliure encore un peu, Ember ? dit le livre en cuir. Mon propre petit-fils s'y refuse.

— Parce que ça me fait tout drôle de chatouiller mon grand-père, même s'il est un livre, dit Gray.

— Moi aussi je veux des grattouilles, Ember, déclara le recueil bleu. Gray est avare de caresses.

— Parce que t'es un mec, répliqua Gray, sur la défensive. Arrête de flirter avec une femme mariée.

— Flirter c'est pas tromper, insista Dutch.

— Je n'arrive pas à croire que vous ayez deux livres d'âme, dit Ember en grattant les reliures des deux livres, et ces derniers se mirent pratiquement à ronronner. Une fois, j'ai eu l'occasion de visiter la collection d'âmes spéciale de la Grande Biblio-thèque. Il y avait tant de personnes qui racontaient leurs histoires... j'aurais pu rester là des semaines à les écouter.

174

— Je sais comment tu as eu Grit, dit Taylor. C'est le vieux qui l'a demandé. Mais comment as-tu récolté Dutch ?

Gray n'avait pas vraiment envie de parler des livres. Il voulait aller voir Lucy, mais au bout de la cinquième fois où il avait voulu s'assurer que « tout allait bien », elle avait fini par lui demander de la laisser tranquille. Au moins, le ventre plein de la soupe au poulet d'Ember et après une bonne sieste, elle se sentait beaucoup mieux. Il était parvenu à dénicher de vieux vêtements de sa mère. La plupart étaient trop grands pour la frêle silhouette de Lucy, mais il l'emmènerait faire du shopping et lui achèterait tout ce qu'elle voudrait.

Dans son coffre magique à l'étage se trouvait la pochette rouge qu'il avait trouvée dans le jean de Lucy. Il n'avait pas regardé à l'intérieur car il ne voulait pas savoir. Pas encore. Il était certain que ce que Marcy tentait de faire sortir clandestinement de Nevermore ne ferait qu'amener des complications dans sa vie. Taylor serait furieux qu'il ait dissimulé cette preuve dans une enquête en cours, mais franchement, Taylor pouvait aller se faire voir. Ah ! Il se faisait l'effet d'un grincheux – un vieux grincheux hargneux.

Bon sang de bonsoir. Il commençait à ressembler à Grit.

— C'est moi qui lui ai demandé de prendre Dutch avec nous, expliqua Grit.

Arraché à ses pensées par la voix teintée de whisky de son grand-père, il regarda Taylor.

— Je ne sais pas comment ils sont devenus amis, mais honnêtement, les bibliothécaires étaient ravis de les voir partir tous les deux.

— Nous étions trop compliqués à gérer pour eux, déclara Dutch. Trop vertueux.

Ember se mit à rire et chatouilla le recueil de plus belle.

— Combien de temps cela va-t-il prendre ? demanda Gray. Tu as besoin de quelque chose en particulier ?

Taylor essuya les miettes de ses mains.

— Pour quoi ?

— Pour nous marier, Lucy et moi.

— *Maintenant* ?

L'attention d'Ember fut immédiatement attirée. Son unique œil noir se fixa sur lui. Gray réprima l'envie de détourner le regard. Il refusait d'éprouver de la honte à ne pas accorder un mariage de rêve à Lucy. Elle avait convenu qu'il devait s'agir d'un mariage simple et rapide. Ils n'étaient pas amoureux. Ils avaient… passé un marché. Qui leur profitait à tous les deux.

— Tu ne vas pas laisser le temps à cette fille de se préparer ? ricana Ember. Il lui faut une robe, et des fleurs. Tu lui as déjà acheté une bague ?

Gray rougit. Il n'avait pas pensé à la bague. La femme du Gardien devait avoir au minimum un symbole représentant leur lien. Il ne possédait aucun bijou, du moins aucun qu'il portait et aucun qu'il aurait pu lui donner. Merde.

— Vous êtes d'accord pour qu'ils se marient ? demanda Taylor en regardant Ember comme s'il venait de lui pousser une deuxième tête. Sérieusement ?

— Si mon petit-fils décide qu'il doit se faire mettre le grappin dessus, alors qu'il en soit ainsi, dit Grit.

— Surtout si c'est une beauté pareille, acquiesça Dutch.

— Excusez-moi une minute, dit Gray en ramassant les deux livres.

— Holà, mec ! Doucement avec la reliure.

— Nom d'une pipe ! Où est-ce que tu nous emmènes ?

— Dans la bibliothèque.

Les deux livres se mirent à geindre. Grit disait que les autres livres frottaient trop fort contre sa couverture, et Dutch trouvait la bibliothèque inquiétante et mal aérée. Gray les posa sur le bureau, déjà recouvert d'autres livres, de vieux papiers et de babioles pour lesquelles il n'avait jamais trouvé de place. Comme chaque recoin de la maison, cette pièce était encombrée par les vies passées, la sienne et celles d'autres Calhoun, et il se demandait comment tout avait pu échapper à son contrôle.

— Combien de temps on va rester ici ? demanda Grit.

— Je dois aller me marier, déclara Gray. Puis ma première sortie avec ma femme sera d'aller dire au revoir à la fille pour laquelle elle a failli mourir en essayant de lui sauver la vie. Ensuite, nous irons au lit.

Dutch ricana. Gray donna une tape sur sa couverture.

— Ça suffit, toi. Lucy doit se reposer.

— Hum-hum. Elle est jolie, non ? demanda le surfeur. Je parie qu'elle doit être canon à poil.

— Tu ne le sauras jamais.

— C'est dur, mec. Vraiment dur.

— Je reviendrai vous chercher demain. Si vous êtes sages tous les deux.

— Je déteste être un livre, dit Grit. Pourquoi ai-je demandé une âme imprimée dans un *bouquin* ? J'aurais dû demander une chaise. Ou un carillon.

— Bonne nuit, Grit. Sois sage, Dutch.

Ils murmurèrent un « bonne nuit » à Gray qui retourna dans la cuisine, juste à temps pour entendre Ember dire :

— C'est leur destin. Mais je n'approuve pas cette méthode froide de prononcer ses vœux.

— Lucy et moi sommes d'accord pour faire les choses simplement, déclara Gray. Cet arrangement nous profite à tous les deux et c'est très clair entre nous.

— Elle obtient la protection, dit calmement Ember, et vous, vous avez quoi ?

— Une femme qui ne me vendra pas à un démon pour sauver sa peau.

Ember leva les yeux au ciel. Puis elle soupira.

— Je peux conduire la cérémonie. Je suis une prêtresse de la Déesse.

— Non, merci, Ember, déclara Lucy sur un ton d'excuse en apparaissant sur le seuil de la cuisine. Gray et moi souhaiterions que ce soit le shérif Mooreland qui s'en charge.

Gray se leva de son siège sans la quitter des yeux. Il avait l'impression que son cœur venait de s'arrêter, et il frotta sa peau à l'endroit sur sa poitrine d'un air absent, tout en se hâtant de la rejoindre. Elle s'appuyait contre le chambranle de la porte, belle et fragile dans la robe vert clair de sa mère. Elle était bien trop grande pour elle, mais la couleur lui allait à ravir. Ses boucles de cheveux caressaient ses épaules. « Brun » ne suffisait pas à décrire leur teinte, où se mêlaient des mèches caramel et auburn. Gray ne put s'empêcher d'enrouler une boucle douce et soyeuse autour de son doigt. Sa peau était lisse et veloutée, et son regard encadré de longs cils noirs. Elle avait les joues un peu trop creuses, mais la souffrance et la maladie elles-mêmes ne pouvaient altérer sa beauté. Elle ne portait aucun maquillage mais n'en avait pas besoin. Il posa les yeux sur ses lèvres, tendres, de la couleur d'un vin rosé.

— Coucou, dit-elle.

Il laissa retomber sa mèche bouclée et l'attira contre lui.

— Je serais venu te chercher.

— Je sais, dit-elle sans se départir de sa fierté, malgré son équilibre incertain qui l'obligea à s'accrocher à lui. Mais je voulais essayer.

— Tu es forte, acquiesça-t-il. Je suis sûr que demain, je te retrouverai en train de soulever des rochers.

— Il faut bien que quelqu'un fasse le gros du travail, ici.

Il lui sourit.

— J'y crois pas, murmura Taylor.

— Qu'est-ce que je vous avais dit ? fit Ember d'un air suffisant. C'est le destin.

Gray ne prêta aucune attention aux commentaires du poulailler. Lucy était si petite et frêle contre lui ! Il allait non seulement l'emmener faire les magasins, mais il allait l'engraisser un peu. Il avait presque l'impression qu'en faisant un geste de travers, elle s'effriterait entre ses doigts.

Elle leva les yeux vers lui, un sourire aux lèvres. Il avait pris le temps d'enfiler une chemise élégante et un pantalon noir. Il portait ses bottes noires ornées d'une boucle en argent. Son apparence semblait lui plaire et il se sentit récompensé pour ses efforts.

— Tu es prête ? lui demanda-t-il.

— Oui.

Il savait qu'elle n'apprécierait pas d'être traitée comme une faible créature. Cette femme avait péniblement descendu deux volées de marches et traversé la pagaille sans nom qui jonchait le sol du salon sans lui demander son aide. Il allait lui laisser l'illusion qu'elle tenait debout toute seule.

Il se tourna et elle posa la main sur son bras. Il posa la sienne par-dessus, comme pour lui insuffler sa force. Elle s'appuya contre lui. Il la sentit trembler et il savait que se tenir droite lui coûtait un gros effort.

— Attendez, dit Ember. Mooreland, allez donc présenter vos vœux à la mariée. Gray, laissez-moi vous remettre en état. Déesse toute-puissante, vous faites peur à voir.

Gray lui jeta un regard noir, mais Ember ignora calmement sa colère, sûre de son fait. Taylor céda avant lui. Il regarda son ami et s'approcha de Lucy, avec une expression qui indiquait clairement que toute cette situation ne lui convenait pas. Il posa malgré tout son bras autour de la mariée d'un geste doux.

— Vous avez eu fort à faire.

— Oui, répondit Lucy. J'ai vraiment besoin d'un agenda.

Taylor se mit à rire et Gray éprouva soudain l'envie de coller son poing dans la figure de son ami. Il s'agissait peut-être d'un mariage de convenance, mais Lucy était à lui, bon sang. Et il n'aimait pas du tout voir Taylor faire le… rigolo avec elle.

— Gardien, venez donc par ici.

Il suivit Ember dans un coin de la cuisine tout en jetant des regards par-dessus son épaule vers Taylor et Lucy qui parlaient entre eux à voix basse. C'était comme si sa jeune épouse faisait fondre la façade glaciale de l'homme de loi. Il n'était pas sûr d'aimer ça.

— Tenez.

Gray baissa les yeux sur l'anneau délicat qu'Ember lui offrait. Trois brins de différentes nuances d'argent avaient été tissés ensemble pour créer la bague. Il l'avait aperçue au doigt d'Ember parmi toutes les autres bagues qu'elle portait. Il sut immédiatement que Lucy l'adorerait.

— Combien ? demanda-t-il.

Ember se hissa sur la pointe des pieds et lui donna une petite tape à l'arrière du crâne.

Il cligna les yeux, perplexe.

L'œil noir lui jetait des éclairs.

— Vous n'avez aucune manière. On ne demande pas de payer un cadeau.

— Ah d'accord. Désolé.

— Allez vous marier, espèce d'imbécile.

Sévèrement remis à sa place, il empocha la bague et retourna auprès de Lucy. Elle semblait pâle, mais tenait bon.

Ils prirent tous deux place devant Taylor et prononcèrent leurs vœux.

La cérémonie dura moins de cinq minutes. Légaliser une union entre magiques n'avait rien de très compliqué, surtout dans une ville où les magiciens faisaient la plupart des lois. En un rien de temps, Taylor se tourna vers Gray et lui demanda :

— Qu'offrez-vous à la future mariée en gage de votre foi dans le lien qui vous unit à présent ?

Gray sortit l'anneau d'argent de sa poche. Face à l'expression sur le visage de Lucy, il fut infiniment reconnaissant à Ember de lui avoir donné la bague.

— Avec cet anneau, je te promets amour et fidélité.

— Je l'accepte.

Elle s'en empara et le glissa à son doigt. Puis elle lui sourit et la lueur de bonheur dans ses yeux lui donna l'intime conviction qu'il avait fait quelque chose de bien. Ils pouvaient faire en sorte que ça fonctionne. Cette union vaudrait bien mieux que celle avec Kerren, car ils abordaient ce contrat de mariage avec lucidité, sans attente ni espoir d'un avenir commun. Ils pouvaient profiter l'un de l'autre – et le moment venu, ils se sépareraient.

Taylor se tourna ensuite vers Lucy :

— Qu'offrez-vous à votre futur époux en gage de votre foi dans le lien qui vous unit à présent ?

Gray ouvrit la bouche pour signifier qu'il n'attendait rien, mais il vit avec surprise Lucy plonger la main dans les plis de sa robe pour en ressortir un objet.

Au centre de sa paume, elle lui révéla un petit cercle de cheveux tressés.

— Avec cet humble anneau, je te promets amour et fidélité.

Elle avait coupé et tressé ses propres cheveux pour lui fabriquer une alliance. Elle avait même réussi à y entrelacer un ruban bleu. Il perçut le pouvoir de la magie également, et remarqua combien le bijou semblait doux et brillant, comme s'il était laqué. Sans rien, elle était parvenue à créer quelque chose. Ce geste le touchait profondément. Non, il le *renversait* littéralement.

Il observa longuement l'anneau.

Lucy replia les doigts dessus.

— Je suis désolée. Je ne sais pas à quoi j'ai pensé. Tu ne veux probablement pas porter un aussi bête...

Il lui attrapa la main et écarta ses doigts. Il ramassa la tresse délicate et la passa à son doigt.

— J'accepte.

Puis, parce qu'il était incapable d'exprimer les émotions qui déferlaient en lui ou ses craintes que ce ne soit à la fois trop cérémonieux et parfait, il se pencha et l'embrassa.

— Bon, eh bien je vais garder cette réplique pour moi, si j'ai bien compris, dit sèchement Taylor.

Ember renifla.

— Oh, silence, idiot.

Lucinda, assise à la table de la cuisine, était une boule de nerfs. Elle détestait se sentir faible. Il lui semblait éprouver cette sensation depuis le grand règlement de comptes. Comme si elle ne pouvait pas reprendre son souffle. Comme si elle ne voyait rien dans le noir. Comme si elle ne pouvait pas faire un pas sans tomber dans une fosse hérissée de pointes.

Et, tout ce temps, totalement impuissante.

Fragile.

Stupide.

Mais à présent ? Sainte Déesse. *J'ai épousé Gray.*

À peine quelques minutes plus tôt, Ember l'avait enlacée jusqu'à faire craquer sa colonne vertébrale avant de lui déposer un baiser sonore sur la joue. Taylor s'était montré bien plus circonspect : une poignée de main ferme accompagnée d'un « Bonne chance à tous les deux. »

Le shérif était probablement encore fâché contre Gray. Il avait tenté de poser des questions à Lucy sur la mort de Marcy, mais son nouvel époux l'avait interrompu. Elle lui avait promis d'y répondre le lendemain, et Gray avait alors insisté pour qu'elle s'asseye ; et franchement, elle avait été soulagée. Il avait raccompagné Ember et le shérif à la porte.

Après le départ d'Ember, elle avait entendu Gray demander à Taylor de l'attendre, et ses pas avaient martelé les marches. Quand il était redescendu, ils étaient sortis tous les deux. Elle se demandait de quoi ils avaient pu parler. D'elle ?

Son estomac se noua et elle pressa une main sur son ventre. Oh, quelle importance ? C'était soit trouver refuge en épousant Gray, soit trouver refuge à Mexico, et ici au moins, elle n'aurait pas besoin de regarder autant par-dessus son épaule. Bernard lui-même hésiterait à venir affronter Gray directement.

Mais elle ne doutait pas qu'il trouverait un moyen de la retrouver.

Comme toujours.

— Tu te sens bien ? demanda Gray qui l'observait depuis le seuil de la porte. Question idiote. Oublie ça. Ember t'a préparé un thé spécial. Je vais t'en servir un peu.

Il se dirigea vers la gazinière et elle aperçut la bouilloire posée dessus. Il se mit à ouvrir des placards, qui étaient soit vides, soient bourrés de divers objets – qui n'avaient rien à faire dans une cuisine.

— Il faut juste que je trouve une tasse.

Elle était surprise qu'il puisse encore trouver quoi que ce soit. Chaque pièce qu'elle avait vue était en pagaille du sol au plafond. La pièce principale était occupée par des meubles volumineux et encombrants sur lesquels s'entassaient des boîtes, des livres et des vêtements, qui débordaient jusque par terre. Elle avait repéré des toiles d'araignée dans tous les coins et la poussière formait une couche uniforme – recouvrant tout y compris les photos de famille, les miroirs et les horloges.

Que faisait donc Gray de ses journées pour qu'il ne puisse même pas prendre la peine d'effectuer le minimum des tâches ménagères ? Peut-être était-il tellement accaparé par ses devoirs de Gardien qu'il n'avait pas une seconde pour ranger. Elle jeta un regard circulaire à la cuisine et fit la grimace. La vaisselle s'accumulait en hautes piles des deux côtés de l'évier en céramique. Grimoires, pots à épices, bols d'herbes et verres en cristal jonchaient les comptoirs. La gazinière aurait bien mérité un récurage complet. Elle frissonna à la pensée de l'état probable du four.

Lucinda décida sur-le-champ de quelle manière elle pouvait aider Gray pour commencer. Elle allait remettre sa maison en ordre. C'était la mission d'une épouse, non ? Elle n'avait pas beaucoup d'expérience dans le domaine du ménage. Elle n'avait jamais fait de corvées dans son enfance – et sa mère n'avait certainement pas su faire la différence entre un torchon et un chiffon à poussière. Après sa mort, Lucinda avait principalement lutté pour survivre – et n'avait vécu nulle part suffisamment longtemps pour devoir y faire le ménage. En devenant la maîtresse de Bernard, elle n'avait pas eu à lever le petit doigt – pas même quand elle avait été reléguée au harem du penthouse. Mais quand bien même. Ça ne devait pas être bien difficile, si ?

Elle jeta un regard autour d'elle et sentit le courage la quitter. Elle n'avait rien d'une grande cuisinière, mais elle pourrait faire des recettes simples, comme des lasagnes et des ragoûts. Alors, elle redressa les épaules, déterminée. Elle apprendrait au fur et à mesure. C'était un objectif – un objectif qui n'impliquait pas de devoir trouver de quoi se nourrir, trouver où dormir et trouver le moyen d'échapper à Bernard.

Nettoyer la maison. Apprendre à cuisiner. Être une bonne épouse.

Simple, non ?

— Tu es pâle, dit Gray.

Il interrompit ses recherches et s'approcha d'elle, avant de s'agenouiller à ses pieds. Il observa son visage d'un air inquiet. Pourquoi ? Elle connaissait la vérité sur leur mariage. Il avait clairement annoncé que les sentiments n'avaient pas leur place dans leur relation. Elle devait s'en souvenir. Elle ne savait que trop bien combien il était facile de tomber dans le piège de l'amour – même si Bernard n'avait jamais vraiment partagé le sien. C'était un maître de la manipulation, un marionnettiste qui savait quelles ficelles tirer. Elle avait honte d'être tombée dans le panneau, de s'être laissé piéger dans sa toile de soie.

— Que dois-je faire, lui demanda Gray en prenant son visage entre ses mains, pour chasser ces ombres de tes yeux ?

Lucinda croisa son regard et comprit que tous ses gestes étaient guidés par la culpabilité qui le rongeait. Les concepts de devoir et d'intégrité étaient si profondément enracinés dans sa conscience qu'il comptait respecter le serment qu'il lui avait fait. En accomplissant son rôle de mari par tous les moyens, il risquait de lui faire oublier sa promesse de ne jamais oublier que rien de tangible n'existait entre eux.

— Je suis seulement fatiguée.

Elle passa les doigts dans ses cheveux, ravie d'avoir le droit de le faire. Son mari. Si quelqu'un lui avait dit qu'un jour, elle épouserait Gray Calhoun, elle l'aurait traité de fou. Mais il semblait que c'était elle, la folle.

Le regard de ce dernier s'était assombri, passant d'un bleu azur à la couleur d'une mer déchaînée. Il retira sa main de ses cheveux et déposa un baiser sur ses doigts. Se rendait-il compte du caractère romantique de ses gestes ? Probablement pas. C'était dans sa nature de traiter la gente féminine avec un tel soin. Pas même la trahison de Kerren ne pouvait effacer le respect qu'il éprouvait pour les femmes et son besoin inné de les protéger.

— Tu peux t'asseoir au bord de la chaise ? demanda-t-il.

Elle ne lui demanda aucune explication et s'exécuta ; elle attendit. Il semblait satisfait de son obéissance, et attrapa le bas de sa robe fine mais volumineuse.

— Qu'est-ce que tu fais ? demanda-t-elle.

— C'est la phase un de mon plan pour changer cette expression dans tes yeux, expliqua-t-il en plongeant son regard dans le sien. Rien que pendant un court instant, je ne veux plus que tu sois triste.

— Oh ? Et comment vas-tu t'y prendre ?

— Je vais te montrer, femme, assura-t-il en ramenant les plis de sa robe sur ses cuisses. Tiens ça. Et écarte les jambes pour moi.

— Je n'ai... (Elle agrippa le tissu et passa sa langue sur ses lèvres.) Il n'y avait aucune... (Son visage s'empourpra, et Gray haussa les sourcils en attendant la fin de sa phrase.) ... culotte, parvint-elle à articuler.

— Montre-moi, dit-il d'une voix rauque. Tout de suite.

Elle obéit et lui dévoila son entrejambe. Les sous-vêtements qu'elle portait avant n'étaient pas lavés et, ne sachant pas où se trouvait son sac, elle avait été trop gênée de demander à Gray de lui en procurer. Elle n'avait même pas de soutien-gorge, ce sur quoi la finesse du tissu ne laissait aucun doute.

Gray garda le silence un instant, le regard rivé sur son intimité. Elle se sentait vulnérable et nerveuse. C'était étrange de lui montrer sa... *marchandise* comme ça. Que faisait-il ?

Il se pencha et déposa un baiser sur son clitoris.

Elle eut un hoquet.

— Gray !

— Quoi ?

— Tu ne crois quand même pas que tu vas...
(Elle prit une inspiration tremblante.)... faire quelque chose. Là en bas.

Il se redressa et la regarda.

— Tu as déjà eu des amants, dit-il. Tu es en train de me dire qu'aucun homme n'a jamais exploré un endroit aussi délectable ?

Son corps et son visage rougirent d'embarras, comme si elle avait plongé dans de la lave. Elle détourna les yeux.

— Non.

— Lucinda. Regarde-moi.

Il lui fallut faire un effort – elle avait encore *un peu* de dignité – mais elle parvint à le regarder dans les yeux.

— Je me fiche de savoir combien d'amants tu as eus, dit-il. On est plus l'un pour l'autre, maintenant. C'est tout ce qui compte.

Elle ne voulait pas qu'il croie qu'elle avait couché avec toute une ribambelle d'hommes. Il s'en fichait peut-être, mais pas elle. Elle n'était pas une garce, même si c'était le sentiment que lui avait donné Bernard. Et jamais, pas une seule fois, il n'avait posé sa bouche sur elle comme Gray venait de le faire, pour lui donner du plaisir. En fait, elle avait rarement éprouvé le moindre plaisir pendant leurs ébats, ce qu'il lui avait carrément mis sur le dos. *Tu es frigide, chérie. Mais ne t'inquiète pas. Je ne cesserai jamais d'aimer ma petite reine des glaces.*

— À ton avis, combien d'hommes coucheraient avec une Rackmore ? demanda-t-elle doucement. Après le grand règlement de comptes, personne ne m'a plus adressé la parole, alors je ne te parle pas d'éventuels flirts. Je n'avais connu aucun homme avant Bernard.

Elle ne put s'empêcher de toucher de nouveau les cheveux de Gray. Ça ne semblait pas du tout le déranger. Tandis qu'avec Bernard, elle devait toujours se montrer tellement prudente... Il n'aimait pas qu'on le touche – et elle en mourait d'envie. Elle devait toujours refréner ses pulsions, son besoin d'affection. Et son désir d'en donner.

— Avec lui, je n'ai jamais éprouvé ce que tu m'as fait ressentir dans nos rêves.

— Et qu'est-ce que je t'ai fait ressentir ?

Son regard était énigmatique ; il dessinait de petits cercles avec ses pouces, ses mains posées sur ses cuisses.

— Comme si j'étais en feu et que tu étais le seul capable d'éteindre les flammes.

— C'est bien mon intention, dit Gray en l'observant, et elle était incapable d'analyser l'émotion qui brillait dans ses yeux. Tu n'as couché qu'avec lui ?

— Je le regrette, répondit-elle d'un ton amer. J'aurais préféré ne jamais le rencontrer.

— Je connais bien ce sentiment.

— On fait la paire, non ? dit-elle en éclatant d'un rire creux. À nous deux, on a tellement de bagages que je m'étonne encore qu'on puisse seulement sortir de chez nous. (Elle caressa la cicatrice sur sa tempe.) Qu'est-ce qu'on fait, Gray ? N'a-t-on pas fait une erreur ?

— Nous avons choisi cette voie ensemble, Lucy, soutint-il en tournant la tête pour embrasser la paume de sa main. Je ne t'abandonnerai pas.

Elle ne s'était pas rendu compte qu'elle était sur le point de pleurer jusqu'à ce que les larmes se mettent à couler. Comment avait-il deviné ce dont elle-même n'avait pas encore pris conscience ? Elle se sentait effectivement abandonnée – par son père, qui s'était suicidé, par sa mère, qui avait satisfait les besoins d'un amant jusqu'à ce que son cœur cède littéralement, par sa sœur qui était une garce sans cœur. Chacune des relations qu'elle avait connues avait contribué à confirmer une seule et douloureuse vérité : *Personne ne veut de moi.*

Fallait-il s'étonner qu'elle ait avalé les miettes d'affection que lui avait jetées Bernard ? C'était un homme cruel, qui la couvrait de cadeaux une semaine, et la battait impitoyablement la suivante. Peu importe qu'il se soit servi de sa magie pour s'assurer de la rendre plus docile.

Elle avait terriblement honte. Même maintenant qu'elle était libre et à l'abri, elle se sentait indigne de la protection de Gray – et elle se détestait d'en avoir tellement besoin. Et d'avoir tellement besoin de lui. Parce qu'elle n'était pas assez forte pour s'en sortir toute seule.

— Lucy.

Elle le regarda.

— Je suis désolée, dit-elle. Je n'arrive pas à arrêter de pleurer.

— Écarte les jambes pour moi, bébé. Laisse-moi t'aider à te sentir mieux.

Elle comprit que c'était tout ce qu'il pouvait lui offrir. Le plaisir physique était le seul réconfort qu'il pouvait lui apporter, et elle comptait bien l'accepter. Elle non plus ne voulait pas éprouver cette tristesse. Alors elle écarta les cuisses et s'agrippa à ses cheveux quand il se pencha en avant.

— Tu es succulente.

Elle sentit sa langue remonter le long de ses lèvres, d'un côté d'abord, puis de l'autre. Une pause pour taquiner son clitoris de petits coups brefs et rugueux. Puis il déposa de doux baisers le long de sa chair gonflée.

Et le plaisir explosa en myriade de bulles de champagne, retombant comme des rayons de soleil sur un champ de fleurs printanières, des tourbillons inattendus dans une eau claire.

Elle laissa sa tête partir en arrière et ferma les yeux.

Il prit tout son temps, une lenteur exquise. Il goûtait. Léchait. Embrassait. Il lapait la preuve de son plaisir féminin comme un homme qui déguste un dessert rare. Sa peau fourmillait et ses tétons se durcissaient, douloureux. Elle avait du mal à reprendre son souffle et son cœur battait si fort qu'il semblait vouloir sortir de sa poitrine.

La béatitude se rapprochait... se rapprochait encore.

— Gray.

Elle prononça son nom comme une supplication.

Il donna de petits coups de langue rapides sur son clitoris, l'entraînant vers des sommets.

Elle gémit.

Il enfonça ses doigts dans ses cuisses.

Puis il suça furieusement.

Elle implosa.

Elle faillit tomber de la chaise, mais Gray la tenait fermement, comme inconscient des ongles qu'elle plantait dans son cuir chevelu. Il pressa son visage contre elle pour sentir son pouls battre sous sa langue.

Les sensations... oh, Déesse, « incroyables » ne suffisait pas à décrire ce qu'elle ressentait. C'était merveilleux comme une rafale de vent, une vague déferlante, une étoile filante.

Au bout d'un moment, elle finit par réintégrer son corps.

Quand elle rouvrit les yeux, Gray était à genoux devant elle. Elle vit la satisfaction dans son regard et, bien sûr, le désir. Désir qui faisait écho au sien. Ils avaient au moins cette connexion, si ce n'était plus.

— Je crois que je suis morte, dit-elle.

— C'est moi qui étais au paradis.

Elle rit, avec une légèreté qu'elle n'avait pas ressentie depuis une éternité. La délivrance physique était vraiment le meilleur moyen de dissiper une mauvaise humeur. En fait, c'était même l'idéal pour se sentir mieux.

Gray déposa un dernier baiser langoureux et rabaissa sa robe. Il se releva sans la quitter des yeux. Et maintenant ? se demanda-t-elle. Elle se sentait un peu mal à l'aise, et incertaine. Elle n'avait jamais pris l'initiative, avec Bernard. Il n'aurait jamais toléré que quelqu'un d'autre soit l'assaillant dans pareille situation.

— On devrait monter, dit-elle. À moins... que tu ne préfères ici, aussi. On pourrait échanger nos places.

Elle aurait voulu se sentir plus sûre d'elle. Elle tendit lentement le bras pour toucher la bosse évidente de son érection à l'intérieur de son pantalon.

193

— Lucy, fit-il en reculant. Ça ne fonctionne pas comme ça.

Elle fronça les sourcils en fixant son entrejambe.

— Je suis presque sûre qu'ils fonctionnent tous de la même façon.

Un petit rire lui échappa.

— Ce n'est pas ce que je veux dire. Allez, viens.

Il lui tendit les mains, et elle les accepta. Puis il l'aida à se relever.

Molles comme des spaghettis, ses jambes cédèrent sous son poids.

Gray la rattrapa.

— Il faut que tu te reposes avant la veillée.

— Mais on n'a pas terminé. Enfin pas toi, du moins. Hé ! (Elle le fusilla du regard.) Est-ce que tu essaies de me donner des ordres et de me mener à la baguette ?

— Oui. (Il l'embrassa. Un baiser profond et entier. Elle sentit son propre goût sur sa langue.) J'ai l'intention de te mettre au lit. Souvent.

— Je suppose que je vais devoir tolérer tes pulsions animales, fit-elle en feignant un air guindé.

— J'apprécie que tu acceptes d'endurer ça, répondit-il. Tu n'auras aucun mal à ne pas faire trop de bruit alors ?

Elle sourit.

— Aucune chance.

8

Une fois de retour à son bureau, Taylor avait encore un peu plus d'une heure devant lui pour se préparer à la veillée. Les nouvelles allaient vite à Nevermore, et il ne doutait pas un instant que toute la ville se retrouverait au café pour rendre son dernier hommage à la gentille petite Marcy, surtout quand personne n'avait été invité aux funérailles.

Cathleen était l'être humain le plus détestable qu'il ait eu le déplaisir de connaître. Il n'arrivait pas à croire que Leland Munch ait eu les tripes de sortir avec cette femme, et encore moins de l'épouser. La moitié de la ville était persuadée que Cathleen avait causé la mort de son mari d'une manière ou d'une autre, et Taylor aussi. Oh, pas intentionnellement. Il soupçonnait Leland d'avoir passé l'arme à gauche dans le seul but de s'éloigner d'elle. Il soupira. Le monde pouvait être sacrément injuste. Il déverrouilla la porte du bureau et ne prit même pas la peine d'allumer les lumières. Il connaissait suffisamment bien les lieux pour avancer à l'aveuglette. Il se laissa lourdement tomber dans le fauteuil de son bureau et alluma la lampe. Le faisceau de lumière révéla les photos de l'accident sur lequel Ren et lui étaient intervenus la veille.

La Mustang était d'un modèle classique, une vraie beauté si l'on faisait abstraction des flammes peintes sur le capot. Voiture et chauffeur avaient été détruits ; voilà ce qui arrivait aux idiots qui buvaient trop de whisky et tentaient bêtement de se mesurer à des objets fixes et inébranlables – comme le chêne bicentenaire planté à la bifurcation de la route. D'un côté, Brujo Boulevard conduisait aux Résidences Daisy, qui n'étaient en réalité qu'un gros carré d'une dizaine de maisons datant d'un siècle, certaines jolies et d'autres moins, et de l'autre, sur la gauche, on prenait la direction d'Old Creek, qui menait à la ferme de Ren et Harley, au cimetière et, tout au bout, au lac.

Le conducteur était le fils cadet des Archer, Lennie. Henry et sa femme, Maureen, occupaient une maison des Résidences Daisy. Ils avaient cinq enfants, dont quatre avaient déménagé dans d'autres États. Lennie n'avait pas été un jeune homme des plus ambitieux, choisissant de vivre aux crochets de ses parents entre deux bagarres de bar et licenciements. Malgré tout, aucun parent ne devrait avoir à enterrer son enfant. Et les Archer étaient dévastés… mais pas surpris.

Une autre veillée aurait lieu très prochainement, et c'était désolant pour une si petite ville.

Contrairement à la majorité des gens de la région, les Archer n'avaient jamais été agriculteurs. Il fut un temps où Nevermore possédait son Magasin général et Épicerie Archer. L'addiction au jeu du grand-père d'Henry, qui avait réussi à dilapider toute la fortune de la famille en pariant sur les chevaux, avait entraîné la fermeture de l'établissement plusieurs décennies plus tôt. Tout ce qu'il restait désormais aux Archer, c'était leur maison de famille et quelques investissements qui rapportaient juste de quoi payer les factures.

Chaque samedi, d'avril à octobre, se tenait le marché des producteurs sur la place principale de la ville. C'était ainsi que tout le monde subvenait à ses besoins tout en soutenant l'économie locale. Tout ce qui ne poussait pas à Nevermore ou qu'on ne pouvait se procurer sur place était commandé en ligne. Parfois, les gens se regroupaient pour aller jusqu'à Dallas, ramenant pêle-mêle ce que les gens étaient prêts à payer quelques dollars.

C'était ainsi que les choses fonctionnaient, même si Taylor aurait préféré que ça se passe différemment. Il serait plus facile d'avoir de nouveau un magasin d'alimentation. Les gens viendraient peut-être plus souvent en ville, et Nevermore reprendrait des airs de communauté plutôt qu'une allure de camp de réfugiés.

Taylor examina les photos, sans pouvoir mettre le doigt sur ce qui le gênait. Les pneus étaient flambant neufs, ce qui lui paraissait curieux. Il ne savait pas pourquoi. Lennie prenait vraiment bien soin de cette voiture, mieux que de sa propre mère. Non, quelque chose d'autre le tracassait. L'enchaînement de ces deux morts l'intriguait. Il ne doutait pas que la stupidité de Lennie ait fini par lui être fatale. Mais si peu de temps après le meurtre de Marcy ? Ça ne signifiait certainement rien, mais il vérifierait malgré tout l'histoire des pneus avec Thomson. Comme la plupart des autres familles de Nevermore, les racines des Thomson remontaient directement jusqu'aux fondateurs. Il y avait un Thomson à la tête du garage local depuis l'époque des chevaux et des calèches – des forgerons aux mécaniciens.

Pauvre Lennie. Nevermore n'avait plus de médecin non plus, désormais, et encore moins de coroner. Ils avaient un mage guérisseur – miss Natalie, mais elle ne rajeunissait pas et n'avait ni enfant ni apprenti. Elle ne faisait plus que de rares apparitions en ville. La plupart de ceux qui avaient besoin de ses services se rendaient chez elle aux Résidences Daisy, ou attendaient les visites mensuelles du Dr Green pour parler de leurs problèmes. Juste à côté se trouvait l'ancienne clinique, qui possédait encore des chambres froides en état de marche et un bloc opératoire. Le Dr Green faisait sa tournée parmi les petites villes alentour et ne pouvait pas revenir tout de suite pour établir le certificat de décès de Lennie. Il avait été surpris de recevoir un appel si vite après l'autopsie de Marcy et promis d'essayer de revenir dans un jour ou deux. Lennie était donc rangé dans les frigos de la clinique.

Et Marcy se trouvait sous terre, dans un cercueil en pin brut.

Il sentit la migraine monter et ses yeux le brûler. Il rangea les photos avec le rapport dans un nouveau dossier. Il le posa sur celui de Marcy et aligna soigneusement les deux avec son sous-main.

Puis il sortit la pochette rouge de sa poche de chemise. Il était furieux contre Gray de lui avoir caché des preuves.

« Je l'ai trouvée par terre cette nuit-là. Je suis désolé, Taylor. J'avais oublié. Elle a dû tomber de mon jean quand je me suis déshabillé pour prendre une douche. »

Il savait pertinemment que Gray ne lui disait pas toute la vérité, mais il ne savait pas où se situait le mensonge. Il aurait aussi voulu savoir pourquoi diable le Gardien interférerait intentionnellement dans une enquête en cours pour meurtre. Gray lui-même n'était pas si arrogant.

« Elle est morte pour ce qui se trouve là-dedans, avait-il dit. Je pense que c'est la raison pour laquelle elle quittait Nevermore. »

Il avait alors mentionné le fait d'avoir trouvé Marcy en train de pleurer dans la ruelle, sous la pluie. Avec un œil au beurre noir et la lèvre fendue, elle avait préféré prendre la fuite plutôt que d'accepter l'aide que lui proposait Gray. Elle avait dû avoir une trouille d'enfer – et qui pouvait donc bien la terrifier plus que le Gardien ? Gray s'était comporté en père absent pour Nevermore, et tout le monde le savait. Presque plus personne ne comptait sur lui pour faire quoi que ce soit de plus que ce qui était nécessaire pour garder les protections du Dragon. C'était une triste constatation et il espérait que Gray allait rectifier le tir. Nevermore avait besoin de son Gardien. Malgré tout, c'était un puissant magicien et ça aussi, personne ne l'oubliait.

« Elle m'a dit que Lucy avait des ennuis, que tout le monde en avait. Que se passe-t-il donc, bon sang ? »

Taylor n'en avait aucune idée. Tout ce qu'il avait, c'était des mauvais pressentiments qui lui nouaient l'estomac, deux cadavres en l'espace d'une semaine et une mystérieuse pochette qui n'appartenait à l'évidence pas à Marcy. Et il n'avait pas pu poser une seule question à Lucinda parce qu'il était trop occupé à la marier à Gray – avant de se faire pratiquement jeter dehors.

Il ouvrit la pochette et en vida le contenu.

C'était un globe oculaire.

Ou du moins ce qui y ressemblait. De forme ovale, forgé dans du verre clair et lisse, ou peut-être une sorte de cristal. Au centre, un cercle rouge ponctué d'un point noir.

Il n'aimait pas la sensation dans sa main. Ni sous ses yeux. Il savait qu'il s'agissait d'un objet magique car ses doigts fourmillaient. Ce mauvais pressentiment qui s'insinuait en lui se transformait en nid de crotales.

Comment Marcy avait-elle pu entrer en possession d'une chose pareille ?

Et pourquoi l'avait-elle conservée ?

Il la montrerait à Ember. Au point où il en était, il ferait mieux de mandater cette dernière et se laver les mains de cette histoire. Pour le moment, il allait l'enfermer dans le coffre-fort du service. Gray avait lui-même ajouté des protections à la boîte en métal incrustée sous son bureau. Seul le shérif pouvait y accéder. Jusqu'à ce qu'il ait une meilleure idée de ce que c'était – et de ce que ça *faisait* –, il était préférable de le garder sous clé.

Il le fourra de nouveau dans la pochette. Il lui fallut moins d'une minute pour mettre l'objet en sécurité dans le coffre ; et si son dos l'élançait et que ses genoux craquèrent quand il se redressa après avoir tourné les chiffres du code… ça ne voulait pas dire qu'il était vieux, n'est-ce pas ? Il

200

n'avait que trente-cinq ans, mais certains jours, il avait l'impression d'approcher la centaine.

Taylor avait promis à Gray de finir la paperasse matrimoniale ce soir. Gray voulait s'assurer de tout sécuriser. Même si tous les jeunes mariés avaient besoin d'un certificat pour légaliser leur union, les mariages entre magiques fonctionnaient un peu différemment. Quand des magiques prononçaient leurs vœux, leurs pouvoirs s'entrelaçaient. Ça fonctionnait presque comme un sortilège, sauf que c'était automatique. Certains scientifiques pensaient qu'il s'agissait d'une réaction primitive, un ancien code qui s'active pour renforcer le lien entre les compagnons et augmenter leur potentiel de reproduction. Eh oui. C'était toujours une histoire de perpétuation des espèces. Ils pouvaient divorcer comme n'importe qui, mais on appelait ça une « absolution » et, pour se délier d'un autre magique, l'assistance d'autres magiciens et sorcières était requise. Il fallait nécessairement une union entre magiques pour susciter une réaction de fusion des pouvoirs. À peine un siècle plus tôt, la loi interdisait encore le mariage entre magiques et terrestres, même s'il était su de tous que les liens de magie ne se produisaient pas avec les terrestres. Ça ne signifiait pas que les gens ne se mariaient pas en secret ou envoyaient valser les traditions de leurs sociétés. C'est ça la race humaine ; toujours en train de chercher à combler le fossé avec un pont... avant d'abattre ledit pont.

Il était toujours perplexe d'avoir uni Gray à la jeune sœur de Kerren. Cette dernière était l'instrument de Kahl pour exécuter son sale boulot, et la vérité, c'était qu'elle savourait chacun de ses actes dépravés. Non pas que personne n'ait essayé de l'arrêter, mais sa part démoniaque l'avait rendue immortelle. Les tentatives de meurtre contre elle n'aboutissaient jamais et les rares fois où elle avait été capturée, elle avait réussi à s'échapper.

Taylor aurait voulu connaître la véritable histoire entre Lucinda et Gray, mais il doutait que ça arrive jamais. Il songeait que lorsque la mère de Gray apprendrait ce qu'avait fait son fils, on pourrait l'entendre exploser depuis Washington D.C. Il ne savait pas ce qu'il aurait fait dans la même situation. Il voulait bien croire que Lucinda avait des ennuis, car bon sang, c'était une Rackmore ! Mais il y avait autre chose.

Il en avait ras le bol de ces mystères.

Il se leva. S'il posait sa tête sur son bureau comme il en mourait d'envie, il serait capable de s'endormir pour la nuit. Mince alors. Il se faisait effectivement vieux.

Il allait devoir fouiller le bureau d'Arlene pour trouver le certificat de mariage, car c'était elle qui gardait les originaux. Elle était aussi organisée et rigide que lui et ça ne le dérangeait pas qu'elle veuille gérer tous ces formulaires qui lui donnaient la migraine.

Il étouffa un bâillement et sortit de son bureau pour se rendre dans la petite entrée au sol en damier noir et blanc, puis alluma la lumière. Il écarquilla les yeux devant le bureau d'Arlene.

Il était dans une pagaille sans nom. Sa corbeille de messages débordait de documents, les dossiers étaient restés ouverts. Une tasse encore à moitié pleine trônait sur un coin du bureau.

Le sac d'Arlene se trouvait sous le bureau, où elle le rangeait systématiquement pour garder son arme à portée de main, en cas de besoin. Il n'aimait pas ça, mais elle ne voulait pas se séparer de son .45. Il lui avait fait obtenir une certification et un permis de port d'arme dissimulée.

Elle ne quittait jamais cette horreur. Elle gardait même un rouleau à pâtisserie à l'intérieur, pour l'amour du ciel.

Mais quelqu'un avait éteint les lumières et fermé la porte à clé.

Il dégaina son Colt. Son bureau était la pièce la plus vaste du bâtiment, sans compter les cellules situées au sous-sol et l'unique pièce d'étouffement de magie qu'on utilisait pour de courtes incarcérations ou la quarantaine d'un magique. Il n'avait que très rarement besoin de s'en servir, cela dit. Derrière le bureau d'Arlene s'ouvrait le couloir qui menait au petit bureau de Ren, à la salle de pause, au placard à fournitures et aux archives.

Les toilettes se trouvaient tout au bout, juste à côté de la sortie de secours.

Qu'était-il arrivé à Arlene ? Son cœur martelait sa poitrine à mesure que la peur s'installait. Son entraînement lui revint d'un coup et il se mit à inspecter le bâtiment. Il ne put s'empêcher d'imaginer Arlene inconsciente quelque part ou... non. Elle était trop têtue pour mourir.

Le bureau de Ren ainsi que la salle de pause étaient vides. Il alluma les lumières de chaque pièce. Aucun intrus. Ni Arlene. Il savait que l'armoire à fournitures était trop pleine pour permettre à qui que ce soit de s'y cacher, mais il vérifia malgré tout. Rien qu'une pile de rouleaux de papier toilette, des étagères remplies de produits d'entretien, et sept balais dont ils n'avaient pas besoin.

Tout en se dirigeant vers la porte de derrière, il remarqua la chaise calée sous la poignée de porte en fer des toilettes des femmes. Il ressentit une vague de soulagement.

Il frappa.

— Arlene.

Aucune réponse. S'était-elle cogné la tête ? Ou bien quelqu'un l'avait-il bâillonnée et ligotée ? Il écarta la chaise et tendit la main vers la poignée.

La porte s'ouvrit à la volée.

Arlene se tenait devant lui, les vêtements froissés, le visage bouffi de sommeil. Elle seule était capable de faire une sieste en attendant les secours.

— Eh bien, il était temps ! Je suis coincée ici depuis des heures !

Il était tellement soulagé qu'elle soit encore aussi vivante et grincheuse qu'il la serra dans ses bras, manquant de l'étouffer.

— Allons, allons, souffla-t-elle en lui rendant son étreinte. Je vais bien.

— Que s'est-il passé ?

Il la guida jusqu'à la salle de pause et la fit s'asseoir. Puis il lui apporta une bouteille d'eau froide et se mit en quête d'un sandwich dans le frigo.

— Il était presque seize heures et j'ai eu envie d'un thé au jasmin. Je me suis préparé une tasse mais il avait un goût bizarre. Et là, bon sang, j'ai été malade. J'ai à peine eu le temps d'arriver aux toilettes avant de vomir mes tripes. (Elle jeta un coup d'œil à sa montre.) Presque dix-neuf heures !

Sainte Déesse ! Je ne m'étais pas fait enfermer dans des toilettes depuis que le petit Jimmy avait mis de la Super Glue dans la serrure. Il avait onze ans.

Elle paraissait fière. Arlene avait toujours apprécié l'ingéniosité de son enfant, même si c'était à son détriment. Depuis, le petit Jimmy avait rejoint l'armée. Il était dans une sorte d'unité d'opérations spéciales dont il ne pouvait pas parler, mais où qu'il soit dans le monde, il appelait toujours sa maman tous les dimanches soir.

— Qui diable a bien pu vous enfermer dans les toilettes ? demanda Taylor.

— C'est très probablement une farce d'enfant.

Elle ne semblait pas vraiment convaincue, et Taylor non plus. Il ne connaissait aucun gamin assez stupide pour venir dans son bureau et faire une chose pareille à Arlene. Si c'était effectivement une farce et qu'il retrouvait le crétin qui avait fait ça, ce dernier serait bon pour nettoyer chaque centimètre carré de Cedar Road pendant le mois suivant.

— Quelqu'un est passé avant seize heures ?

— Ren. Il a déposé ces photos sur votre bureau, a vérifié ses e-mails et est reparti. J'ai reçu quelques coups de fils à propos de la veillée de Marcy. Les gens étaient mécontents que Cathleen n'ait invité personne aux funérailles.

— Je ne pense même pas qu'elles aient eu lieu, marmonna Taylor. Je parie qu'elle l'a simplement enterrée sans la moindre prière.

— Humpf. Trent est passé aussi, ajouta-t-elle les sourcils froncés. Atwood l'a envoyé pour déposer une plainte concernant l'élimination illégale des ordures de Cathleen. Ant est passé discuter de ma nouvelle roseraie, continua-t-elle en agitant la main. Mais c'était bien avant.

— Vous l'avez engagé pour créer une roseraie ?

— Bien sûr. Ce garçon a un vrai don. Et j'ai toujours rêvé d'avoir une roseraie.

Taylor résista à l'envie de lever les yeux au ciel. L'obsession de jardinage de son frère était le cadet de ses soucis. Gray l'avait mis au courant des bennes à ordures débordantes du café. Et il savait que Cathleen l'avait mis en rogne en refusant de payer les charges.

— Qu'a-t-elle fait des ordures ?

— Trent n'en sait rien. Il dit qu'elle s'en est débarrassée d'une manière ou d'une autre, mais que ce ne sont pas ses gars qui s'en sont chargés.

— Vous avez un formulaire pour ça ?

Il déposa le sandwich au jambon devant Arlene, qui s'en empara avec enthousiasme.

— Bien sûr que oui. Je l'ai donné à Trent et lui ai dit qu'Atwood devrait venir déposer une plainte officielle en personne. Il épuise son neveu, là, parce qu'il est trop fainéant pour faire son propre boulot. (Elle le regarda.) D'accord. Que s'est-il passé ?

— Gray a épousé Lucinda Rackmore, soupira Taylor. Oh, Déesse... C'est *moi* qui les ai mariés.

Elle écarquilla les yeux et manqua de recracher la bouchée qu'elle venait de prendre. Elle parvint à l'avaler à l'aide de quelques gorgées d'eau.

— Je n'aurais jamais pensé que Gray pourrait se remarier... et à une Rackmore, en plus ! Je suis surprise que vous ayez accepté.

— Comme si j'avais eu le choix... (Il fit rouler ses épaules pour essayer de se débarrasser de leur raideur.) Elle a des ennuis. Sous l'emprise d'une malédiction plutôt violente. Je suppose qu'il s'est dit que le meilleur moyen de la protéger était de l'épouser.

Il s'interrompit en revoyant la manière dont le Gardien et sa femme s'étaient regardés. *Une transaction commerciale, mon œil.*

— À votre avis, combien de temps faut-il à deux personnes pour tomber amoureuses ?

— Une minute et demie, répondit Arlene. Vous pensez que Gray est amoureux de Lucinda ?

— Même si c'était le cas, il le démentirait de toutes ses forces. Hé. Qu'est-ce que j'en sais ?

— C'est une bonne question, dit Arlene avec un sourire tout en époussetant les miettes de pain de sa chemise. Je ferais mieux d'aller aux nouvelles de Jimmy. Il est à Dallas pour aider Allan avec sa voiture tunée. Je vous jure, les hommes ne grandissent jamais.

— En effet, acquiesça Taylor avec un sourire.

Voilà qui expliquait pourquoi Jimmy n'avait pas appelé Arlene. Il n'était pas là pour se rendre compte qu'elle n'était pas rentrée chez elle à l'heure. Et connaissant son fils et son amour pour les voitures, il était probablement plongé jusqu'au cou dans un bloc-moteur.

Taylor la regarda ramasser son assiette et se diriger vers l'évier. Il se leva et la lui prit des mains.

— Ne vous occupez pas de la vaisselle. Ça attendra.

— Je ferai tout demain. Je n'ai pas le temps de rentrer à la maison me préparer pour la veillée, déclara-t-elle. Je vais voir ce que je peux faire de moi ici.

— Vous êtes très belle, dit Taylor en se penchant pour lui déposer un baiser sur la joue. Je suis heureux que vous alliez bien.

Arlene rougit. Puis elle lui donna une tape sur le torse.

— Écartez-vous de mon chemin, espèce de beau parleur. Je vous retrouve dans l'entrée.

Taylor fit une autre ronde des bureaux et jeta même un œil dans les cellules vides du sous-sol, mais il ne remarqua absolument rien de louche ni le moindre objet déplacé. Peut-être s'agissait-il en effet d'une simple farce de mauvais goût. Ou peut-être que ce que cherchait l'intrus ne se trouvait pas ici.

Une énigme de plus à résoudre.

Arlene ne prit que quelques minutes pour se refaire une beauté. Puis elle récupéra le certificat de mariage, que Taylor remplit avant d'y apposer sa signature. Tout ce qu'il manquait désormais, c'était celles des jeunes mariés.

— Allez, dit Arlene en prenant le bras de Taylor, allons dire au revoir à Marcy.

La première chose que Gray remarqua quand Lucy et lui pénétrèrent à l'intérieur du Piney Woods Café, ce fut l'énorme boîte de dons qui trônait sur le comptoir. Les gens du coin n'avaient pas beaucoup d'argent, mais ils prenaient soin les uns des autres et le bocal était déjà à moitié rempli de monnaie et de billets. Cathleen aurait pu demander de l'aide d'un millier d'autres façons, mais non, elle attendait des amis de Marcy une participation financière sur leurs salaires durement gagnés. Pas un seul centime de cette urne ne serait consacré à Marcy.

— Quelle ingrate, dit Lucy.

Gray la regarda et remarqua la fureur dans ses yeux. Elle les leva vers lui.

— Elle peut faire ça ? Se servir de la mort de sa belle-fille pour se faire de l'argent ?

— Je ne la laisserai pas faire.

Sa promesse sembla l'apaiser. Incapable de résister, il passa un bras autour de ses frêles épaules et la serra contre lui. Le shérif ne leur avait pas encore rendu son sac de voyage, et ils avaient dû se résoudre à laver ses vêtements sales. Il était clair qu'elle n'était pas à l'aise de porter un tee-shirt, un jean et des tennis à la veillée. Il était évident aussi que ses vêtements étaient vieux et usés. Elle lui avait avoué avoir quitté Bernard sans rien d'autre que ce qu'elle portait sur le dos – c'est-à-dire un pyjama en soie et des chaussettes en cachemire. Puis elle avait admis s'être procuré des vêtements et de la nourriture auprès d'organismes de bienfaisance. Si elle ne trouvait pas d'abri qui servait à manger, alors elle s'en passait. Même quand elle parvenait à ramasser un peu de menue monnaie, son statut de Rackmore l'empêchait de le garder très longtemps – et en tout cas jamais assez longtemps pour pouvoir le dépenser.

Il avait de la peine pour elle, mais il savait qu'elle n'apprécierait pas sa pitié. Il était monté à l'étage pour mettre des draps propres sur son lit. Il avait l'intention de dormir dedans avec Lucy. Il lui faudrait des heures entières rien que pour remettre la chambre en état. Elle avait besoin d'un sacré ménage. Plutôt que de se reposer dans la chambre d'amis comme elle y était supposée, il avait trouvé Lucy dans la cuisine en train de faire la vaisselle.

Elle avait déjà commencé à faire des listes de produits d'entretien, d'ustensiles manquants et de matériel de jardinage. Elle était sa femme, avait-elle dit, et elle tiendrait sa part du marché et de ses vœux.

Elle avait visiblement toute une série d'attentes bien différentes des siennes. Il avait d'abord pensé avec ce qu'il avait entre les jambes, aveuglé par ses lèvres roses et sa chair fraîche et humide. Au-delà du sexe et de sa protection contre Franco, il n'avait pas vraiment pensé à leur vie commune. Il n'avait pas réfléchi à la manière dont elle s'intégrerait dans sa maison – ou dans ce qui avait été un mode de vie solitaire et égoïste. Il n'avait pas eu l'occasion de se faire à l'idée que Lucy allait envahir son espace, encore moins qu'elle prendrait son rôle d'épouse avec autant... d'enthousiasme.

Ou plutôt, disons, une farouche détermination.

Il décida qu'il analyserait ses impressions plus tard. Pour l'instant, il voulait seulement rendre hommage à Marcy et ramener Lucy à la maison. Elle faisait trop d'efforts et ça ne lui plaisait pas. Il l'avait forcée à quitter la cuisine, mais elle lui avait répondu, en des termes non équivoques, qu'elle finirait la vaisselle avant d'aller se coucher. Ha. C'était ce qu'elle croyait. Si elle ne jetait ne serait-ce qu'*un seul regard* vers la cuisine, il lui collerait aussitôt un sort d'endormissement.

Il guida Lucy à l'intérieur du café. Les gens étaient réunis en petits groupes et parlaient à voix basse. Sur le comptoir, Cathleen avait disposé des petits biscuits salés et des verres d'eau. Puis il y avait les offrandes des invités. Des tartes. Des salades de pâtes. Des terrines. De la nourriture

pour une femme qui se souciait comme d'une gui-
gne de sa belle-fille et des traitements qu'on lui
infligeait.

— J'aurais dû y penser, murmura Lucy en le
regardant, et il remarqua avec surprise la honte
dans ses yeux. On aurait dû apporter quelque
chose. C'est ce qui se fait, non ? Je me souviens de
t'avoir entendu dire que personne ne faisait de
meilleure cocotte funéraire que les femmes de
Nevermore.

— Tu te souviens que j'ai dit ça ? Quand était-
ce... ? (Il haussa les sourcils.) À la réception après
mon... l'autre... heu, mariage. On a parlé un petit
peu. Dehors, sur la terrasse.

— J'imagine que cette conversation a laissé des
traces.

Le rouge monta aux joues de Lucy.

Seigneur, qu'elle était adorable.

— C'est mon erreur, Lucy. C'est moi le Gardien.

— Et je suis la femme du Gardien, murmura-
t-elle.

— Depuis moins de deux heures seulement.
Accorde-toi une pause. (Il l'attira à lui et lui souleva le menton. Ses yeux semblaient trop grands
pour son visage et elle était d'une pâleur extrême.
Comme un clair de lune.) Tu as presque donné ta
vie pour elle. C'est certainement mieux qu'un
satané ragoût.

Il avait élevé la voix et la pièce devint d'un coup
silencieuse.

Les gens les observaient, avec des expressions
variant de la perplexité à la méfiance. Gray croisa
les regards curieux, mettant quiconque au défi
de prononcer un mot contre Lucy ou lui. Les

conversations reprirent très vite leur cours. Il lui sembla également que les gens firent l'effort de leur faire de la place.

Combler le fossé qui le séparait des citoyens de Nevermore allait lui demander beaucoup de travail, surtout maintenant qu'il avait épousé une sorcière Rackmore.

— Gray.

Taylor vint les rejoindre. Il prit le temps de serrer la main de Gray et de déposer un baiser sur la joue de Lucy. Gray savait qu'il s'agissait là d'une démonstration de soutien public et il appréciait le geste. Il continuait de tout faire de travers et bon sang, il avait l'impression d'être pris au piège de sables mouvants. Comment allait-il rectifier les choses pour la ville ? Il continuait de s'enfoncer sous le poids de son idiotie.

— Oh, vous ! (Arlene s'introduisit dans leur cercle fermé et étreignit Gray, manquant lui briser les côtes. Puis elle se tourna vers Lucy.) Comme vous êtes adorable ! Je pourrais vous manger avec une double ration de glace, vraiment. (Elle enlaça Lucy avec presque autant d'enthousiasme, puis s'écarta.) Je suis Arlene. Si vous avez besoin de quoi que ce soit, chérie, vous n'avez qu'à m'appeler.

— Je... heu, d'accord. Merci.

Lucy paraissait confuse et hébétée. C'était souvent l'effet qu'Arlene faisait aux gens. Elle était pleine d'énergie et de gentillesse – un tourbillon humain qui vous tombait dessus à coups d'embrassades et de paroles chaleureuses.

— Bon, je dois continuer ma ronde, prévint-elle avant d'enlacer de nouveau Lucy puis de donner une petite tape sur le bras de Gray. Vous avez intérêt à vous montrer plus souvent dans les parages. Vous nous manquez.

— Oui, m'dame.

Lucy s'approcha de lui et il la serra. De temps à autre, il la sentait frissonner. S'agissait-il des contrecoups de la malédiction ? Ou une nervosité provoquée par l'atmosphère négative du café ? Peut-être qu'elle redoutait simplement de voir Cathleen. La Déesse était témoin que c'était son cas à lui. Lucy semblait soulagée de rester contre lui, un bras passé autour de sa taille, tandis qu'elle observait les gens qui l'entouraient.

Gray l'imita. Il avait connu ces personnes toute sa vie, et pourtant, à présent, ils étaient tous des étrangers à ses yeux. Il ne vit ni Ember ni son mari, Rilton, mais il ne leur en voulait pas d'avoir passé leur tour. Cathleen avait sans doute fait clairement savoir qu'ils n'étaient pas invités.

Il connaissait tout le monde. Il y avait Harley, qui était ami avec les parents de Gray. Autrefois, du moins. Après le suicide de sa femme, il avait cessé d'apparaître. Il s'occupait toujours de la même petite exploitation près d'Old Creek. Taylor avait demandé à Gray de confier à Ren le poste d'adjoint à mi-temps quelques mois plus tôt, malgré son jeune âge, dix-neuf ans à l'époque. Vingt, aujourd'hui. Un ami d'Ant, si ses souvenirs étaient bons. Mais Gray s'était exécuté sans poser de question car il faisait confiance à Taylor. Et oui, parce qu'il ne voulait pas s'embêter à penser à qui que ce soit d'autre que lui-même et à sa propre douleur.

Son regard se posa sur Henry et Maureen Archer, qui s'étaient donné la peine de venir rendre leurs hommages malgré la perte récente de leur fils. Taylor avait confié à Gray comment le jeune garçon avait percuté le chêne. Quelle tragédie.

Son regard dériva vers Trent. Il n'avait jamais rencontré ce garçon jusqu'à ce qu'il fasse son apparition chez Cathleen pour tenir tête à cette femme. Il était absorbé dans une conversation avec Ren et Gray se demanda sur quoi portait cette dernière.

— Quelle est l'histoire de ce Trent ? demanda-t-il à Taylor.

— Plutôt tourmentée, mais c'est un bon garçon. Il vient d'avoir dix-sept ans. C'est le neveu d'Atwood. Tu te souviens de sa jeune sœur Sandra ?

— Oui. Elle a déménagé dans l'Oklahoma. Elle s'est mariée, non ?

— Elle est tombée amoureuse de Tommy Whitefeather. C'était un Cherokee. Il travaillait dans un casino de Durant.

— Dans l'Oklahoma, précisa-t-il à l'attention de Lucy. Le casino est à peu près la seule attraction, là-bas.

— Tommy gagnait bien sa vie. C'était un type bien, dit Taylor. Il y a quelques mois, Tommy et Sandra se sont fait faucher par un conducteur ivre.

— Merde, fit Gray avec une grimace. Cathleen a traité Trent de sale race, de bâtard en quelque sorte. (Il désigna Ren d'un petit coup de menton.) Comment sont-ils devenus amis ?

— Je ne sais pas s'ils le sont, répondit Taylor. Tu sais comment ça se passe ici, Gray. Tout le monde se connaît.

— Je ne vois pas Cathleen, dit Lucy.

— Elle est à l'arrière, répondit Taylor d'un ton désinvolte en parcourant la salle du regard. Elle se demande certainement comment faire du gruau ; parce que les biscuits salés et l'eau du robinet ne sont pas assez insultants à son goût.

Gray ricana.

— C'est le parasite de Nevermore.

— J'allais plutôt la comparer à une verrue sur le cul du diable, mais ta description est un peu plus classe.

Ils échangèrent un regard et un sourire.

Cathleen apparut par la porte battante de la cuisine. Elle s'arrêta derrière le long comptoir en Formica et balaya l'assemblée du regard comme un bourreau observerait des condamnés à mort. Sa conception du deuil consistait à une tenue de jogging noire et une paire de Nike noires.

À la seconde où ses petits yeux brillants se posèrent sur eux, son expression devint méchante et cruelle. Elle contourna le comptoir d'un pas lourd et se dirigea tout droit vers eux, son regard glacial rivé sur Lucy.

— Ne la faites pas sortir de ses gonds, murmura Taylor. Ce serait le bazar et je devrais vous arrêter.

Gray pouvait faire pire que de supprimer cette femme avec une boule de feu ou même un éclair foudroyant. *Bien pire.*

Cathleen se planta devant Lucy, les mains sur les hanches. Avant même qu'elle ait pu ouvrir la bouche, Lucy lui offrit sa main et déclara :

— Je suis terriblement désolée pour vous, mademoiselle Munch. Je ne connaissais pas bien Marcy, mais elle semblait être une fille adorable.

215

Lucinda tourna vivement les yeux vers la porte et bondit sur ses pieds, le cœur battant. Elle consulta l'horloge sur la cheminée – qui semblait toujours à l'heure malgré son triste état. Il était à peine seize heures.

Elle était dans un sale état. Les cheveux relevés en queue-de-cheval, les vêtements couverts de poussière et de taches. Elle ne portait même pas de chaussures.

Toc, toc, toc.

Ce n'était pas parce qu'elle n'avait pas la tenue d'une hôtesse qu'elle ne pouvait pas en avoir l'attitude. Elle défroissa son jean et son tee-shirt, redressa les épaules et alla ouvrir.

La femme qui se tenait sur le perron lui semblait vaguement familière. Lucinda comprit qu'elle l'avait vue à la veillée, mais elle ne se rappelait pas son nom.

— Bonjour, dit-elle.

— Oh, je suis heureuse que ce soit vous. Je suis Maureen Archer, déclara la femme en lui tendant une tarte emballée dans du plastique. Bienvenue à Nevermore, madame Calhoun.

Lucinda accepta la tarte et observa longuement la nouvelle venue. Les émotions qui affluèrent en elle lui coupèrent la parole. Le silence s'étira et Maureen finit par se racler la gorge.

— Oh, je suis désolée. Je ne m'attendais pas... sourit Lucinda, touchée par le geste d'accueil sincère de cette femme. C'est tellement gentil de votre part. Merci beaucoup.

Maureen hocha la tête, avant de détourner les yeux. Lucinda remarqua l'éclat de larmes dans ses yeux, et comprit que cette femme n'était pas venue jusque chez le Gardien simplement pour souhaiter la bienvenue à sa nouvelle épouse.

— Entrez, je vous en prie, proposa Lucinda en faisant un pas sur le côté. Excusez-moi pour le désordre. J'ai bien peur d'avoir été incapable d'attendre pour commencer à effacer les stigmates de sa vie de célibataire.

Lucinda la guida jusqu'au salon et la vit parcourir la pièce des yeux.

— Je ne suis pas venue depuis des années. Grit et Dove organisaient de merveilleuses soirées.

— Dove ?

— Sa femme. Elle est décédée quand Gray avait, oh, environ cinq ans. Grit ne s'est jamais remarié.

— Je crains de ne pas savoir grand-chose sur la famille. Excusez-moi un instant, s'il vous plaît.

Lucinda alla déposa la tarte dans la cuisine, et se rendit compte qu'elle ne savait pas où se trouvaient le thé et le café, ni même si Gray en avait. Le thé d'Ember était toujours sur le feu, et il restait des tasses propres de sa première tentative de vaisselle. Elle versa le thé dans les tasses et les passa au micro-ondes, puis les emporta au salon.

Maureen se tenait près de la cheminée et observait les photos. Elle se retourna à l'arrivée de Lucinda, un mélange de confusion et de peine sur le visage.

— Nevermore était un endroit plus gai avant, déclara-t-elle, avant de désigner un cadre. Celle-ci a été prise il y a plus de vingt ans, au festival d'hiver. À l'époque, on décorait la place et, après le service, on allait manger et danser jusqu'au matin.

— Ça avait l'air merveilleux.

— Oh, ça l'était. Henry et moi sommes sur cette photo. Et il y a la mère de Gray. Et Sarah et Edward

Mooreland, avant qu'il quitte la ville avec... eh bien, une autre femme, expliqua-t-elle en souriant doucement avant de reprendre. Lara et Harley. Ils avaient une grande différence d'âge. Quand elle s'est suicidée, ça lui a brisé le cœur. La seule raison qui le maintenait en vie, c'était son fils. Ren, précisa-t-elle en agitant la main. C'est une petite ville. Vous connaîtrez tout le monde en un rien de temps.

Elles s'installèrent sur l'un des canapés et Lucinda déposa une tasse dans les mains de Maureen. Elle but une gorgée et hocha la tête.

— C'est du thé d'Ember, n'est-ce pas ? C'est le meilleur du monde.

— Je l'aime bien, dit Lucinda.

— Oh, moi aussi, acquiesça Maureen. C'est une femme bien.

Elle regarda de nouveau autour d'elle en serrant la tasse entre ses mains, et Lucinda était persuadée qu'elle cherchait à rassembler son courage pour en venir à la véritable raison de sa présence.

Elle finit par reposer sa tasse sur la table basse, visiblement trop mal à l'aise pour le savourer. Elle croisa le regard de Lucy.

— Est-ce vrai que vous êtes une thaumaturge ?

— Oui. Et non, répondit Lucinda. Je le suis. Sans formation. Mais... je suis dans l'incapacité d'exploiter cette... capacité. (Elle détestait l'idée de ruiner les débuts d'une amitié potentielle, mais elle refusait de vivre dans le mensonge.) J'ai été maudite. Et il n'y a aucun moyen d'y échapper.

— Mais vous avez tout de même essayé.

— Avec Marcy, admit Lucinda. Mais je suis arrivée trop tard.

— Tenter quelque chose, c'est toujours mieux que de ne rien faire. Marcy était une âme troublée. Mon Lennie aussi. Et égoïste. Lui, et sa voiture… essaya-t-elle avant de retenir ses larmes et de joindre les mains. Mais c'était mon fils. Je l'aimais.

Lucinda posa sa tasse et tendit les mains pour prendre celles de Maureen.

— Je suis vraiment désolée.

— Je l'aimais, répéta-t-elle, mais il y a ce… oh, Déesse, ce *soulagement* qu'il soit parti. C'est terrible pour une mère de ressentir ça, n'est-ce pas ? dit-elle le regard éperdu.

— Non. Vous ressentez ce que vous ressentez. Les relations sont compliquées, surtout celles entre une mère et ses enfants.

Maureen hocha la tête, mais Lucinda savait que cette femme était dévastée de ressentir cette espèce de soulagement, aussi infime soit-il, quant à la mort de son fils. Lucinda ne put s'empêcher de se demander quel genre d'enfant était Lennie pour que sa mère puisse éprouver cela ne serait-ce qu'une seule seconde.

— Nous avons élevé cinq enfants. Quatre sont partis et se sont forgé de bonnes vies. Et Lennie… il n'a jamais eu ce déclic ou saisi l'occasion. Il nous épuisait à petit feu, Henry et moi. Il buvait, prenait de la drogue et se battait. Il n'avait plus de respect pour qui que ce soit, pas même pour lui, expliqua-t-elle avant d'agripper les mains de Lucy. Je pense que tout le monde vaut la peine d'être sauvé, pas vous ?

La gorge de Lucinda se noua. Elle hocha la tête, incapable de prononcer un mot.

— Tout le monde en vaut la peine, répéta Maureen avec véhémence, mais tout le monde ne peut pas être sauvé.

Elle prit une inspiration, les yeux remplis de larmes.

— Je ne pouvais pas sauver mon fils. Et je savais que vous comprendriez. À cause de Marcy.

— En effet, acquiesça-t-elle doucement ; et elle comprenait ce genre d'angoisse avant même Marcy. Je comprends.

Les lèvres de Maureen se mirent à trembler, et elle s'effondra, en pleurs, dans les bras de Lucinda.

Gray se laissa tomber dans le fauteuil en cuir qui faisait face au bureau de Taylor.

— Je hais les gremlins.

— Heureusement que tu as scellé la fissure avant que d'autres puissent s'échapper, souffla Taylor en se carrant dans son siège avant de repousser le bord de son chapeau. Comment le portail s'est-il ouvert ?

Gray fronça les sourcils.

— Je ne sais pas. L'équilibre magique de la ville est détraqué. C'est ma faute. Je n'ai pas prêté suffisamment attention.

Taylor ne dit rien, et Gray lui fut reconnaissant de lui épargner le laïus du « je te l'avais bien dit ». Il méritait un sermon, et plus encore, mais il était bien décidé à honorer son rôle de Gardien à présent. Nevermore retrouverait son éclat – il allait s'en assurer.

— Je vais exécuter un rituel de nettoyage, dit Gray. La ville entière, puis les exploitations. Mais d'abord, je vais renforcer les protections magiques autour du périmètre.

— Tu as peur que Bernard Franco soit sur les traces de Lucinda ?

— Elle semble le penser.

— Je hais les gremlins.

Ren entra dans le bureau et se laissa tomber à son tour dans l'autre fauteuil en cuir.

— Les petits rigolos. Vous pensez qu'on les a tous eus ?

— Je l'espère, dit Gray. Quand j'aurai régénéré les sortilèges de protection de la ville et fait le nettoyage, ça devrait les tenir à l'écart. Il faut vraiment qu'on modifie l'alignement, qu'on rétablisse l'équilibre ou bien les problèmes vont s'accumuler.

— Ça me paraît bien, dit Ren. Quand commencez-vous ?

— Eh bien, j'ai prévu de partir juste après qu'on aura réglé le problème des gremlins, mais bon sang, il est déjà vingt heures. Je suis fatigué, et tout ce dont j'ai envie, c'est…

Il s'interrompit, stupéfié. Il voulait rentrer auprès de Lucy. Il avait l'impression qu'une partie de lui manquait parce qu'elle n'était pas à ses côtés. Il ne s'agissait pas simplement de sexe. Même si, il devait l'admettre, cet aspect-là de leur vie commune était spectaculaire. Mais c'était plus… son sourire, sa voix, la façon qu'elle avait de lui toucher les cheveux ou de se blottir contre lui. Il aimait ce qu'elle lui faisait ressentir. Et il aimait ce que lui pouvait lui faire ressentir.

— Tu veux quoi ? demanda Taylor.

Gray se leva.

— Je veux rentrer retrouver ma femme, sourit-il d'un air penaud. Je me mettrai aux sortilèges demain.

Taylor secoua la tête.

— Déjà toqué. Quelle honte. Tu devrais probablement rendre ta carte de membre du club des vrais hommes.

— Des imbéciles de jaloux comme vous ne font pas partie du comité du club des vrais hommes.

Ren gloussa.

— Gray, vous y allez seul, demain ?

— Ouais. Pourquoi ?

Ren haussa les épaules.

— Je pense que l'un d'entre nous devrait venir avec vous, c'est tout.

— Il a raison, approuva Taylor. On sait que le meurtrier de Marcy veut probablement récupérer l'œil, mais on ne sait pas pourquoi ni ce qu'il ou elle veut d'autre. Je t'accompagne. Ren pourra assurer la permanence pendant trois jours.

— Pas de problème, dit celui-ci. Papa n'a pas besoin de moi à la ferme, de toute façon. Il a engagé deux gamins du coin pour l'aider dans ses corvées. Je serai ravi de rester en ville.

— Très bien, dit Gray avant d'adresser un sourire à Taylor. On se retrouve à cinq heures du matin. On doit commencer le premier sortilège à l'aube – j'envisage la zone du lac pour commencer.

— Bien. Alors à cinq heures. Chez toi. Mais c'est à toi de faire le café.

— Marché conclu.

Gray les salua et sortit. Il était venu avec son pick-up et il ne lui fallut donc que deux minutes pour rentrer. Il vit tout de suite que quelque chose avait changé.

Pour commencer, plusieurs véhicules étaient garés dans la rue devant chez lui. Ensuite, la lumière du porche était allumée, brillant comme un signe de bienvenu. Non seulement ce dernier avait été balayé, mais deux fauteuils à bascule blanchis à la chaux occupaient l'espace près de la baie vitrée. Les lumières du salon étaient également allumées et perçaient joyeusement à travers les rideaux en dentelle blanche.

Quand il fut devant la porte d'entrée, un rire de femme lui parvint.

Puis d'autres. Nombreux.

Il entra et se figea.

Tout étincelait et l'air sentait le citron et la lavande. Les parquets luisaient, tout comme la rampe des escaliers. Il tourna la tête sur la gauche et se retrouva face à un portemanteau. Il ne savait même pas qu'il en possédait un. Les vestes étaient alignées sur les patères et des sacs avaient été empilés sur l'étagère.

Il était parfaitement incapable de mesurer la quantité d'œstrogènes qui voltigeait actuellement dans sa maison – et, la Déesse lui vienne en aide, elles étaient en train de *faire le ménage*.

La panique monta.

De nouveaux rires et bruits variés – de fourneaux et d'allégresse – lui parvinrent de la cuisine, qui se trouvait juste devant. Il tourna à gauche vers le salon.

Comme il l'avait pensé, les rideaux étaient neufs, les murs avaient été récurés, le manteau de la cheminée lustré, l'âtre transformé. On avait déplacé les meubles : deux canapés faisaient face à la table basse, qui était munie d'une petite pile de dessous de verre et de livres grand format empilés dans un coin. Près de la cheminée, une petite table colorée reposait entre deux fauteuils originaux. Les étagères de livres qui flanquaient la cheminée étincelaient de propreté, les ouvrages avaient été redressés et alignés, et des bibelots venaient compléter le tout. Hum. Il avait beaucoup de dragons.

— Gray !

Il pivota et vit Lucy debout dans l'entrée qui le dévisageait. Son regard s'illumina et elle bondit dans ses bras. Gray la fit tournoyer. Son bonheur traversa tout son corps comme un coup de foudre.

Il se mit à rire et la serra de toutes ses forces.

— Tu es rentré ! s'enthousiasma-t-elle en l'embrassant. Je ne pensais pas que tu rentrerais ce soir.

Le cœur de Gray se serra. Toute cette allégresse qui émanait d'elle lui était destinée.

— Tu me manquais.

Elle écarquilla les yeux.

— Vraiment ?

— Une épouse ne peut-elle pas manquer à son mari ?

— Si, dit-elle. Je suis même sûre que c'est la règle.

— Si elle n'existe pas, alors je vais la créer.

Il l'embrassa de nouveau. Il adorait la sensation de ses lèvres douces sur les siennes, et la manière dont elle semblait l'envelopper. Comment ce genre de bonheur avait-il réussi à s'infiltrer de nouveau dans son cœur rouillé et envahi par les toiles d'araignée ? Non, pas « de nouveau ». Ces sentiments étaient différents de ceux qu'il avait un jour éprouvés pour Kerren. Il s'était senti fier de sa jeune épouse, comme si sa beauté et son charme amplifiaient sa propre importance, d'une certaine manière.

— Tu as beaucoup travaillé.

— N'est-ce pas merveilleux ? demanda-t-elle. Je te promets que je n'ai pas bougé les meubles.

— Bien. Et oui, c'est incroyable.

Son visage était maculé de poussière et elle sentait une odeur de pin, mais c'était la créature la plus belle qui soit. Il avait l'impression d'avoir capturé une fée, qui risquait de s'envoler s'il manquait d'attention.

— Maureen est passée, dit-elle, et elle a activé un téléphone arabe – je ne sais toujours pas vraiment ce que ça signifie. Mais tout à coup, toutes ces jeunes femmes sont apparues à la porte ! (Elle partit d'un rire dont l'éclat s'enroula autour du cœur de Gray.) Les deux pièces à l'étage sont toujours en pagaille, mais la bibliothèque... Oh, Gray, pourquoi ne m'as-tu pas dit que tu avais des livres d'âme ?

— Tu as rencontré Grit et Dutch ?

— Oui. Ils sont adorables.

— Ça n'est pas le premier adjectif qui me viendrait à l'esprit, murmura Gray.

— Oh, arrête, dit-elle en lui donnant une petite tape espiègle sur l'épaule. Ils étaient ravis qu'on nettoie la bibliothèque. Je leur ai trouvé une étagère pour tous les deux, expliqua-t-elle avant de faire une pause. Ils ont dit que tu avais un labo dans le jardin... dans ce gros cabanon ?

— Oui, répondit-il. Tu n'as pas...

— Absolument pas. Le sanctuaire de préparation de sortilèges d'un magicien n'appartient qu'à lui.

— Oui. Et il n'a certainement pas besoin de tous ces parasites.

— Quoi, tu...

Il la fit de nouveau tournoyer dans les airs. Elle s'agrippa à lui, son rire se mêlant au sien.

Ember s'écarta de la porte. L'amour s'était frayé un chemin entre ces deux âmes brisées, et c'était un véritable régal. Elle espérait simplement qu'ils puisaient tous deux suffisamment de force dans leur nouveau lien pour affronter ce qui arrivait – et même si elle ne savait pas de quel défi il s'agissait précisément, elle savait qu'il était imminent.

Montre-moi la voie, Mère Créatrice, pria-t-elle, *et donne-moi la force de l'emprunter.*

Il n'avait pas eu l'intention de la tuer.

Bon sang.

Il tira le corps dans la cuisine et le plaça près de la gazinière. Réfléchir. Il devait réfléchir. Il contourna le plan de travail et se mit à faire les cent pas.

Si seulement elle ne l'avait pas attaqué...

C'était la faute de Cathleen s'il avait étranglé son cou gras. Elle avait voulu sa revanche sur les Calhoun de la pire des manières, une haine implantée par sa mère qui tenait Grit pour responsable de la mort de son mari.

Il avait eu la curiosité de parcourir les archives publiques de la bibliothèque. Il avait facilement trouvé le rapport. Jed Little faisait passer le whisky avant sa dignité personnelle. Il avait un casier long comme le bras, rempli d'arrestations pour ivresse sur la voie publique et violence domestique, et il avait comparu de nombreuses fois pour harcèlement contre Dove Calhoun.

La nuit précédant celle où cet idiot de Jed s'était saoulé à mort et s'était enfoncé dans le lac, il avait tenté d'enlever Dove et Grit lui avait flanqué une raclée. Le Gardien l'avait ensuite banni – et lui avait donné vingt-quatre heures pour quitter la ville. Cora avait rempli un rapport déclarant que le Gardien avait ensorcelé son mari pour le pousser au suicide. Sur le papier, Jed ne semblait pas être le genre de personne prête à renoncer à sa propre vie pour laisser sa femme et sa fille vivre la leur. Il se pouvait bien que Grit se soit débarrassé de l'agresseur de sa femme.

Il observa le corps porcin de Cathleen et sentit la nausée l'étreindre. Il se détourna et s'appuya contre le fourneau en prenant une profonde inspiration. Ce n'était pas comme s'il haïssait les Calhoun. Il avait grandi sous le règne de Grit comme Gardien, et ce dernier avait fait mieux que son petit-fils en serait jamais capable. Gray ne méritait pas son poste – c'était injuste qu'il ait un droit de naissance, qu'il pouvait revendiquer fièrement, sans peur des représailles. *J'étais un secret.* La fureur gonfla en lui. Il convenait que Gray paie le prix du sang pour que lui-même puisse enfin se dévoiler au grand jour ; ce ne serait que justice.

« Elle voulait qu'ils souffrent, comme Papa avait souffert. Je lui ai promis, juste avant qu'elle meure, que je veillerais à ce que justice soit faite. »

Elle était si agitée qu'il lui avait resservi du whisky. Elle avait avalé trois shots d'affilée.

Cathleen avait pouffé.

« Tu penses que le Ténébreux est satisfait de son pouvoir sur la mort ? » Il essaie depuis le début des temps d'obtenir une partie de ce monde.

Un être aussi puissant que le Ténébreux n'était pas le moins du monde intéressé par un endroit comme Nevermore. C'est là qu'il avait pris conscience que Cathleen était complètement folle. Sa mère avait passé sa vie à lui bourrer le crâne avec des mensonges, et elle était incapable de différencier la vérité de ses préoccupations égoïstes. Toutes ces années passées dans un endroit qui avait détruit sa famille, à incarner celle que tout le monde détestait, cédant à la cupidité et au désespoir chaque jour qui passait – tout cela avait fini par la perdre.

Il voulait la magie et Nevermore, mais ses rêves étaient peut-être trop limités. C'était le sentiment que sa vie entière passée ici lui donnait. Cinq ans plus tôt, quand il avait appris la vérité sur son héritage, il s'était senti minuscule. Un moins que rien.

Ce qui était certain, c'est qu'il ne voulait pour rien au monde finir comme Cathleen Munch.

— Ils ne connaîtront pas de fin heureuse ! Non, non, non ! Tu dois le tuer, tu m'entends ? On nous est redevables ! On a une dette envers ma famille !

Elle avait jeté la bouteille de whisky qui s'était fracassée contre le mur ; le liquide ambré avait dégouliné le long du mur et sur le sol.

— Ce n'est pas encore l'heure de tuer Gray, avait-il répliqué.

C'est alors qu'elle avait complètement perdu la tête ; elle s'était mise à hurler en essayant de lui crever les yeux. Coups de pied et crachats, divagations, propos incohérents. Bon sang ! Il avait seulement voulu qu'elle la boucle. Elle l'avait déstabilisé avec ses inepties concernant le Ténébreux. Tout le monde savait que la Mère Créatrice et le Père Destructeur ne pouvaient qu'influer sur leurs enfants. Pas les gouverner. Loi magique de base : *chaque être vivant est créé à partir de la même étoffe tissée par les ténèbres et la lumière, et s'accorde avec le principe du Tout est dans Tout.* Le Ténébreux qui envahirait le royaume des mortels, ce serait comme un humain essayant de permuter ses bras et ses jambes – totalement impossible… et inutile.

— Stupide garce.

Il revint auprès du corps, la colère bouillonnant dans son ventre. Cathleen était aussi laide dans la mort qu'elle l'avait été dans la vie. Son corps rose et potelé… beurk. Elle ressemblait à une saucisse trop grasse.

La nausée monta de nouveau et il préféra sortir de la cuisine. Il s'appuya contre le comptoir en formica et se prit la tête entre les mains.

Onze jours avant la nouvelle lune.

Gray prévoyait de commencer les protections le lendemain. Avec les frontières renforcées, il serait plus difficile, voire impossible, d'ouvrir le portail pour Kahl.

Il devait trouver un moyen de retarder le Gardien.

L'odeur âcre du whisky lui donna de nouveau la nausée. Puis une idée commença à se former dans son esprit. Il se redressa et se tourna vers la bouteille brisée et le liquide répandu.

Parfait.

11

Il était plus de minuit quand les femmes rassemblèrent leurs affaires et se préparèrent à partir.

Debout dans l'entrée à côté de Gray, Lucy leur souhaita une bonne nuit. Elle était heureuse et épuisée, et exprima sa reconnaissance à ces femmes qui étaient généreusement venues lui prêter main-forte.

Maureen lui expliqua que c'était la manière, à Nevermore, de tendre la main à quelqu'un qui en avait besoin – peu importe le motif. Lucy était touchée par leur empressement à lui offrir leur aide, surtout quand elles n'obtenaient rien en retour. La prochaine fois que les femmes de Nevermore auraient besoin les unes des autres, elle serait là et ferait tout son possible.

Elle enlaça Maureen et commença ainsi toute une série d'embrassades. Ember fut la suivante, puis Josie Gomez, Arlene et Ronna Thomson, la femme du mécanicien de la ville, Joseph Thomson, ainsi que sa fille, Alice. Puis suivirent les jumelles Wilson, dont les compétences organisationnelles tenaient presque du surnaturel. Elles avaient sermonné Gray quant à l'état de ses livres, surtout ceux de la bibliothèque, et il avait encaissé la réprimande avec bonne humeur.

Elle espérait que Gray, qui semblait si isolé du reste de la ville, n'était pas contrarié par cette intrusion dans son intimité.

Après le départ de la dernière, Gray referma la porte. Lucy se glissa dans ses bras et posa la tête contre sa poitrine.

— Elles sont tellement gentilles. J'aimerais...

Gray lui caressait le dos. Elle se demandait s'il avait conscience du nombre de fois qu'il faisait ce genre de geste réconfortant. Elle était prête à parier qu'il s'agissait d'une réaction automatique – pour apaiser la détresse perçue. Ou peut-être qu'il était aussi affectueux qu'elle.

— Qu'est-ce que tu aimerais, ma chérie ?

Elle aurait aimé organiser une fête – comme celles que Dove et Grit avaient l'habitude de donner, en guise de remerciement aux femmes et à la communauté ; cela améliorerait peut-être les relations entre le Gardien et les citoyens. Gray avait été solitaire, par choix, oui, mais beaucoup de monde semblait vouloir lui tendre la main. Ils pourraient tous deux faire partie intégrante de la ville, et non pas seulement le magicien et la sorcière qui vivaient sur la colline au-dessus.

— Lucy ?

— Une fête, lâcha-t-elle en reculant légèrement pour le regarder dans les yeux. On pourrait faire un buffet, et danser un peu. Oh, et les enfants pourraient venir. On pourrait faire des jeux ! Peut-être distribuer des petits prix, ou...

Elle s'humecta les lèvres.

— C'est trop, c'est ça ? J'aurais dû t'appeler et te demander si elles pouvaient entrer. Tu es fâché ?

Il fronça les sourcils et le cœur de Lucy manqua un battement. Il était bel et bien furieux.

— Pourquoi voudrais-tu que je sois fâché ? Tu n'as pas à te remettre ainsi en question, Lucy.

Elle se sentit envahie par un sentiment de culpabilité. *Il n'est pas comme Bernard*, se réprimanda-t-elle, *alors arrête d'agir comme si c'était le cas.*

— Je suis désolée, fit-elle en soupirant. J'ai toujours l'impression d'avancer sur un terrain glissant.

— C'est ce qu'il te faisait ressentir ? Comme si la terre pouvait céder sous tes pas à tout moment ?

— Oui. C'est exactement ça.

— Tu es à l'abri, dit Gray en la serrant fermement. Je te promets que je ne laisserai rien t'arriver.

Lucinda n'était pas certaine qu'il puisse tenir cette promesse, mais elle savait qu'il essaierait et pour l'instant, c'était amplement suffisant.

— Et la soirée ?

— C'est une super idée.

Elle le regarda en souriant, et il se pencha de nouveau pour l'embrasser. La tendresse se transforma instantanément en séduction. Elle se plaqua contre lui et un courant électrique traversa son corps.

On frappa à la porte.

Ils s'écartèrent. Gray fit la grimace.

— Bon sang.

Puis il alla ouvrir.

Maureen se tenait sur le perron, le visage pâle, les yeux écarquillés.

— Il y a un incendie en ville !

Les flammes étaient facilement visibles depuis leur position en hauteur. Tout comme les personnes qui se pressaient vers le bâtiment en feu.

— C'est le café, s'exclama Lucinda, horrifiée. Les gremlins ?

— On les a tous eus, et le feu n'est pas dans leurs habitudes. Ils aiment détruire les choses morceau par morceau.

Il se tourna vers elle, et elle aperçut à la fois la culpabilité et la détermination dans ses yeux. Comment pouvait-il se sentir responsable de cet incendie ?

— Arlene a déjà appelé Taylor, dit Maureen d'une voix tremblante.

— Bien, dit Gray, avant de se tourner vers Lucy. Reste ici, bébé, je vais...

— Tu vas quoi ? Trouver quelqu'un d'autre doté du pouvoir d'aquamanie ?

Il cligna les yeux, comme s'il avait oublié qu'elle avait un pouvoir magique sur l'eau.

— On a Bran.

— Sauf qu'il ne répond pas au téléphone, intervint Maureen. Arlene est déjà en chemin pour le Dragon's Keep pour essayer de le trouver.

— Très bien. Mets tes chaussures, dit Gray.

Lucinda perdit de précieuses secondes à enfiler ses tennis usées ; puis ils se précipitèrent à l'extérieur et suivirent Maureen jusqu'à sa voiture dont le moteur tournait toujours. Ils se glissèrent sur la banquette arrière et Maureen écrasa la pédale d'accélérateur. Elle arriva en ville en moins de deux minutes et se gara devant chez Ember. Ils se ruèrent en direction des flammes.

La chaleur intense les enveloppa immédiatement. La fumée bloqua la gorge de Lucy, qui se
mit à tousser en reculant.

— Je n'arrive pas à atteindre l'ouverture d'eau
principale, souffla Ren, une énorme pince à tuyau
à la main, le visage et les vêtements barbouillés de
suie.

Il avait manifestement été tiré du lit, à en juger par
ses cheveux ébouriffés, ses pieds nus et son pantalon
de pyjama. Il remarqua que Lucy observait sa tenue.

— Je dormais chez Trent. C'est lui qui a repéré
l'incendie le premier.

— Tu as prévenu Taylor ? demanda Gray.

— Il est en route.

— Je peux l'ouvrir, déclara Lucinda.

Ren haussa les sourcils.

— Ne le prenez pas mal, Lucinda, mais… vous
êtes une fille.

— Je n'ai pas besoin de muscles.

Elle se hâta vers la borne à incendie. La lance
reposait autour tel un serpent mort. Les boulons
étaient rouillés, mais les profondes éraflures sur la
peinture écaillée prouvaient les efforts vaillants de
Ren.

Lucinda toucha la vanne et s'ouvrit à la magie
qui vibrait tout autour. Elle s'en servit pour atteindre l'eau… traversa les tuyaux… pénétra le sol…
là ! Elle s'empara de l'eau et la fit remonter d'une
solide et rapide secousse.

Le couvercle explosa et tourbillonna dans l'air
avant de retomber sur le trottoir. L'eau jaillit en un
violent geyser. Lucinda orienta ses mains vers lui
et invoqua les énergies sacrées, avant d'ordonner :

— Éteindre.

L'eau s'éleva de plus en plus haut. Elle se propagea, puissante et majestueuse, le sang de la terre, puis *boum* ! Elle s'écrasa sur le café comme le poing furieux d'un dieu.

Les flammes s'éteignirent.

Le jet arrosa tout le monde et toute la rue, mais personne ne s'en souciait. Des acclamations s'élevèrent et Lucinda fut soudain assaillie et serrée presque jusqu'à l'étouffement.

C'était merveilleux.

Juste après minuit, Happy se traînait péniblement sur le bas-côté de Cedar Road. Lucy ne serait pas précisément… heureuse de la voir. Elle rompait sa promesse, mais ce n'était teeellement pas sa faute ! D'accord, c'était sa faute si elle s'était enfuie de chez les bonnes sœurs, mais la raison n'était pas de son fait.

La vision l'avait contrainte à quitter la sécurité pour partir à la recherche de Lucy. Si elle ne retrouvait pas son amie à temps, elle et ce type sexy à la cicatrice mourraient. La chose étrange ? Happy n'était pas une magique. Mais elle savait que la vision était réelle car la Déesse le lui avait assuré. Elle n'avait pas été vraiment croyante jusque-là. Malgré tout, quand la Déesse vous apparaissait avec une vision du futur et vous demandait de transmettre un message, vous obéissiez.

Happy se sentait coupable d'avoir abandonné sœur Mary Frances. Elle était certaine que toutes étaient hors d'elles, mais ne sachant pas où se trouvait Lucy – un détail sur lequel elle avait insisté pour éviter que Bernard puisse les torturer afin d'obtenir des informations –, elles auraient été incapables de faire passer un message à Lucy.

Happy voulait tellement être aux côtés de Lucy ! C'était la seule personne en laquelle elle avait confiance. Les religieuses étaient gentilles, quoiqu'un peu bizarres, et bon sang, ce qu'elles aimaient les règles... Si Lucy voulait qu'elle y retourne, elle lui obéirait, mais pas avant d'être sûre que son amie était totalement hors de danger. Elle était en mission pour la Déesse. Lucy ne serait certainement pas trop furieuse de la voir apparaître.

Ou... peut-être que si.

Elle se mordit la lèvre inférieure et songea à la réaction de Lucy. Elle espérait qu'elle la serrerait au moins dans ses bras – du moins avant de se mettre à hurler. Elle savait que parfois, les personnes effrayées réagissent avec colère. C'était sa mère qui le lui avait dit, et elle-même avait donc conclu que Bernard devait avoir été effrayé toute sa vie.

Maman avait éclaté de rire en lui disant qu'elle était très futée.

Happy passa devant un panneau qui indiquait NEVERMORE 15 KM, et soupira. Lucy allait l'enguirlander lorsqu'elle apprendrait qu'elle avait fait du stop, pourtant elle s'en était bien sortie jusqu'à ce dernier camionneur. « Personne ne monte gratuitement », lui avait-il dit avec un sourire. Il était gros, malodorant, avec des mains poilues. En plus, sa bouche aurait bien mérité qu'on lui présente madame la brosse à dents. Beurk.

Mais il n'avait pas vu venir le cran d'arrêt sur sa gorge, en revanche. Oui, sacrée surprise. Heureusement, il avait garé son trente-huit tonnes près de la sortie de Cedar Road quand il avait décidé de réclamer son « paiement ». Connard.

Quinze kilomètres, ce n'était pas si méchant. Elle pouvait y arriver.

Elle n'avait pas peur du noir, mais elle aurait accueilli quelques réverbères à bras ouverts. Ses yeux s'étaient adaptés et elle s'était en quelque sorte habituée aux bruits du vent dans l'herbe, au chant des criquets et aux meuglements intermittents.

Elle n'avait jamais vu de vraie vache auparavant.

Son sac à dos lui semblait de plus en plus lourd à chaque pas. Elle décida finalement de faire une pause. Elle se laissa tomber sur le côté de la route et ouvrit la poche latérale. Elle en sortit le cristal. Il palpitait de magie, activée uniquement par le contact de Happy. N'importe qui d'autre touche-rait la pierre n'y trouverait qu'un bel objet à regar-der et non pas une balise. Une flèche verte pointait dans la direction de Nevermore. C'était Lucy qui le lui avait donné pour que Happy sache où elle se trouvait. Elle lui avait promis qu'un jour, elles seraient réunies. Bien sûr. Dès que tout serait ren-tré dans l'ordre, ce qui, pour Happy, équivalait au jour où Bernard mourrait.

Elle replaça le cristal dans la poche puis fouilla son sac à la recherche d'une bouteille d'eau et de son dernier sachet de raisins secs.

Pendant qu'elle avalait son en-cas, elle aperçut deux phares qui perçaient l'obscurité. La camion-nette venait apparemment de quitter l'autoroute et, quand elle passa devant elle, elle vit que la benne était remplie de troncs d'arbre et de gros sacs de terre. Puis elle vit les feux de freinage. Le véhicule effectua un lent demi-tour et s'arrêta près de l'endroit où elle était assise.

Un jeune homme se pencha vers elle et l'observa par-dessous un chapeau de cow-boy usé. Ses yeux étaient aussi noirs que du chocolat et scintillaient comme ceux de sa mère avant qu'elle... Happy ravala le nœud qui obstruait sa gorge.

Son estomac commençait à la faire souffrir et elle referma le sachet qu'elle jeta dans son sac.

— Tu veux monter ?

— Bien sûr. (Happy se releva et hissa son sac sur son épaule.) Mais je n'ai rien pour te payer. Ni en liquide ni en nature.

Il écarquilla les yeux et sa bouche forma un O scandalisé.

— Ta mère sait que tu parles comme ça ?

— Ma mère est morte, répondit-elle en plissant les yeux. Tu me fais monter ou quoi ?

— Je devrais plutôt te mettre la fessée, répliqua-t-il. Allez viens, l'impertinente.

Elle ouvrit la portière et monta dans la cabine. Il tourna le volant et reprit la direction de Nevermore.

— Tout le monde m'appelle Ant[1], déclara-t-il.

— Pourquoi ?

— Parce qu'avant, j'étais petit et maigre.

Happy lui jeta un coup d'œil. Il n'était plus aucune de ces deux choses. Il devait faire au moins un mètre quatre-vingts, si ce n'est plus, et il était musclé. Ses vêtements étaient couverts de poussière et elle distinguait la crasse sous ses ongles. Il sentait la terre et l'herbe fraîchement coupée. C'était agréable.

---

1. *Ant* signifie « fourmi ». (*N.d.T.*)

— Je m'appelle Happy.

— Sérieux ?

— Si j'avais eu l'intention de te donner un faux nom, est-ce que j'aurais choisi celui-là ?

— Un point pour toi. Quel âge as-tu ?

— Quel âge as-tu, toi ?

— Dix-neuf ans.

— Et moi, vingt.

Ant ricana.

— Essaie encore, l'impertinente. J'ai quatre sœurs. Je repère les mensonges de fillette à dix mètres. (Il l'observa quelques secondes.) Tu as seize ans.

— J'aurai dix-sept ans dans deux mois, argua-t-elle d'un ton geignard qui la fit tressaillir. Si j'étais une magique comme toi, je serais majeure, ajouta-t-elle en lui adressa un petit sourire narquois. On pourrait sortir ensemble et tout.

— Je ne suis pas un magique, dit-il. Et je ne sors pas avec des filles qui sortent n'importe quoi de leur bouche.

— Pourquoi ? Tu t'attends à ce que les filles fassent autre chose avec leur bouche ?

— Tu n'es pas assez *majeure* pour le découvrir.

Voilà qui la mit en rogne. Et lui ferma son clapet. Elle n'était pas trop jeune pour quoi que ce soit. Si elle était née vraie magique comme son idiot de père, elle serait considérée comme une adulte. La majorité était à seize ans et non dix-huit comme les terrestres, parce qu'ils *mûrissaient* plus vite, et vivaient également plus longtemps. Bref. Elle ne savait pas pourquoi Ant se montrait aussi mystérieux concernant ses propres pouvoirs. Elle-même n'en avait aucun, mais elle pouvait percevoir les pouvoirs des autres. Et il ne faisait aucun doute que *lui* en possédait.

Agacée, elle se concentra sur les pâturages. Le vent s'engouffrait dans la cabine par la fenêtre entrouverte. Ça sentait aussi la terre, dehors. Elle plissa le nez à l'odeur de fumier, et en aperçut la source : du bétail regroupé près de la clôture.

C'était tellement paisible alentour... Peut-être que Lucy et elle pourraient rester ensemble à Nevermore. Peut-être que c'était un endroit sûr, même si Bernard était toujours en vie.

Il ne renoncera jamais, Happy. Jamais. On doit se séparer. Si je peux revenir te chercher, je le ferai.

Si.

Lucy l'avait laissée avec les religieuses car tant que Happy était avec elle, elles pouvaient être pistées. Mais le couvent avait été bâti sur un terrain neutre, et ni sorcière ni magicien ne pouvait poser le pied sur la propriété sans la permission des bonnes sœurs. Elle avait compris, à ce moment-là, que Lucy ne reviendrait probablement jamais la chercher. Pas parce qu'elle ne le voulait pas, mais parce que Bernard ne la laisserait pas faire.

Elle était restée avec les religieuses uniquement parce qu'elle redoutait les erreurs que Lucy pourrait faire si elle s'inquiétait trop pour elle, et que Bernard retrouve l'une d'elles. Il était véritablement furieux contre Lucy, et contre Happy. Il ne ferait pas de mal à Happy... enfin, pas trop, du moins. Mais il s'acharnerait sur Lucy. C'était la personne la plus cruelle qu'elle avait jamais rencontrée.

Son estomac se noua.

Si elle avait insisté auprès de Lucy, cette dernière aurait cédé et ne l'aurait pas laissée. Lucy non plus n'avait personne. Et Happy l'aimait. Ça devait être difficile d'abandonner quelqu'un qui vous aimait. Lucy avait fait un choix difficile pour elles deux.

Et à présent, Happy devait faire la même chose.

— À qui rends-tu visite ?

L'espace d'un instant, Happy éprouva la folle envie de fondre en larmes et de tout lui raconter. Elle voulait confier à quelqu'un la vérité sur elle-même, sur sa vie. Mais elle ne le connaissait pas et, franchement, qui pouvait faire confiance à un type qui s'appelait Ant ?

— Ça ne te regarde pas, finit-elle par répondre.

— Enfin, je ne vais pas te déposer comme ça à un coin de rue.

— Pourquoi pas ? Je ne suis pas sous ta responsabilité.

— C'est la règle de l'auto-stop, répliqua aimablement Ant. Celui qui fait monter – moi – doit s'assurer de déposer l'auto-stoppeur – toi – en toute sécurité s'il ne veut pas s'attirer la colère des mères de Nevermore.

— Tu inventes.

— Visiblement, tu n'as jamais rencontré de mère de Nevermore. Elles sont effrayantes. Et elles font des ravages avec un rouleau à pâtisserie.

— Je parie que tu t'en es souvent pris dans la tronche.

— Et comment, avoua-t-il avec un sourire. Mais pas pour avoir laissé un auto-stoppeur en rade sur le bord de la route.

— Combien en as-tu déjà déposés ?

— Aucun, répondit-il. Tu es ma première. Tu vois donc l'importance de te déposer à ta destination en toute sécurité.

— Tu parles de la partie où tu évites le coup de rouleau à pâtisserie ?

Il éclata de rire.

— En plein dans le mille.

Happy sentit son corps entier se mettre à chauffer et à picoter. Les sensations soudaines et intenses la submergèrent. Elle se raidit en prenant de profondes inspirations. Que se passait-il ?

— Bon sang, lâcha Ant en se garant sur le bas-côté avant d'allumer le plafonnier ; il l'observait, une lueur d'inquiétude dans les yeux. Qu'est-ce qui ne va pas ?

— La magie, murmura-t-elle. Il y en a beaucoup, beaucoup.

— Tu as dit que tu n'étais pas magique.

— Je peux la percevoir, pas m'en servir.

— Ça va aller ?

— Ça ne m'est jamais arrivé auparavant. C'est comme… si tes jambes s'étaient endormies et que tu essayais de t'en servir trop tôt. Mais en mille fois pire.

— Qu'est-ce que je peux faire ?

— Tu es trop gentil, dit-elle tandis que ses dents se mettaient à claquer. Et ça me fout un peu les jetons.

— Dis-moi où t'emmener. Dis-moi avec qui tu es.

— Avec q-qui je suis ?

— Ta famille, Happy. Qui viens-tu voir ici ?

— Je voudrais te f-faire confiance, dit-elle submergée par des sueurs froides, l'estomac noué. J'ai… j'ai mal.

Puis le monde bascula et elle sombra soudain dans des ténèbres glacées.

Happy flottait dans une brume entre conscience et inconscience. Elle se sentait au chaud et en sécurité, mais elle ne savait pas pourquoi. Elle entendait deux voix d'hommes qui s'estompaient. Elle ne saisissait que des bribes de leur conversation.

— *Je ne savais pas quoi faire. Elle s'est évanouie... elle a peut-être seulement besoin de repos.*

Happy comprit qu'ils parlaient d'elle. Elle se sentait mieux désormais. Plus de picotement. Elle voulait seulement dormir. Continuer à sentir cette merveilleuse chaleur sécurisante. Oh, elle se sentait vraiment en sécurité. Comme si plus personne ne pouvait plus jamais lui faire de mal.

— *Quelqu'un a délibérément mis le feu au café. Bon sang, tu aurais dû voir Lucy. Si son aquamanie est un pouvoir mineur, alors je n'imagine pas ce que doit donner sa thaumaturgie.*

Lucy ! Son amie allait bien. Happy perçut l'admiration dans la voix du plus vieux. Il l'aimait bien. Et il pouvait. Tout le monde devrait aimer Lucy autant que Happy.

— *C'est Cathleen qui a dû le faire par pure méchanceté... On a trouvé son corps... du moins on pense que c'est le sien.*

Elle n'aimait pas ces mots et préféra les bloquer. La mort des gens la rendait triste, et elle en avait vraiment assez d'être triste. Happy se laissa dériver dans la douce obscurité et céda au sommeil.

— Qu'est-ce que *tu* veux ?

Bernard Franco regardait le visage de Kerren Rackmore à l'intérieur de l'immense bol d'eau parfumée.

— Oh. Tu ne sembles pas content d'avoir de mes nouvelles. Après tout ce que j'ai fait pour toi…

— Tu veux dire *tout ce que tu m'as fait*.

— Y a-t-il une différence ?

Elle sourit, et la manigance qu'il perçut au-delà de ses paroles le fit s'interrompre. Que préparait-elle maintenant ? Les dieux soient maudits. Elle avait exactement la même apparence que dix ans plus tôt, quand elle avait vingt-deux ans, à l'époque où elle avait échangé son âme, ainsi que celle de son magicien de mari, pour devenir l'épouse immortelle d'un seigneur démon.

Elle était très belle, à la manière d'un glacier. Froide. Tranchante. Dangereuse. Dommage que ses yeux ne soient pas du même vert forêt que ceux de sa sœur. À la place, elle avait hérité du regard brun couleur terre de leur père, une couleur inadaptée à la glace. Sa chevelure compensait, en revanche, avec ses mèches brillantes, d'un blond presque blanc, qui ondulaient le long de son dos mince. Il l'avait possédée une fois, quand il avait passé l'accord pour séduire et emprisonner Lucinda.

Kerren avait failli le tuer, mais c'était la meilleure partie de jambes en l'air de sa vie.

Si seulement on pouvait changer ses yeux…

— Alors ? Tu ne veux pas entendre ce que j'ai à te dire ?

Avant de pouvoir répondre, il fut pris d'une quinte de toux et se renversa dans son fauteuil, les épaules secouées par la crise. Un liquide couleur rouille emplit sa bouche et il appuya un mouchoir contre ses lèvres tremblantes pour essuyer le sang. C'était de pire en pire. Il avait consulté d'innombrables médecins et guérisseurs, mais personne ne pouvait l'aider. Ils arrivaient tous à la même conclusion : il récoltait ce qu'il avait semé, et personne ne pouvait rien y faire.

Il se pencha de nouveau au-dessus du bol et vit Kerren qui l'observait. Elle recherchait l'amusement partout où elle pouvait le trouver, et il ne faisait aucun doute que sa détresse lui procurait du plaisir. Elle s'était certainement délectée de la manière dont il avait torturé Lucinda. Parfois elle avait même regardé – elle lui avait donné des sortilèges ou des techniques pour l'aider. En fait, elle lui avait apporté sur un plateau la malédiction pour enrayer la thaumaturgie de Lucinda. Elle avait simplement omis de mentionner les conséquences qu'il aurait à payer.

— C'est toi qui m'as fait ça, cracha-t-il.

Ses éclats de rire lui firent l'effet d'éclaboussures d'acide.

— Tu te l'es fait toi-même. Personne ne t'a forcé à utiliser la malédiction. C'est à cause de ton sale caractère, Bernard. Il va finir par t'achever.

— Tu m'as donné la magie, répliqua-t-il. Tu m'as dit...

— Qu'il y avait un prix à payer pour tout, le coupa-t-elle. Tu aurais dû me demander le montant et la nature de ce prix.

— Comment je peux arranger ça ?

Elle pencha la tête d'un air coquet.

— J'imagine que tu pourrais tuer Lucy, dit-elle. Ça devrait marcher.

Quelque chose avait changé. Quand Kerren l'avait contacté la première fois pour « sécuriser » sa sœur, elle avait été très claire à ce sujet : Lucinda ne devait pas être tuée. En revanche, la torture, la manipulation, le retournement de cerveau et le traumatisme émotionnel, tout ça passait. Lucinda avait été une marionnette très docile dans les mains de Bernard. L'un de ses jouets favoris. Jusqu'à sa trahison. Jusqu'à ce qu'elle puise dans ses foutus pouvoirs et ignore carrément ses ordres. Au final, elle avait représenté un véritable souci. Et quand elle s'était enfuie – après l'avoir volé – il ne rêvait plus que d'une chose, la tuer très, très lentement.

Kerren, de son côté, était une créature totalement différente. Elle n'était guidée par aucune conscience et ne se souciait pas de la moralité de ses actes. Quand elle voulait quelque chose, elle l'obtenait. Il ne doutait pas que Kerren voulait le faire danser sur la nouvelle mélodie qu'elle jouait, mais il ne serait plus son pantin.

— Que se passe-t-il si je meurs ? lui demanda-t-il.

— Lucinda ne peut retirer la malédiction sans toi. Ressaisis-toi, Bernard. Si tu crèves avant de l'avoir retrouvée, tu auras au moins la consolation de savoir qu'elle ne pourra plus jamais se servir de sa thaumaturgie, ajouta-t-elle tout en l'observant, ses horribles yeux aussi vides que son âme. Quelle ironie, n'est-ce pas, qu'elle soit la seule personne capable de te guérir… alors que tu as condamné son pouvoir.

— C'est toi qui le voulais.

Il se sentait tellement las ! La seule chose qui le faisait encore avancer ces temps-ci, c'était la flamme vive et constante de sa fureur. Lucinda allait payer pour ce qu'elle avait fait – et, s'il y parvenait, Kerren aussi.

— Aucun thaumaturge ne m'examinera, et il n'en existe que très peu. Toi et tes combines ! Si son don représentait une telle menace, alors pourquoi ne l'as-tu pas simplement tuée ?

— Tuer ma propre sœur ? fit-elle en mimant une expression d'horreur. Bien sûr, je pourrais lui arracher le cœur, mais après avoir fait ça une bonne douzaine de fois, le geste commence vraiment à perdre de son charme.

— À la place, tu me l'as collée dans les bras.

— Vraiment, Bernard ! Pourrais-tu être encore plus mélodramatique ?

— Mettre fin à ses jours me sauvera-t-il la vie ? demanda-t-il, les dents serrées.

— À ton avis, d'où vient l'énergie pour alimenter la magie ? Elle est drainée à partir de toi.

— Mais tu as dit que si je mourais, elle souffrirait toujours.

— C'est une malédiction, espèce de crétin. Si tu meurs, la magie trouvera ton parent le plus proche pour se nourrir. Donc tant que Lucy est en vie, tes héritiers et toi vous assurerez que c'est aussi le cas de la malédiction.

Bernard fut envahi d'horreur. Kerren savait depuis le début que la malédiction le viderait de sa force vitale et de celle de sa famille, quand elle lui avait accordé la magie et donné les instructions pour s'en servir. La malédiction ne datait que de trois mois et il était déjà mourant. À ce rythme, la lignée Franco tout entière pouvait être anéantie en moins de cinq ans. Bon sang, Kerren ! Il aurait voulu pouvoir l'atteindre à travers l'eau et lui faire vivre ses derniers instants.

Kerren savait y faire pour amener les mâles, humains ou non, à avoir envie d'elle. Il ne faisait aucun doute qu'elle avait cherché un moyen de se débarrasser du lien qui l'unissait à Kahl, mais Bernard savait par expérience qu'il était impossible de rompre les liens avec les serviteurs de l'enfer.

Il essuya les coins de sa bouche. Il se fatiguait vite et avait besoin de se reposer.

— Pourquoi ne puis-je pas la tuer tout de suite ?

— Elle est ennuyeuse.

— Ah. La menace qu'elle représentait, quelle qu'elle soit, a disparu, tout comme la quelconque protection qu'elle avait. Quelle promesse t'empêche de lui trancher la gorge ?

— Comme tu es mignon. Tu crois connaître tous les aspects alors qu'en réalité tu n'es qu'un pion sur un échiquier dont l'ampleur te dépasse.

Elle gloussa.

Il était ulcéré de constater qu'elle se croyait supérieure à lui. Avant qu'il promulgue cette odieuse malédiction, il était l'un des Rackmore les plus puissants du monde. Il avait énormément sacrifié pour sa Maison, et avait été récompensé par le pouvoir et l'argent. Peu lui importait de ne plus avoir de siège au Tribunal interne, ou occuper de fonction officielle. Il connaissait sa propre valeur.

Et les sœurs Rackmore la lui avaient volée. Kerren l'avait contacté pour ses propres raisons. Elle ne venait en aide à personne. Et c'était une menteuse. Qui sait si ce qu'elle racontait sur la manière de mettre fin à la malédiction était seulement vrai ? Il pourrait très bien tuer Lucinda et mourir malgré tout dans d'atroces souffrances.

— Tu ne m'as toujours pas demandé ce que j'avais à t'annoncer.

— Je m'en fiche. Va te trouver de nouveaux jouets, répliqua-t-il.

— Quel grincheux, riposta-t-elle en faisant claquer sa langue avec désapprobation. Ne sais-tu pas que Gray Calhoun est en train de s'amuser avec l'un de tes vieux jouets ?

Bernard sentit une masse froide et opaque se former dans sa poitrine.

— Qu'est-ce que ça veut dire ?

— La petite Lucy est allée à Nevermore, expliqua-t-elle, pour demander de l'aide à mon ex-mari.

— Tu mens.

— Elle l'a épousé, dit-elle avant de partir d'un nouvel éclat de rire. Lucy et Gray sont amoureux ! chantonna-t-elle. D'abord l'amour...

— La ferme ! Ferme-la !

Il se mit à tousser et sa respiration devint sifflante, mais Kerren continuait de l'observer, une lueur d'amusement dansant dans son regard sombre, un sourire cruel dessiné sur ses lèvres. Il la détestait !

— Tu l'as trahi, tu lui as enfoncé un poignard dans le cœur. Il doit être complètement malade pour épouser ta sœur.

— Gray a toujours aimé les demoiselles en détresse.

Quelque chose dans sa voix attira son attention. Bernard tempéra les émotions qui tourbillonnaient en lui pour déceler les siennes. Oui. Au-delà de son amusement et de sa manipulation si flagrante, il devina son trouble. Il ne l'avait jamais vu ébranlée. Mais sa nervosité était bel et bien présente, dissimulée dans les ombres de ces horribles yeux et de cette beauté virginale. Il avait été très utile à la Maison des Corbeaux pour d'innombrables raisons, parmi lesquelles sa capacité à déterrer les secrets.

— J'ai toujours été intrigué par la rapidité avec laquelle tu as négocié le contrat avec ton nouveau petit mari. Toute cette magie et ces rituels prêts en si peu de temps ? (Il fit une pause pour lui adresser un petit sourire narquois.) Tu étais au courant pour la malédiction, n'est-ce pas ? demanda-t-il d'une voix douce. Avant qu'elle prenne effet.

Une lueur de surprise passa dans les yeux de Kerren. Puis elle haussa les épaules.

— À ton avis, qui a passé le marché avec mes ancêtres ?

— Kahl.

Malgré lui, Bernard ne put s'empêcher d'admirer la merveilleuse orchestration de cette traîtrise.

— Pourquoi Gray ? Est-ce que tu as mis des noms dans un chapeau et que tu as tiré le sien au sort ? Ou bien l'as-tu choisi pour une raison particulière ? réfléchit-il en se tapotant les lèvres avec son index. Peut-être était-ce pour le maintenir à l'écart de ta sœur.

— Et pourquoi diable ?

— *Donner le cœur au dragon, afin qu'il puisse protéger tout ce qui est dans tout, dans ce monde et le suivant, à jamais.*

— Tu me cites les inepties des Manuscrits de la Déesse ?

— Qu'y a-t-il de si important à Nevermore ?

— Pff. On n'est pas dans un épisode de *Torchwood*.

— Comment se fait-il que je puisse tuer ta sœur maintenant ?

— Oh, pour l'amour de Kahl ! Tu es tellement geignard ! Très bien. Elle avait un sortilège de protection, admit-elle. Ma mère n'était pas idiote. Mais son amant gardait les cordons de la bourse bien serrés. Elle ne pouvait pas se payer plus que quelques années de protection. Quand Lucinda a eu vingt-cinq ans, le sortilège a pris fin.

— C'est là qu'elle s'est totalement libérée de mes sorts de contrainte également. Puis tu m'as donné la malédiction magique. (Bernard prit en considération la liberté avec laquelle Kerren partageait les informations.) Où te places-tu, toi, sur le grand échiquier ? Je me le demande.

— Fais attention, Bernard.

— Qu'est-ce que j'ai à perdre ? demanda-t-il. Je suis déjà un homme mort.

— Tu as toujours une âme, une âme qui appartient à l'enfer. Si tu as l'impression de souffrir en ce moment, attends un peu d'entrer dans le domaine du Ténébreux. Je te présenterai personnellement à mon mari.

Quelle menace faiblarde... Aucun doute qu'elle possédait le pouvoir d'attirer son âme dans le repaire de son mari, mais il la soupçonnait de ne pas avoir la puissance qu'elle affichait. Elle était dangereuse, certes, mais sous le contrôle de Kahl. Pourquoi le seigneur démon s'embêterait-il à tourmenter un vieil ennemi de sa femme ?

— Dis-moi la vérité au sujet de Nevermore.

L'espace d'un instant, il crut qu'elle ne répondrait pas. Puis elle soupira.

— Dans le monde, il y a plusieurs zones sensibles de magie – les croyants appellent ça les Fontaines de la Déesse. Nevermore est l'une d'entre elles.

Bernard souffla d'impatience.

— Je n'ai jamais entendu parler de ces zones sensibles.

— Pourquoi en aurais-tu entendu parler ? Il y a une raison pour qu'elles soient gardées secrètes. La magie est amplifiée, même la plus fragile. À ton avis, comment la Déesse a-t-elle découvert l'emplacement de ces zones sensibles pour y installer des protecteurs ? (Elle l'observa, comme un scientifique examinerait un germe de la peste au microscope. Puis elle leva les yeux au ciel.) Oh, d'accord. La malédiction peut être redirigée. Si on la transfère sur l'un de tes enfants, je pourrai faire en sorte que la malédiction suive la lignée de la mère.

— Tu veux que je sacrifie l'un de mes enfants ?

— Ne joue pas la carte du père aimant avec moi, répliqua Kerren. Il n'y a pas une once d'amour dans le petit organe ratatiné qui te sert de cœur. En plus, une fois que ma sœur sera morte, alors la malédiction subira le même sort. Ton agneau sacrificiel survivra.

— Et pour Nevermore ?

— Si tu parviens à tuer Lucinda et Gray, la ville sera à toi.

— Devenir le nouveau protecteur ? (Il la dévisagea d'un air méfiant.) Quoi, comme ça ?

— Bien sûr. De temps en temps, Kahl te demandera certainement un service. Ce n'est pas grand-chose, si ?

Voilà qui ne présageait rien de bon. Pour une raison ou une autre, ni Kerren ni Kahl ne voulaient s'approcher de Nevermore. Il n'avait pas confiance ; qui sait si, une fois qu'il aurait tué sa sœur et son ex-mari, Kerren ne surgirait pas pour lui couper l'herbe sous le pied ? Mais si elle avait raison sur la façon d'annuler la malédiction, et qu'elle était sérieuse quant à l'amplification de la magie au sein de Nevermore, alors il serait suffisamment puissant pour la repousser. Du moins jusqu'à ce qu'il découvre comment éliminer la menace qu'elle représentait de manière permanente.

Le risque en valait la peine.

— D'accord, je vais le faire, déclara-t-il.

— Bonne chance. Et au fait, passe un coup de fil… si tu survis.

Elle rompit la connexion. Bernard réprima l'envie de donner un coup dans l'eau, principalement parce qu'il ne voulait pas mouiller son costume Armani. Un jour, il s'assurerait que Kerren récolte tout ce qu'elle méritait, et plus encore. Il la regarderait souffrir, peut-être même mourir – maudite soit son immortalité – et lui rirait au nez quand elle affronterait ses derniers instants sanglants et *douloureux*.

Il avait besoin de repos. Ensuite, il mettrait un plan au point. Il avait une nouvelle vie à commencer, une seconde chance à saisir.

Tandis qu'il s'apprêtait à se relever en s'appuyant lourdement sur la canne en argent qu'il avait commandée, le bol d'eau produisit des étincelles rouges. Quelqu'un d'autre essayait de l'appeler ?

Bernard faillit n'y prêter aucune attention, mais il ne pouvait laisser les choses sans surveillance. Il était peut-être faible, mais qu'il soit maudit s'il le laissait paraître.

— Quoi ? lâcha-t-il à l'homme inconnu qui apparut. Qui êtes-vous ?

— Votre nouveau meilleur ami.

— Mon dernier meilleur ami a essayé de me couper la tête avec une épée, répliqua-t-il. Vous comprendrez donc que j'ai quelques problèmes de confiance.

— Je vous offre un cadeau, dans ce cas, pour vous prouver ma fiabilité.

— Allez-y.

— Lucinda Rackmore.

En son for intérieur, Bernard chancela sous le coup de la surprise. Il pensa immédiatement à Kerren et son goût pour la trahison, son besoin de jouer.

— Ce cadeau m'a déjà été offert, j'en ai bien peur.

L'homme ne parvint pas à masquer sa surprise et sa déception. Mais il ne semblait pas découragé.

— Si vous venez la chercher ici, vous aurez besoin de moi. J'ai réussi à le retarder légèrement, mais dans les deux prochains jours, le Gardien va commencer à renforcer les protections de nos frontières – précisément pour vous tenir loin de sa nouvelle femme.

Il comprit immédiatement que l'homme avait espéré l'ébranler en lui annonçant leur mariage. Mais il n'eut pas cette chance, puisque Kerren avait déjà utilisé ses cartouches.

— Vous pouvez me faire entrer ?

— Oui. Et je peux vous cacher jusqu'à ce que nous soyons prêts à agir.

Cet idiot n'avait aucune idée que ce « nous » n'existait pas. Bernard ne partageait rien, ni personne, et certainement pas avec un terrestre. Il savait sans le moindre doute possible que l'homme qui le regardait n'était pas un magique, bien que sa capacité à produire un sort de communication soit relativement impressionnante.

— Que voulez-vous en échange de mon amitié ?

— Gray Calhoun. Et votre aide pour invoquer Kahl.

Si cet imbécile voulait tuer Gray, il pourrait rayer cette tâche de sa liste de priorités. Quant à invoquer le seigneur démon... il pouvait toujours courir. Eh. Il pouvait dire tout et n'importe quoi. Les promesses étaient faites pour être rompues.

— Pourquoi voulez-vous rencontrer Kahl ?

— Pour une affaire personnelle.

— Je vois. J'ai un intérêt tout personnel à vouloir m'entretenir avec Lucinda.

— On se comprend, alors.

— Oui, répondit Bernard d'une voix agréable. On dirait bien qu'on peut devenir amis, après tout.

12

Pour le petit-déjeuner, Lucinda était assise à la table de la cuisine et regardait Gray gratter la croûte noire de leurs tartines. Il releva les yeux vers elle et lui adressa un sourire penaud. Il était pire cuisinier encore que Lucy. Étant donné le contenu du frigo, elle avait supposé qu'il faisait apparaître la plupart de ses repas. Cependant, grâce à l'efficacité des femmes de Nevermore, ils avaient assez de ragoûts et de tartes pour tenir les deux prochaines semaines.

Et puis Gray possédait d'autres qualités admirables. Il était noble, gentil et affectueux. Il fredonnait quand il se brossait les dents, ce qu'elle trouvait adorable, et il se souvenait qu'elle aimait trois cuillères de miel dans son thé. Il lui massait les pieds. Il la faisait rire. Et il aimait les câlins.

Qui pouvait résister à un homme câlin ?

La nuit précédente, après avoir éteint l'incendie et retrouvé le corps, que tout le monde pensait être celui de Cathleen, Maureen les avait raccompagnés chez eux.

— Encore une autre veillée, avait-elle dit. D'autres funérailles. Déesse, venez-nous en aide. Je ne veux plus enterrer personne, Gray. Vous devez découvrir ce qui se passe et y mettre un terme.

— Je le ferai, avait-il promis.

Après être montés à l'étage et s'être débarrassés de leurs vêtements souillés, Gray l'avait emmenée dans la salle de bains et fait couler la douche. Il lui avait fait l'amour – et elle ne s'était même pas souciée de l'eau tiède et du carrelage froid contre son dos. Puis il l'avait séchée et l'avait portée jusqu'au lit, où il l'avait de nouveau possédée.

Elle s'était réveillée tard et l'avait trouvé en train d'essayer de préparer des œufs brouillés et du bacon dans la cuisine, dont la nouvelle organisation semblait le terrifier. Pendant qu'il essayait de ne pas mettre le feu à la gazinière, ils avaient évoqué l'idée de réhabiliter le jardin à l'arrière de la maison, et de remettre à jour son laboratoire de magie. C'était agréable de penser à des activités d'une telle normalité.

Gray avait lavé leurs vêtements pendant qu'elle dormait encore, et comme le shérif ne leur avait toujours pas rendu son sac de voyage, elle n'avait qu'une seule tenue – à moins qu'elle ne décide de déambuler dans les vêtements trop grands de sa belle-mère. L'odeur de fumée imprégnait toujours le tissu, mais elle se mêlait agréablement au parfum de lavande de la lessive. Bon d'accord, pas vraiment. C'était un peu comme de jeter des bouquets de fleurs sur du soufre.

— Tu es éclatante, dit Gray en apportant les deux assiettes.

— Ah bon ? dit-elle en se touchant le visage. Je ne sais pas pourquoi.

Il se pencha pour l'embrasser après avoir posé son assiette devant elle.

— C'est un éclat intérieur, bébé. C'est bon de te voir heureuse.

— C'est grâce à toi.

Il lui sourit, mais elle vit son regard vaciller. Il s'inquiétait sans doute qu'elle ne respecte par leur marché : pas d'amour entre eux – rien qu'une entreprise agréable. Ce concept ne l'attirait pas particulièrement à cet instant. Mais elle ne demanderait rien de plus à Gray, alors qu'il lui en avait déjà tant donné.

— Merci.

Elle s'empara de sa fourchette et la laissa flotter au-dessus de son assiette, quelque peu confuse. Les œufs étaient trop mouillés et le bacon carbonisé, mais elle les mangea malgré tout.

— Quand vas-tu partir pour renforcer les protections de la ville ?

— Pas avant quelques jours, répondit-il. Je dois nettoyer le site du café. Ember va m'aider, mais il y a un paquet d'ondes négatives à dissiper. On aurait aussi tout intérêt à enchaîner avec le nettoyage de la ville entière. Et des fermes, évidemment.

— C'est logique. On dirait que la magie est en bascule, ici.

— Tu le ressens aussi ?

— Oui.

Ils déjeunèrent dans un silence confortable, puis Lucy reposa sa fourchette. Elle avait pensé à Maureen, à la ville, et réfléchi aux moyens d'aider tout le monde.

— Gray, est-ce que Nevermore est pauvre ?

— Tout le monde n'est pas dans la même situation financière, répondit-il. Mais il semblerait que la plupart des gens luttent péniblement.

— Je voulais dire, la ville en elle-même.

— Non, elle n'est pas pauvre. Pas du tout, avoua-t-il en fronçant les sourcils. C'est moi qui gère la banque. Honnêtement ? Taylor me dit ce dont la ville a besoin et je signe un chèque. Il s'en occupe. De tout. J'ai été un épouvantable Gardien. J'ai laissé tomber tout le monde parce que je n'arrivais pas à me débarrasser de mon chagrin... non, c'est plus que ça. J'avais honte.

— Il n'y a aucune honte à avoir. Tu es tombé amoureux de la mauvaise personne. Tu avais ça, au moins.

— C'était une illusion.

— Mais pas ton amour. Le sien, oui. Je me suis offerte à Bernard sans amour. J'ai échangé mon corps et ma dignité contre le gîte et le couvert. Ça, c'est honteux.

— Tu faisais ce qu'il fallait pour survivre.

— En réalité, je faisais ce qu'il fallait pour Dolce & Gabbana.

— Donc si je te proposais de t'offrir un dressing complet signé Dolce & Gabbana, tu accepterais ?

Lucinda secoua la tête.

— Non, je te demanderais de dépenser l'argent pour le Magasin général.

Gray la regarda d'un air de dire « quelle pilule as-tu avalé ? ». Elle s'humecta les lèvres et rassembla son courage.

— J'ai longuement parlé avec Maureen hier soir. Tu aurais dû l'entendre parler du Magasin général. C'était l'héritage de son mari, et après que son arrière-grand-père eut tout perdu au jeu, personne n'a plus jamais été en mesure de le racheter.

Elle parlait à toute vitesse et les mots se bousculaient dans sa bouche.

— Elle dit qu'il n'y a plus nulle part où faire ses courses ici, que les gens doivent commander en ligne ou faire des heures de route jusqu'à Dallas. Le magasin est juste là. Avec tout l'espace qu'il faut, les rayons, les caisses… Qui sait quoi d'autre ? Maureen et Henry veulent faire plus que simplement exister, ici. Ils veulent contribuer au bien-être de la ville et de ses habitants.

Gray ne dit rien pendant un long moment. Lucinda se sentait si nerveuse qu'elle redoutait que son estomac ne digère pas les œufs.

— C'est moi le propriétaire, déclara-t-il d'une voix rauque.

— Du magasin ?

Il hocha la tête.

— Lors de la fondation de Nevermore, le Gardien a accordé des actes notariés aux familles qui dirigeaient des entreprises. Tout le monde était propriétaire de son terrain et de son bâtiment, mais ils devaient reverser un pourcentage de leurs profits dans les caisses de la ville. Un peu comme des impôts, j'imagine. C'est l'argent dont Nevermore se sert pour payer ses factures, s'occuper de la voirie et ce genre de choses. Si une famille n'assure pas son versement, ses actes reviennent au Gardien.

— C'est comme ça qu'Ember a eu son salon de thé – l'endroit qui est en terrain neutre.

— Oui. C'est moi qui le lui ai vendu, ou plutôt Taylor. Il ne s'était sûrement pas imaginé qu'elle allait peindre la façade en violet. Ce bâtiment était vide depuis si longtemps que personne ne se souvient à quoi il servait avant. Je n'avais pas réalisé que c'était un terrain neutre jusqu'à ce que je sorte l'acte.

— Paies-tu quelque chose à la ville pour le Magasin général ? Les impôts, je veux dire ?

— Non. C'est un peu difficile à expliquer. Je suis la ville, et inversement – c'est ce que Grit rabâchait sans cesse. C'est moi qui contrôle les caisses de la ville.

— Tu es la banque.

— Pour la ville, pas pour les citoyens, précisa-t-il en repoussant son assiette. Si une propriété ne cotise plus, elle n'est pas utilisée. Il n'y a plus de raison d'avoir de service public ou de service de ramassage des ordures.

— Es-tu pauvre ?

Il cligna les yeux.

— Hum, non.

— Parce que c'est le cas des Archer. Je ne sais pas s'ils sont en mesure de payer les impôts, ou quel que soit le nom que tu leur donnes, et encore moins les factures du service public. Pas tout de suite.

— Tu voudrais que j'accorde un prêt aux Archer ?

Lucinda leva les paumes.

— J'aimerais, mais tu sais… je n'ai pas un sou. Mais je pourrais y travailler comme bénévole – jusqu'à ce que tout soit arrangé et qu'ils puissent se payer les services d'un employé.

Elle n'arrivait pas à savoir ce que Gray pensait de son idée. Mais on ne pouvait pas dire qu'il bondissait de joie.

— Les Archer n'accepteront jamais la charité, ajouta-t-elle. Ils voudraient payer leurs factures comme tout le monde à Nevermore. Ils ont seulement besoin d'un coup de pouce.

Il se racla la gorge.

— Si je comprends bien... tu voudrais que je cède, en tant que Gardien, l'acte du Magasin général gratuitement aux Archer. Ensuite, tu voudrais que moi, Gray Calhoun, je leur prête l'argent pour la mise en route de leur affaire et que toi, ma femme, tu travailles là-bas pour rien jusqu'à ce qu'ils aient de quoi embaucher des employés.

— Je t'en prie, Gray. Réfléchis-y. Ça les rendrait tellement heureux de reprendre ce magasin. Et ça leur donnerait un objectif. Tout le monde a besoin d'un objectif. Et Nevermore a besoin de ce commerce.

— Tu es en train de me supplier, n'est-ce pas ?

— Je peux me mettre à genoux, si tu veux.

— Je l'entends dans ta voix.

Il se leva, contourna la table et vint s'agenouiller devant elle.

— Tu es brillante. J'aurais dû y penser moi-même, dit-il en secouant la tête. Bon sang de bonsoir ! Je me suis montré tellement égoïste ! Je ne voyais que ma propre douleur. Cinq années à rester assis dans cette maison à ne penser qu'à moi. Quel imbécile.

— Tu as construit des barrières pour te protéger, dit-elle, le cœur gros. Je comprends, Gray. Tu dois cesser de te reprocher tes erreurs passées. Là, maintenant, tu fais ce qui est juste. C'est ce dont les gens se souviendront.

— Tu aurais été capable de supplier pour eux, n'est-ce pas ?

— Oui. Si ça signifiait qu'ils pouvaient récupérer l'héritage de leur famille, alors oui, j'aurais supplié.

Il soupira.

— Je n'imagine même pas combien il doit être insultant pour ma propre femme de penser qu'elle doit me supplier – au nom de personnes que j'ai personnellement connues toute ma vie.

Il lui prit les mains et embrassa ses doigts.

— Le monde t'appartient, bébé. Je te donnerai tout.

Lucinda savait que ce n'était pas vrai. Il ne pouvait lui donner l'amour. Ou un bébé. Ou un véritable mariage. Malgré la guérison de son cœur en ce moment, il n'y avait pas de place pour ses rêves. Gray suivait sa propre voie, et elle était directement reliée à Nevermore. Il avait besoin de cette ville, et tout et tous dans cette ville avaient besoin de lui.

Un jour, elle partirait et elle espérait faire le bien avant que l'heure soit venue pour elle de chercher sa propre voie.

— J'ai d'autres idées, dit-elle.

— D'accord. Allons dans la bibliothèque pour en parler.

— Tu veux les conseils de Grit ?

— Non, je veux l'ennuyer, taquina-t-il en se relevant avant de lui tendre les mains pour qu'elle fasse de même. Allez. Allons voir comment on peut modifier notre petit coin du monde.

Anthony se retourna dans son lit en gémissant. Il avait l'impression d'avoir du gravier dans les yeux et se sentait affaibli par le manque de sommeil, principalement causé par ses pensées inopportunes concernant Happy. Elle avait seize ans, pour l'amour de la Déesse ! Elle était très jolie – cette chevelure blonde, ces yeux bleus et ce visage en forme de cœur, sans parler de son corps de femme… et quand elle souriait, elle avait des fossettes. Des fossettes ! Mais son cœur et son esprit étaient toujours ceux d'une fille, d'une jeune fille. Il avait l'impression d'être un vieux lubrique rien que de penser à elle de cette manière.

Il avait besoin d'un café.

Et d'une douche froide.

Par égard pour leur invitée, il s'était couché avec son pantalon de pyjama. En général, il traînait plutôt en sous-vêtements. Il enfila un tee-shirt et descendit au rez-de-chaussée pour aller voir Happy au salon. Le canapé était vide. Il vit la couverture soigneusement pliée sur l'oreiller. Son sac à dos avait disparu. Et elle avec.

Merde.

— Elle est sortie.

Ant fit volte-face. Taylor se tenait dans l'entrée, une tasse de café à la main, vêtu de son uniforme.

— Ses affaires ne sont plus là.

— Elle les a laissées dans la cuisine. J'ai fait des pancakes, si tu en veux.

Ant resta bouche bée.

— Tu es resté dans la cuisine suffisamment longtemps pour cuisiner ? Et tu lui as préparé son petit-déjeuner ? (Il plissa les yeux.) Qui êtes-vous et qu'avez-vous fait de mon grand frère ?

— Ha-*ha*. La môme avait faim. Je l'ai nourrie. Fin de l'histoire.

— Tu aurais pu lui servir un bol de Cheerios.

— Maman se retournerait dans sa tombe, dit Taylor. Happy est polie, mais taciturne. Elle n'a pas voulu me dire pourquoi elle était venue en ville ni qui elle cherche, soupira-t-il. Peut-être qu'un petit face à face au bureau la rendra un peu plus loquace.

— J'en doute.

Il avait bien compris que Happy portait l'entêtement comme d'autres portaient leurs vêtements.

— Moi aussi. Mais j'ai une arme secrète, soutint Taylor.

— Arlene.

— Eh oui.

— Je la déposerai, dit Ant.

— D'accord. Alors je peux aller retrouver Ren au café. Il pense avoir trouvé le point de départ du feu.

— Quoi ? C'est un enquêteur en incendie criminel maintenant ?

Taylor partit d'un rire.

— Il prend son rôle au sérieux, c'est tout. Et je peux te dire qu'il n'y a pas beaucoup d'opportunité d'enquêter sur de vrais crimes.

— J'aimerais pourtant que vous n'ayez pas tous autant de travail, en ce moment.

— Je ne suis pas ravi non plus, avoua-t-il en terminant sa tasse avant de la tendre à Ant. Je cuisine. Tu laves.

— Eh ben, merci du cadeau.

Ant se dirigea vers la cuisine et déposa la tasse dans l'évier. Il entendit le vieux SUV s'éloigner et tourna le dos à la vaisselle.

Le sac rose de Happy était posé sur une chaise rangée sous la table. Il lutta avec sa conscience. La jeune fille avait droit à sa vie privée, mais elle avait également besoin d'aide, ce qu'elle se refusait à admettre. Peut-être qu'il trouverait un indice sur son identité ou sur ses intentions à l'intérieur de ce sac.

Donc. Que faire ?

Ant s'approcha de la table et tendit le bras, mais s'arrêta dès que ses doigts eurent touché la fermeture Éclair. La damnation. Il avait déjà des pensées lascives au sujet de cette fille. Briser sa confiance lui paraissait être une infraction de trop.

Il n'avait jamais été aussi perturbé par une fille de toute sa vie. Il avait quatre sœurs. Il ne comprenait que trop bien l'esprit féminin – du moins autant qu'un homme en était capable. Il avait l'intime conviction que si Happy apprenait qu'il avait fouillé dans ses affaires, elle ne lui adresserait plus jamais la parole.

Il n'arrivait pas à la sortir de son esprit, mais il pouvait toujours la faire sortir de chez lui. Elle ruinait sa libido et sa concentration. Il était adulte, et pas elle. Fin de l'histoire.

Il sortit. Elle ne se trouvait ni sur le porche ni dans le jardin. Il rentra de nouveau et ressortit par la porte de derrière. Là, sur le terrain, s'étalaient ses créations – des jardins qui sortaient de son imagination. Chaque fois qu'il touchait une plante, plongeait ses doigts dans la terre, inspirait l'essence des fleurs et de l'herbe, il avait la sensation d'avoir trouvé sa place dans le monde.

Il avança sur le chemin en pierre, mit ses mains en porte-voix et cria :

— Happy !

— Derrière, répondit-elle, je suis dans le cœur.

Ant sentit son pouls s'accélérer, mais il ne savait pas pourquoi. Dans le cœur de quoi ? Oh. Il se rendit compte qu'elle parlait des rosiers rouge et blanc dont il s'était servi pour créer un immense Valentin. Au milieu, il avait placé un banc de pierre. C'était un jardin conçu à la mémoire de sa mère. Parfois, il y venait pour lui parler. Il savait bien qu'elle n'était plus là, mais il avait toujours l'impression qu'elle l'entendait. *L'amour ne meurt jamais*, lui avait-elle dit, et il la croyait.

Ant trouva Happy assise sur le banc. Il s'arrêta à l'entrée de son sanctuaire, comme s'il venait de se prendre un coup dans le ventre. Elle portait une robe d'été rose, qui dévoilait ses jambes parfaitement galbées et croisées au niveau des chevilles. Elle était pieds nus, et il remarqua que ses orteils étaient peints en violet. Elle portait un anneau au pied gauche.

Ses boucles de cheveux blonds tombaient en cascade sur ses épaules. Son visage était tourné vers le soleil. À cet instant précis, elle ressemblait à une fleur en pleine floraison. Et il savait qu'il pouvait transformer Happy en magnifique fleur épanouie, parfaite et parfumée, comme toutes ses autres plantes.

Sa réaction face à cette fille était trop viscérale. Il tenta de s'imaginer en train de sauter dans les eaux glaciales du lac Huginn en plein hiver, mais ce scénario ne lui fut pas d'une grande aide.

— Tu es très belle.

Les mots lui avaient simplement échappé. Déesse toute-puissante ! Qu'est-ce qui n'allait pas chez lui ?

310

Elle le regarda et sourit.

— Tu n'avais pas l'intention de le dire, n'est-ce pas ?

— Pas vraiment.

— C'est pas grave. Je ne le retiendrai pas contre toi.

— J'apprécie.

Happy tapota la place à côté d'elle.

— Assieds-toi.

— Je ne me fais pas particulièrement confiance, là tout de suite.

Elle éclata de rire.

— Je devrais te torturer pour flirter aussi outrageusement, mais je me sens trop bien. Ce jardin est tellement charmant, Ant. Magique.

— Mais je ne le suis pas.

— Si, tu l'es, soutint-elle en penchant la tête. Comment peux-tu ne pas le savoir ?

— Mes deux parents sont terrestres.

— Et alors ?

— Personne n'a de pouvoir, dans ma famille.

— Ton frère aussi est un magique, mais juste un peu. Pas comme toi. (Elle fit un geste en direction des rosiers qui les entouraient.) La magie est là. Ces fleurs te ressemblent. C'est le même genre d'énergie. Elles t'aiment, tu sais.

— Les plantes m'aiment ? gloussa Ant. Bon, allez.

— C'est vrai, et tu le sais. Tu crois vraiment qu'un simple jardinier est capable de créer des merveilles pareilles ? Tu leur parles, n'est-ce pas ? Tu leur apportes lumière et beauté. Et oui, tu les aimes.

Ant voulait qu'elle se taise. Ses affirmations le mettaient mal à l'aise. S'il était un magique, il l'aurait su, depuis le temps ! Sa famille avait été parmi les premiers terrestres à fonder Nevermore. Pour autant qu'il le sache, aucun Mooreland né ici n'avait jamais été un magique. L'insistance de Happy à répéter qu'elle pouvait percevoir son pouvoir lui paraissait insensée. Son monde tournait très bien jusqu'à ce qu'elle en ouvre la porte.

— On va y aller, dit-il.

— Où ça ?

— En ville. À moins que tu ne veuilles me dire où je peux te déposer ?

Quelque chose de semblable à la panique traversa son regard, avant de céder la place à une expression déçue.

— En ville, c'est bien.

Ant hocha la tête.

— On se retrouve à l'intérieur.

Il s'éloigna avant de faire quelque chose d'idiot. Comme de l'embrasser.

Lucinda ne s'était pas attendue à ce qu'un cimetière ait l'air si accueillant. Les hautes grilles en fer forgé, d'un noir brillant et virginal, étaient ouvertes pour permettre l'accès aux voitures. Sur la gauche se trouvait une charmante petite maison blanchie à la chaux. Elle se gara dans l'allée et descendit du pick-up. Le porche et les volets avaient été peints en bleu ciel, et des carillons en forme d'étoiles étaient suspendus à la porte d'entrée. Ils émettaient un petit tintement doux et agréable. Le minuscule jardin devant la maison était bien entretenu et une petite allée en béton menait au perron. De l'autre côté du jardin se trouvait un bel-védère équipé d'une grande balançoire blanche. Toutes sortes de plantes et d'arbres poussaient alentour. Lucinda avait remarqué que le prin-temps était précoce à Nevermore. Presque tout était vert et en floraison.

Même le cimetière.

— Bonjour ! clama une femme en ouvrant la moustiquaire avant de sortir.

Grande et svelte, elle portait une robe blanche évasée au niveau des genoux. Elle était pieds nus et les ongles de ses orteils peints en rose pâle. Elle portait une tresse française auburn avec une fleur blanche piquée du côté gauche. La bienveillance émanait de ses yeux gris et la sincérité de son sou-rire. Elle dégageait une sensation de calme et de sérénité, sans doute parce qu'elle avait passé sa vie entière à côtoyer des endeuillés.

Lucinda referma la portière du pick-up et s'approcha.

— Vous êtes Mordi ?

— Oui. Et vous êtes Lucy.

Lucinda hocha la tête.

— C'est une chose bizarre à dire, mais vous avez un charmant cimetière.

Le sourire de Mordi s'élargit encore, visiblement de plaisir face au compliment.

— Eh bien merci ! Vous êtes venue voir Marcy ?

— Oui. (Lucy hésita, puis sortit un bout de papier de la poche de son jean.) Et pour payer la pierre tombale de Cathleen.

Les yeux de Mordi s'agrandirent.

— Pourquoi ?

— Gray a eu la même réaction, dit Lucinda. Cathleen n'était pas quelqu'un de très aimable, mais... certaines personnes ont des difficultés à accepter la gentillesse. Si vous avez dormi dans les orties toute votre vie et que quelqu'un vous offre une couverture moelleuse, ça fait mal. Vous êtes habitué à la piqûre, vous voyez.

— Oui, peut-être...

— Je sais ce que c'est de vouloir devenir quelqu'un de meilleur, dit Lucy en haussant les épaules. Je fais peut-être plus ça pour moi que pour elle.

— Quoi qu'il en soit, c'est un geste touchant.

Lucinda monta les marches du porche et tendit le papier à Mordi.

— C'est un bon. Gray a dit que ça fonctionnerait aussi bien, assura-t-elle en détournant les yeux. Je suis une Rackmore, alors je n'ai pu amener l'argent moi-même.

Mordi accepta le bon.

— C'est très bien. Entrez. Je vais faire du thé et vous pourrez regarder le catalogue des pierres tombales. (Elle fit une pause.) Je croyais que vous aviez épousé Gray.

— Oui.

— Alors ça fait de vous une Calhoun, non ?

Mordi la guida jusqu'à la cuisine, où une petite table et deux chaises occupaient un coin. Elle invita Lucinda à s'asseoir. Puis elle attrapa un bocal rempli de pièces au-dessus du frigo.

— Vous avez déjà entendu parler de l'obole de Charon ?

— C'est un groupe ?

Mordi interrompit sa fouille du bocal. Elle dévisagea Lucinda un long moment, avant de glousser.

— Oh. C'était une blague.

— Une mauvaise, j'en ai peur. Vous disiez ?

— Aha !

Mordi extirpa une pièce en argent et remit le bocal à sa place. Puis elle s'installa en face de Lucinda et déposa la pièce devant elle.

— Dans la mythologie grecque, Charon était un passeur dont le rôle était de faire traverser aux âmes errantes la rivière qui sépare les vivants des morts. L'obole était utilisée comme péage... enfin, plutôt comme pot-de-vin.

Lucinda ramassa le petit disque en argent. Il semblait très ancien. D'un côté se trouvait l'effroyable tête de Méduse, et de l'autre, une ancre.

— J'ai étudié la mythologie à l'école. Les Grecs s'y connaissaient en magie, mais je ne vois toujours pas comment ils ont pu inventer toutes ces histoires sur les dieux et les déesses. Les Manuscrits de la Déesse sont plus anciens que toutes ces religions reconnues.

— Mais la plupart étaient inconnues, à l'époque, dit Mordi. Ce sont les Romains qui ont découvert les premières – plus tard, ce qui est la raison pour laquelle ils ont instauré les Maisons. Ils appelaient l'obole de Charon *viaticum*, ce qui signifie plus ou moins « subsistance, ou provision, pour un voyage ». L'obole valait un sixième de la drachme. On utilisait ça ou un danake, et on le plaçait le plus souvent dans la bouche, mais parfois sur les yeux.

— Quel intéressant fragment d'histoire à avoir en sa possession...

— Ma famille recueille toutes sortes de choses mortes, dit Mordi dans un sourire. Oui, même à mes oreilles, c'est étrange. Ce que je veux dire, c'est qu'on collecte les récits, les objets, les photos... Tout le monde ne comprend pas cette fascination. Ce n'est pas que mon travail... c'est ma passion.

— Ça se sent, assura Lucinda en rendant la pièce à Mordi. Dans le bon sens.

— Gardez-la.

— Oh non, je ne peux pas. Elle est manifestement d'une grande valeur, et ça reste de l'argent. Je perds l'argent.

— Si c'est le cas, alors quelqu'un d'autre la trouvera, sans doute une personne qui en a plus besoin que moi.

— Et si je ne la perds pas ? demanda Lucinda en ramassant de nouveau la pièce pour l'observer.

— Ça voudra dire que la malédiction ne vous considère plus comme une Rackmore.

Lucinda s'empêtrait dans ses doutes. Elle voulait vraiment croire que le fait d'avoir pris le nom de famille de Gray avait annulé la malédiction de sa famille à elle. Elle était certaine que beaucoup de Rackmore s'étaient mariés au cours des dix années écoulées, depuis que la malédiction avait été jetée, et elle n'avait jamais entendu dire que ça avait fait la moindre différence. Pour autant qu'elle le sache, seule Kerren s'était échappée avec sa fortune – mais elle avait payé le prix fort pour conserver son argent, et son pouvoir.

— Merci, dit Lucinda.

Elle fourra l'obole dans la poche arrière de son jean.

— Vous êtes plus que bienvenue. Bon, maintenant, je vais préparer le thé, dit Mordi en se levant. Et vous pouvez regarder les pierres tombales.

Arlene arrangea son bureau pour la énième fois. Elle avait fait tout son classement, épousseté les bords de fenêtre et balayé le sol. Oh, elle *mourait* d'envie de savoir ce que le shérif avait découvert au café. Elle ne se serait pas doutée un seul instant que Cathleen aurait été capable de mettre le feu à l'endroit par pure méchanceté. Mais Arlene ne concevait pas que cette femme ait pu se donner la mort. Du moins pas intentionnellement. Elle avait jeté assez de coups d'œil à la fenêtre pour savoir que Gray et Ember avaient commencé le nettoyage. Des étincelles de magie rouge et pourpre scintillaient de toutes parts pour créer l'équilibre. Hum. Aussi détraqué que soit cet endroit, il faudrait probablement toute la journée pour résoudre le problème.

Le seul moyen de contenir son irrésistible curiosité était de rester occupée – comme son mari lui disait souvent pour la taquiner, elle était une véritable petite fouineuse –, mais il ne lui restait plus grand-chose à faire. Alors qu'elle envisageait de s'attaquer au nettoyage du frigo de la salle de pause, Ren fit son apparition.

— Alors ? demanda-t-elle.

Il s'arrêta et la regarda en haussant les sourcils.

— Alors quoi ?

— Est-ce que c'est Cathleen qui a mis le feu au café après s'être immolée ?

— On dirait bien, répondit-il en retirant son chapeau pour le faire claquer contre sa cuisse. On a trouvé des tessons de bouteille de whisky. Et on avait laissé la porte de la cave ouverte – même là-dedans, c'est ravagé.

— C'est un miracle qu'elle n'ait pas brûlé tout le pâté de maisons, dit Arlene. Le Sew'n'Sew n'a rien ?

— On dirait. Seulement le café. Je ne serais pas étonné si Gray le détruisait entièrement pour tout reconstruire.

— C'est vrai qu'il nous faut bien un endroit où manger dans le coin.

— Josie met en place une cantine mobile, dit Ren. Son père installe tout l'équipement dans un vieux camion. Elle dit qu'il le garera sur la place de la ville. Elle pourra nourrir les gens au moins pour le déjeuner.

— Bon. C'est une bonne nouvelle. (Sa curiosité quelque peu satisfaite, Arlene se laissa tomber sur le fauteuil de son bureau.) Tu restes ?

— Taylor étant parti avec Gray et Ember pour le nettoyage, je suis de garde, soupira Ren. À ce sujet, je dois aller à la bibliothèque. Mes tantes pensent que le fantôme a de nouveau volé l'encre et la plume de leur grand-père.

— Elles les ont mal rangées, aucun doute, dit Arlene. Les pauvres chéries. Elles deviennent trop vieilles pour gérer la bibliothèque.

— J'imagine qu'elles espéraient que ma mère prendrait le relais, dit-il. Et moi ensuite. C'était avant que j'obtienne le poste d'adjoint.

— Allons, allons. Ils sont vraiment fiers de toi, Ren.

Arlene lui adressa un regard compatissant. Elle avait toujours eu de la peine pour le jeune garçon. Harley n'avait pas vraiment été un bon père, passant trop de temps seul à noyer ses problèmes dans l'alcool.

— Je suis désolée, mon petit. C'est tellement dommage ce qui est arrivé à ta mère. Tu sais que les jumelles Wilson vous appellent juste pour avoir un peu de compagnie.

Ren leva les yeux au ciel.

— Je passe les voir toutes les semaines. Il y a une limite aux quantités de napperons et de rose qu'un homme peut encaisser.

La porte s'ouvrit à la volée et cette vieille carcasse paresseuse d'Atwood fit son apparition. Arlene fit claquer sa langue. Il faisait peur à voir. Son visage luisait de transpiration. Il haletait, comme si le fait de respirer représentait un trop gros effort. Il portait une chemise grise ouverte, qui laissait apparaître son maillot de corps imbibé de sueur, ainsi qu'un pantalon gris et des bottes de cow-boy noires. Avec sa démarche pesante, sans parler de son crâne dégarni, de ses petits yeux, de son nez écrasé et de ses joues affaissées, il lui faisait toujours penser à un rhinocéros épuisé.

— Vous avez vu Trent ? demanda-t-il.

— Pas de la journée, Atwood, répondit Arlene.

— Il a disparu ? demanda Ren.

— Je ne l'ai pas vu depuis hier soir, dit-il en sortant un mouchoir de sa poche pour s'essuyer le visage. Tu l'as vu avant d'aller te coucher ?

— Non, répondit Ren. Il m'a réveillé en me disant qu'il y avait un incendie. J'ai supposé qu'il était allé au café comme nous tous.

Atwood secoua la tête.

— Ça ne lui ressemble pas. On pourrait croire que ce gosse a un lourd bagage avec ce qui est arrivé à ses parents, mais il a la tête sur les épaules. Il n'a jamais manqué un jour de travail, ou d'école. Il est respectueux, aussi. Sandra et Tommy l'ont bien élevé.

— Vous ne pensez pas qu'il s'est enfui ?

— Impossible. J'ai un peu cherché, mais je ne peux pas aller bien loin avec ce vieux cœur. (Il s'essuya de nouveau le visage et plissa les yeux en direction d'Arlene.) Qu'est-ce que j'ai entendu à propos d'Ant qui aurait ramassé une auto-stoppeuse ?

— Une auto-stoppeuse ? fit Ren en fronçant les sourcils. Taylor ne m'a rien dit.

Arlene éluda la question d'Atwood d'un geste de la main.

— Elle s'appelle Happy, et Taylor pense que c'est une fugueuse. Elle ne veut dire à personne pourquoi elle faisait du stop jusqu'à Nevermore, mais ne vous inquiétez pas. Ce n'est qu'une fille effrayée qui a besoin de câlins et de gâteau au chocolat.

— Happy ? s'étonna Atwood. Qui appelle son gosse Happy ?

— Je pense que c'est un nom parfait pour un enfant, dit Arlene en manifestant sa désapprobation.

Parfois, Atwood lui tapait sur les nerfs. Il n'avait pas d'enfant, ce qui le rendait moins tolérant avec ceux des autres. Personne n'avait été plus surpris qu'elle quand il avait recueilli Trent.

— Ant va venir la déposer dans peu de temps. Alors je m'occuperai d'elle. Vous, occupez-vous de vos affaires.

— Rentre à la maison et attends Trent au cas où il reviendrait, dit Ren. Arlene, passe des coups de fil et rassemble des volontaires pour lancer des recherches. Vu les événements de ces derniers jours, mieux vaut prévenir que guérir.

Atwood hocha la tête et sortit avec une respiration sifflante. La porte claqua derrière lui.

— Son cœur va finir par exploser s'il ne fait pas un peu attention à lui, murmura Arlene en parcourant le carnet d'adresses à spirale. Où voulez-vous que les gens se retrouvent ?

— Sur la place, près de la statue du dragon. Je les y retrouverai dès que j'aurai vu mes tantes.

— Très bien.

Puis elle composa un numéro.

Ant ne lui avait pas beaucoup adressé la parole depuis leur conversation dans le jardin. Happy se demandait ce qu'elle avait pu faire ou dire pour le mettre dans cet état. Puis elle réussit à se convaincre que sa mauvaise humeur, c'était son problème, pas le sien.

Bref. Happy espérait pouvoir revenir et visiter de nouveau les jardins d'Ant. Il y avait tant de beautés à explorer… l'imagination d'Ant se traduisait dans ses plantes. Comment pouvait-il croire qu'il n'était qu'un terrestre, voilà qui la dépassait totalement. Non pas que les terrestres ne pouvaient pas être des génies bourrés de talent, c'était possible… Mais elle savait reconnaître la magie.

Et le jardin en fourmillait.

Pendant qu'Ant prenait sa douche et se préparait, Happy s'occupa en faisant la vaisselle et en remettant de l'ordre dans la cuisine. Tout juste quand elle finissait d'aligner les chaises contre la table, Ant reparut, tout à fait à son goût dans un tee-shirt moulant, un jean délavé et des bottes usées. Il portait le même chapeau de cow-boy que la veille. Peut-être qu'il n'en possédait qu'un – ou que celui-ci était son préféré.

— Waouh, fit-il en s'arrêtant pour regarder autour de lui. Tu as fait du rangement.

— Ton frère a fait la cuisine. Ça me semblait être un bon échange de procédés.

— C'est ce qu'il a dit quand il m'a demandé à moi de le faire, plaisanta Ant en lui adressant un petit sourire qui lui envoya des fourmillements dans tout le corps. Très reconnaissant.

— Très quoi ?

— Reconnaissant. Ça veut dire merci.

— Oh. Pas de problème, dit Happy avant de soupirer. J'imagine qu'on ferait mieux d'y aller.

— J'imagine.

— Bon, allons-y, alors, fit-elle en passant devant lui. Je sais que tu veux te débarrasser de moi.

Elle se dirigea vers l'entrée d'un pas lourd, parfaitement consciente de se montrer totalement immature, mais elle s'en fichait. Il l'avait vexée. Il pouvait… il pouvait… aller se faire voir, voilà.

— Tu sais, tout le monde n'apprécie pas les impertinentes comme toi.

Happy fit volte-face et planta ses mains sur ses hanches. Elle ouvrit la bouche pour lui dire d'*aller se faire voir*, mais l'expression dans les yeux d'Ant la fit stopper net.

Ant fit glisser son regard sur ses lèvres d'une telle manière que son estomac fit un bond et que ses tétons se durcirent. Elle se sentit soudain à bout de souffle et le dévisagea, les yeux écarquillés. Elle vit son cou rougir. Il ferma les yeux, se tourna et se frappa légèrement le front deux fois contre le mur.

— Qu'est-ce que tu fais ?

— J'essaie de me faire revenir à la raison.

— Tu m'aimes biiiiiiien en fait ! le taquina-t-elle. Je ne suis pas vraiment beaucoup plus jeune que toi.

— Assez pour se retrouver en taule.

— Je serai majeure très bientôt.

— Je vis au jour le jour, la prévint-il plus sarcastique que nostalgique. Arrête de me regarder comme ça. Vis ta vie.

Happy posa ses doigts sur ses lèvres et lui souffla un baiser.

— Chérie, tu es un problème ambulant.

— Je ne t'ai pas dit ? fit-elle en battant des cils. Problème, c'est mon deuxième prénom.

Puis elle tourna les talons et s'éloigna en balançant les hanches. Elle sourit en entendant son gémissement torturé.

Elle traversa le porche et se trouvait à mi-chemin de l'allée en gravier en direction de la camionnette d'Ant quand elle entendit la porte d'entrée s'ouvrir en grinçant puis se refermer.

— Hé, lança-t-il.

Elle fut surprise par sa proximité et fit volte-face pour lui jeter un regard noir. Il était à quelques centimètres derrière elle, l'air content de lui.

— Tu n'as pas oublié quelque chose ?

Il lui tendit son sac.

Comment avait-elle pu l'oublier ? Argh ! Elle tendit le bras, mais il leva son seul bagage hors de sa portée. Il lui sourit, une lueur de défi dans les yeux. Comment avait-elle pu se montrer aussi

323

bête ? Il s'était montré tout mielleux avec elle et elle n'avait plus été capable de penser clairement. Le cristal se trouvait à l'intérieur de son sac, et elle ne pouvait pas retrouver Lucy sans lui. Demander des renseignements à la ronde sur une sorcière Rackmore lui attirerait une attention indésirable. Cet endroit était si petit qu'il ne devait pas y avoir trente-six endroits où Lucy pouvait se trouver… à moins qu'elle ne soit cachée dans une ferme quelque part.

Elle avait envie de lui dire de se le mettre dans l'oignon, mais il essayait de la faire enrager. En plus, elle avait besoin du cristal. Elle plissa les yeux et se demanda avec quelle force elle pouvait lui donner un coup de pied dans l'entrejambe sans mettre en danger sa capacité de reproduction.

Il secoua la tête.

— Essaie un peu, et je monte dans ma camionnette et je te roule dessus.

— C'est dur.

Elle choisit alors l'option B : elle le plaqua à bras-le-corps.

Il ne s'était pas attendu à un plaquage digne d'un secondeur de deuxième ligne et il s'effondra violemment, lâchant le sac qui vola dans les airs. Happy lui atterrit dessus, remuant les genoux et les coudes jusqu'à ce qu'il passe ses bras autour d'elle pour l'immobiliser.

Elle se figea.

— Tu es folle, fit-il d'une respiration sifflante. Damnation. Tu as failli me tuer.

— Tu es seulement furieux parce qu'une fille t'a sauté dessus.

324

— Je ne suis pas furieux. C'est bien le problème, dit-il en repoussant les cheveux de Happy
en arrière avant de passer le bout de ses doigts sur
sa joue. Je veux être ton ami.

— Tu mens.

Son cœur battait si violemment dans sa poitrine
qu'elle était certaine qu'il pouvait le sentir contre
la sienne.

— Tu as raison. C'est un mensonge. Mais je dois
être le genre de fils que ma mère a élevé.

— Je comprends.

Et c'était la vérité. Il était gentil, même s'il n'en
avait pas envie. C'était un peu comme l'attitude de
Lucy – prendre la décision de leur faire du mal à
toutes les deux, se séparer, pour que Happy soit à
l'abri. Et maintenant, Ant faisait le même genre de
choix.

Elle ne pouvait exprimer ses pensées, ou ses
malheurs, alors elle s'écarta péniblement, récupéra son sac et se dirigea vers la camionnette.

Ils prirent la direction de la ville en un rien de
temps. Happy se sentait nerveuse. Elle se mordit la
lèvre inférieure en se demandant quoi faire
ensuite. Elle n'imaginait pas qu'Ant allait simplement la déposer à un coin de rue en lui souhaitant
bonne chance. Ce n'était pas son genre.

Pouvait-elle lui faire confiance ?

Elle en avait envie. Elle était tellement lasse de
regarder sans cesse par-dessus son épaule, ou de
s'inquiéter de ce qui arriverait le jour où Bernard
la retrouverait. Personne ne pouvait vivre dans la
peur – c'était Lucy qui avait dit ça. Tout ce que
Happy avait connu depuis le jour où sa mère était
morte, c'était la peur. La sienne, celle de Lucy,

celle de tout le monde. Avoir peur sans arrêt à cause de Bernard.

Cette terreur lui faisait l'impression de donner du pouvoir à Franco. Elle savait qu'il se nourrissait de cette émotion qu'il provoquait chez les autres. Ça le rendait fort. Ça lui donnait le genre de plaisir que d'autres éprouvaient en mangeant du chocolat ou en embrassant l'être aimé.

— Tu te sens bien ?

— Oui, assura-t-elle en agrippant son sac. Alors, où est-ce que tu m'emmènes ?

— Au bureau du shérif, confia-t-il en lui jetant un coup d'œil. Mon grand frère va t'aider. Il n'y a personne de plus fiable que Taylor en ville, je te le promets.

— Que vaut ta parole ? demanda-t-elle, sur ses gardes.

— Happy, je...

Il s'interrompit, le regard rivé droit devant lui, les articulations blanches à force de serrer le volant trop fort.

Elle perçut l'angoisse dans sa voix. Elle n'avait pas vraiment eu l'intention de le blesser. Et il devait s'agir là d'un signe qu'il l'aimait vraiment bien. Mais quelle importance ?

Happy se concentra sur le paysage. C'était vraiment joli par ici. Paisible. Nevermore semblait apaiser ses problèmes comme nul autre endroit ne le pouvait. Dommage qu'elle ne puisse pas rester ici ensuite. La seule chose qu'elle pouvait espérer, c'était que Lucy parte avec elle.

La route à deux voies était encadrée d'herbes hautes et de buissons épineux. Droit devant, elle

aperçut un immense chêne dont les branches blo-
quaient le soleil.

Son admiration s'effrita bien vite. *Oh, non !* Les
picotements de cette magie lui étaient bien trop
familiers.

— Ant, fais demi-tour ! s'écria-t-elle.

Elle avait l'impression de brûler de l'intérieur.
Les flammes léchaient ses os. Une chaleur cui-
sante enflamma sa peau.

— Tu dois faire demi-tour !

— Holà, Happy, qu'est-ce qui ne va pas ?

— Je t'en prie, dit-elle, les larmes se mettant à
couler tandis que la peur et la douleur s'entremê-
laient pour former une lame qui lui poignardait la
poitrine. *Je t'en supplie.*

— D'accord, ma jolie.

Il appuya sur la pédale de frein. Le pick-up ne
ralentit pas. Il appuya plus fort, mais le camion
semblait encore prendre de la vitesse.

— Qu'est-ce que c'est que ce bordel ?

— C'est trop tard, murmura-t-elle. en se tournant vers lui, l'homme beau et doux qui était trop
gentil pour lui faire ouvertement la cour. Je suis
désolée.

— Qu'est-ce que tu...

La camionnette dévia de sa trajectoire, rebondissant sur le sol inégal, s'enfonça dans les ronces et
finit sa course dans le tronc du chêne.

Happy fut projetée en avant. La ceinture de sécurité se bloqua une seconde trop tard pour empêcher sa tête de percuter le tableau de bord. Les
étoiles explosèrent devant ses yeux, et elle sombra
dans les ténèbres, dans la terreur glacée de son
pire cauchemar.

13

Gray était assis au bar, penché au-dessus de sa tasse de thé. Il devait reconnaître que le salon d'Ember procurait une profonde sensation de tranquillité – malgré tout ce violet. Il huma le parfum épicé du breuvage, se sentant déjà rajeunir.

— Qu'est-ce que c'est ?

— C'est bon pour vous, voilà ce que c'est, répondit Ember.

Elle était assise sur le tabouret à côté de lui. Ils avaient fini le nettoyage du café quelques minutes plus tôt et Gray était lessivé. Il n'aurait pas été capable de s'acquitter de cette tâche tout seul – trop de mauvaises ondes. Il avait fallu remettre en place l'alignement de la magie. Cathleen avait réussi à transformer l'endroit tout entier en vortex horrifique.

Quand Ember avait proposé qu'ils fassent une pause au salon de thé, il s'était empressé d'accepter. Taylor était parti s'enquérir de l'avancée des recherches concernant Trent. Gray espérait que le gosse se remettait simplement d'une gueule de bois quelque part, ou qu'il était en bonne compagnie. Tout ce qu'un adolescent typique pouvait faire, car tout valait mieux que le genre d'événements qui avaient tourmenté les habitants de Nevermore dernièrement.

— Selon vous, à quoi devrait-on s'attaquer ensuite ? demanda Gray.

Ember sirotait son propre breuvage.

— Je crois qu'on a déjà décidé pour nous.

— Vous aimez parler par énigmes, n'est-ce pas ?

Le thé était épicé, mais il y avait également une douceur sous-jacente. De la cannelle, sans aucun doute. Peut-être... hum. De la poudre de piment rouge ? Peu importaient les ingrédients, le thé faisait son effet.

— Vous vous êtes caché de vous-même pendant si longtemps, reprit Ember, que vous croyez que tout le monde cache aussi quelque chose.

— Vous parlez de ce prétendu cadeau, n'est-ce pas ? dit-il en reposant sa tasse avant de pivoter pour la regarder. Ce n'est pas ce que vous croyez. J'ai passé cinq ans à trouver des moyens de le contrôler. Je ne serais jamais revenu à Nevermore si ma famille n'avait pas eu besoin de moi, confia-t-il avec un sourire amer. Lucy n'est pas au courant. Elle... non. Ça lui ferait peur.

— Si vous pensez qu'elle ne peut pas vous aimer comme vous êtes, alors vous ne la méritez pas.

— M'aimer ? (La panique s'engouffra comme s'il avait reçu une fléchette empoisonnée.) Notre relation est... hum, bien définie. On s'apprécie beaucoup. Mais ce n'est pas un mariage d'amour.

Ember l'observa un long moment. Puis elle se mit à rire.

— Oh, Déesse. Vous en êtes réellement convaincu, n'est-ce pas ?

Gray fut vexé par sa réaction. Était-ce mal d'aimer la compagnie de sa propre femme ? Ce n'était pas parce que leur mariage était un arrangement qu'ils ne pouvaient pas s'entendre.

— Ma relation avec Lucy ne vous concerne pas.

— Hum. Combien de temps restera-t-elle votre femme, alors ?

— Jusqu'à ce qu'elle soit libérée de la malédiction. Et que Bernard ne représente plus la moindre menace.

— Je vois, fit Ember en hochant la tête. Si je vous disais aujourd'hui qu'elle est libérée à la fois de sa malédiction et de son ennemi, vous la laisseriez partir ?

— Oui, répondit Gray, même s'il lui sembla que son cœur se décrochait de sa poitrine ; l'idée que Lucy puisse le quitter aujourd'hui ne lui plaisait pas, ni aujourd'hui ni un autre jour. Mais ça n'arrivera pas.

Ember baissa les yeux sur sa tasse et soupira.

— Tout ce qui doit arriver est déjà en mouvement. Vous avez besoin de tout ce qui est en vous pour vaincre, Gray. *Tout.*

Gray sentit son estomac se nouer. Il n'avait jamais confié son secret à quiconque, même s'il avait envie de le dire à Lucy. Il se rendait compte qu'il voulait tout lui avouer. Il ne voulait pas de mur entre eux, un mur bâti de mensonges et de doutes. Il détestait l'admettre, mais il avait peur. Serait-elle effrayée par ce qui lui était arrivé cette nuit-là ? Se détournerait-elle de lui ? Que la Déesse lui vienne en aide... il ne voulait pas voir de dégoût ou de pitié dans ses yeux quand il lui dirait la vérité.

Lucy pourrait-elle accepter un homme qui abritait en lui un démon en sommeil ?

Lucy régla le bouton de la radio, à la recherche d'une station qui diffusait autre chose que de la country. Pas de chance. Enfin, qu'attendait-elle du Texas ? C'était le pays des cow-boys et, apparemment, le pays des lamentations sur la perte... les cœurs perdus, les camions perdus, les chiens, les ranchs, les guitares.

Elle éteignit la radio en soupirant.

Elle avait eu une agréable conversation avec Mordi. Cette fille était étrange, mais dans un sens absolument charmant. Après avoir choisi la pierre tombale de Cathleen, Lucy s'était rendue sur celle de Marcy. Selon Mordi, parler aux morts pouvait avoir un effet cathartique. Lucy s'était assise à côté du monticule de terre fraîche et avait essayé de dire des choses significatives, mais murmurer au sol où Marcy avait été enterrée ne lui avait pas fait le moindre bien. Elles se trouvaient toutes les deux, Marcy et elle, entourées par le silence et les regrets.

Elle se demandait si Gray avait fini le nettoyage du café et où il était parti ensuite. Il lui manquait. Elle avait du mal à croire qu'il était devenu son filet de sécurité en si peu de temps. Elle avait l'impression que rien ne pouvait lui arriver tant qu'il était dans les parages. Voir les choses sous cet angle lui faisait l'effet d'être une égoïste, mais c'était bel et bien le cas. Et elle voulait que lui aussi se sente en sécurité.

Elle savait qu'il avait envie de lui dire quelque chose. Elle avait perçu son trouble quand elle lui avait avoué avoir vu sa cicatrice étinceler pendant qu'il se débattait dans son cauchemar. Elle avait pensé qu'il se confierait peut-être, mais il avait changé de sujet.

Il devenait difficile de garder à l'esprit le caractère temporaire de leur relation. Pire, cette douleur qui grossissait dans sa poitrine chaque fois qu'elle le voyait, ou qu'elle pensait à lui. Il s'agissait d'échos du désespoir, qu'elle ressentait avant que Bernard la trouve.

Nevermore devenait son foyer, mais elle appartenait à Gray. *Je suis la ville, la ville est moi.* Oui. Il commençait à vivre cette vérité. Même s'il lui offrait un sanctuaire perpétuel, elle ne pouvait résider à Nevermore sans être avec lui.

Alors que le pick-up gravissait la colline, elle aperçut un jeune homme en train de marcher sur le bord de la route. Il trébuchait en vacillant et semblait se parler à lui-même. Il était vêtu de noir des pieds à la tête. Elle le reconnut pour l'avoir vu à la veillée de Marcy.

Elle s'arrêta. Un peu plus tôt, elle avait déjà baissé les vitres pour laisser entrer l'air frais printanier.

— Trent !

Il s'arrêta et se tourna vers le véhicule. Il avait le teint pâle et cireux, les yeux rouges et gonflés. Il la dévisagea un long moment, et Lucinda sentit sa peau la picoter comme si elle allait faire un malaise.

— Tu vas bien ? demanda-t-elle.

— Je sais pas. Je me suis réveillé dans un fossé, dit-il en clignant les yeux. Vous êtes la femme de Gray. La sorcière Rackmore.

— Je suis Lucinda Calhoun, maintenant, déclara-t-elle. Tu veux que je te ramène en ville ?

— Oui. Merci, fit-il en ouvrant la portière pour grimper à l'intérieur. Je sais pas ce qui m'est arrivé.

— Quelle est la dernière chose dont tu te souviennes ?

— Je me suis endormi dans mon lit.

— Tu ne te rappelles pas avoir parlé de l'incendie à Ren ?

Il cligna les yeux tel un hibou.

— Quel incendie ?

— Au café. Cathleen y a mis le feu, mais elle n'est pas sortie à temps... à moins qu'elle n'ait pas eu l'intention d'en sortir.

— Elle est morte ? s'enquit Trent en se frottant le visage. Je ne me souviens d'aucun incendie. Je ne me souviens de rien. Vous avez de l'eau ?

— Non, désolée.

— J'ai l'impression d'avoir avalé des copeaux de métal. J'ai la tête lancinante.

— Ça ressemble à une gueule de bois.

Il soupira.

— Je ne vais pas mentir en disant que je n'ai pas l'expérience des gueules de bois, mais je n'ai jamais perdu connaissance.

— On devrait peut-être t'emmener chez le médecin.

— Ne vous inquiétez pas, dit-il en fronçant les sourcils avant de pointer le doigt de l'autre côté du pare-brise. Qu'est-ce que c'est que ce truc ?

— Oh, Déesse !

Lucinda se gara sur le bas-côté. Trent et elle se ruèrent vers le pick-up accidenté.

La collision avec l'énorme chêne avait été assez violente pour plier le capot comme un accordéon. Les deux portes étaient ouvertes.

Lucinda entendit un faible gémissement.

Ils contournèrent le véhicule et aperçurent un jeune homme allongé sur le flanc. Il était salement amoché, ses vêtements déchiquetés et maculés. Il avait les yeux fermés, mais à en juger par le soulèvement régulier de sa poitrine, il semblait respirer correctement.

— Bordel. C'est Ant.

Elle lui jeta un regard interrogateur.

— Anthony Mooreland. C'est le petit frère du shérif, expliqua-t-il avant de s'accroupir pour tapoter le visage du jeune homme. Ant. Mec. Tu m'entends ?

Ant toussa puis s'agrippa les côtes en gémissant. Lucinda se sentait impuissante. Elle avait un don, un don que Bernard lui avait volé, et qui pouvait aider ce jeune homme. Elle savait que ça ne servait à rien d'essayer, alors elle s'agenouilla à ses côtés pour aider Trent à redresser Ant.

— J'ai l'impression qu'un troupeau d'éléphants a fait la java sur mon corps, dit Ant. Où est Happy ?

— Sérieux, mec. Maintenant tu veux bonheur et béatitude ? demanda Trent, incrédule.

Lucinda se sentait glacée jusqu'aux os. Il ne pouvait pas parler de... non, non, non ! Happy n'essaierait jamais de la retrouver. Elle était en sécurité au couvent. Bernard ne pouvait pas lui faire de mal alors qu'elle vivait en terrain neutre.

— C'est son nom, crétin, murmura-t-il en sifflant de douleur. Elle faisait du stop pour rejoindre Nevermore et je l'ai ramassée. Je l'emmenais en ville... voir Taylor.

La panique monta.

— Que s'est-il passé ? Dis-moi !

— Je ne sais pas. Elle avait peur. Elle m'a dit de faire demi-tour. (Il regarda Lucinda, le regard assombri par la douleur.) Quelque chose a pris le contrôle de la voiture et on est rentrés dans ce foutu tronc d'arbre. Et c'est le trou noir.

— Happy ! hurla-t-elle. Happy !

Lucinda se releva et fit le tour du véhicule. Elle fouilla les buissons, contourna l'arbre, vérifia les fossés et hurla après son amie, encore et encore.

— Lucinda ! la rattrapa Trent avant de la secouer par les épaules. Elle est partie, d'accord ? Elle est peut-être allée plus loin sur la route pour trouver de l'aide.

L'espoir revint pendant un bref instant... puis s'évanouit. Il était impossible que Happy abandonne une personne blessée. Pas sans veiller à son bien-être, du moins. Elle était intelligente, courageuse et loyale. Les larmes se mirent à couler sur ses joues. Qui avait causé l'accident ? Et quelqu'un avait-il emmené Happy ?

— J'ai promis de m'occuper d'elle. J'ai promis à sa mère qu'aucun mal n'arriverait à sa fille. Oh, Déesse !

— Je sais que tu as peur, mais tu dois tenir le coup. Appelle Gray et dis-lui ce qui se passe. Je vais rester avec Ant et tu pourras partir à la recherche de la fille.

— D'accord, dit Lucinda.

Elle prit une profonde inspiration pour se calmer, puis partit en quête d'une surface aqueuse. Trent avait raison. Gray les aiderait. Elle espérait simplement qu'il lui pardonnerait d'avoir gardé pour elle ce dernier et dangereux secret.

Gray et Ember se tenaient sur le trottoir devant le Sew'n'Sew, pendant que Taylor se débattait avec la serrure. Gray n'arrivait pas à déterminer s'il était agacé ou amusé par l'entêtement de Taylor.

— Ce foutu truc est coincé, murmura le shérif.

— Ou les serrures ont été changées, dit Gray.

— Personne n'est entré ici depuis le propriétaire.

Taylor continuait d'essayer d'enfoncer la clé, qui rentrait mais ne tournait pas.

— Elle ouvre peut-être la porte de derrière, suggéra Gray.

— Ta flaque sonne, l'avertit Taylor. Tu ne voudrais pas répondre et me ficher la paix ?

Gray baissa les yeux sur la flaque qui s'était formée avec de l'eau boueuse. Des étincelles bleues s'en échappaient, puis il vit l'expression sur le visage de Lucy. Son sourire disparut instantanément.

— Qu'est-ce qui ne va pas, bébé ?

Ember et lui se penchèrent sur la nappe d'eau.

— Il y a eu un accident. Le frère du shérif est rentré dans cet énorme chêne, celui à la fourche de Brujo Boulevard.

— Il va bien ? demanda vivement Taylor.

Il poussa Gray et Ember et faillit coller son visage dans la flaque. Gray comprenait l'inquiétude de son ami. Ses propres inquiétudes lui tombèrent sur l'estomac comme des pierres.

— Il est en vie, mais blessé. Et Happy a disparu.

— Merde, laissa échapper Taylor. Merde.

Gray et Ember tournèrent vers lui des regards interrogateurs. Il fit la grimace.

— Il a pris une fille en stop la nuit dernière. Elle a fait un malaise dans sa voiture, alors il l'a

337

ramenée à la maison pour la nuit. Je savais que cette fugueuse allait nous causer des ennuis à la minute où je l'ai vue débarquer.

— Ce n'est pas sa faute, s'écria Lucy. Je pars à sa recherche. Je t'en prie, Gray, viens avec moi.

— Je suis en route. Mais attends-moi.

— Ren est dans les parages pour chercher Trent, dit Taylor. Il partira la chercher aussi vite que possible.

— Trent est ici, déclara Lucy. Il retournait en ville à pied. Il a dit qu'il s'était réveillé dans un fossé et… (Elle releva brusquement la tête.) Je vois Ren ! (Elle fit signe à quelqu'un, prétendument Ren, puis ses yeux s'écarquillèrent.) Oh, ma Déesse ! Trent ! Non, arrête ! Non !

Le cœur de Gray faillit cesser de battre.

— Lucy !

Puis la flaque devint noire.

Gray n'avait plus qu'une chose en tête, retrouver sa femme. La panique le submergea. Trent lui avait-il fait du mal ? Déesse ! Lucy avait sa voiture. Bon sang. Il se tourna vers Taylor, à cran et impuissant.

— J'ai un portail dans mon bureau, tu te souviens ? lança Taylor qui traversait déjà la rue. Et il y en a un autre près de cet arbre. Ça ne prendra que quelques secondes. Viens.

Taylor insista pour passer le premier, même si le Gardien aurait dû l'emporter sur le shérif. Mais dans ce cas, d'après Taylor, il s'agissait de protéger le Gardien contre sa propre bêtise, et Gray dut donc le laisser passer le premier. Ember les suivit.

Gray n'avait pas vraiment su à quoi s'attendre en arrivant sur les lieux, mais Trent, en train de maintenir un bulle de protection faite de tourbillons noirs et étincelants autour de lui et Ant, ne se trouvait même pas sur sa liste.

Lucy et Ren n'étaient nulle part en vue.

Quand Trent aperçut les nouveaux venus, il parut soulagé. Il laissa retomber ses mains, murmura ses remerciements et une prière, et la magie se dissipa. Ant était appuyé contre l'arbre, les yeux fermés, une main agrippée à une racine noueuse. Taylor s'accroupit à côté de son frère et posa la main sur son épaule.

— Pas encore, murmura Ant. Ça y est presque.

— Il communie avec cet arbre depuis deux minutes au moins, dit Trent.

— Il communie ? s'étonna Taylor en observant l'expression placide de son frère. Tu n'es pas un magique.

— Ah oui, intervint Ember. La magie de la terre. Je la vois, maintenant.

Mais ce n'était pas le cas de Gray. Il n'avait jamais perçu la magie chez Ant, et certainement pas chez Trent. Tout ce qui lui importait réellement, c'était Lucy. Il mourait d'envie de se jeter dans le combat, n'importe quel combat, pour sauver sa femme, mais il savait qu'il risquait alors de la mettre encore plus en danger.

— Je suis nécromancien, admit Trent. Avec un peu de magie de la terre mélangée dedans. Ce n'est pas quelque chose que j'affiche.

— Je n'ai rien perçu du tout, dit Gray.

Il regarda Ember, qui secoua la tête. Elle non plus n'avait rien senti.

— Papa et Maman m'ont appris à le cacher. Je ne veux pas que ma vie soit définie par la perception qu'ont les autres de ma nature, d'accord ?

— Je me fiche que tu sois un magique ou un terrestre, dit Gray avec impatience. Où est Lucy ?

— Ren l'a emmenée.

Tout le monde se tourna vers lui pour le dévisager, et Trent fit un pas en arrière en levant les mains, l'air de dire « je ne suis que le messager ».

— Pourquoi est-il parti avec elle et pas Ant ? demanda Taylor.

— Mec. Vous m'écoutez pas. Il l'a *emmenée*. Il lui a assené un coup avec son arme et il l'a jetée dans un SUV. Il allait nous tirer dessus.

Voilà pourquoi Trent avait invoqué un sort de protection pour Ant et lui. Malgré tout, Gray n'arrivait pas à assimiler ce que Trent venait de déclarer. Ren avait enlevé Lucy, puis tenté de tuer deux de ses amis ?

— Il ne savait pas que tu étais un magique, hein ?

— Non. Il a un peu flippé. Il a balancé Lucinda dans son pick-up et il est parti par Old Creek, expliqua Trent avant de jeter un regard d'excuse à Gray. Je suis désolé. Je n'ai rien pu faire.

— Tu as fait ce que tu as pu. J'apprécie beaucoup.

Trent hocha la tête, mais il semblait toujours piteux. C'était aussi le cas de Gray, mais en mille fois pire. Pourquoi Ren avait-il enlevé Lucinda ? Et où l'avait-il emmenée ?

— Le fils de chien, lâcha Taylor. Il était sous nos yeux depuis tout ce temps.

Ant ouvrit soudain les yeux.

— Ren a tué Lennie. C'est ce qu'Arbre a dit. Il était ici, il attendait que Lennie arrive à toute allure sur la route. Il avait bu, comme d'habitude, mais c'est Ren qui a dévié la voiture dans Arbre. Ça lui a fait mal, soupira-t-il en frottant le tronc. Et mon pick-up aussi.

— Tu me fais flipper, dit Taylor en se relevant avant de reculer, observant l'arbre comme s'il pouvait brusquement se mettre à parler. Pourquoi Ren aurait tué Lennie ?

Gray, lui, ne comprenait que trop bien.

— C'était le lien avec Marcy. Elle m'a demandé comment elle pouvait aimer un homme qui faisait des choses aussi horribles. Elle devait parler de Ren. Elle voulait protéger la ville, mais elle ne pouvait accepter l'idée de trahir ce gars. Alors elle a volé l'œil du démon et quitté la ville.

— Lennie était bête comme ses pieds et aussi gros qu'un ours, ajouta Trent. Il devait faire tout ce que Ren lui disait. Ils étaient étroitement liés.

— Lennie a tué Marcy, déclara Taylor. Je n'arrive pas à le croire, s'insurgea-t-il en donnant un coup de pied dans le pneu du pick-up accidenté. Pourquoi diable Ren a-t-il besoin d'objets magiques ?

— Il possède de la magie, dit Ant. Mais il est très faible. Il se sert d'objets pour amplifier son pouvoir. Arbre dit que s'il n'avait pas vécu à Nevermore, il n'aurait même pas découvert le peu de pouvoir qu'il a.

— Qu'est-ce que ça signifie ? s'enquit Taylor.

— Nevermore a été bâtie pour protéger une Fontaine de la Déesse, expliqua Ember d'une voix douce. Ici, la magie est amplifiée.

— Je croyais que les Fontaines de la Déesse étaient un mythe, dit Gray.

— Mieux vaut les voir comme des mythes que de prouver leur réalité, dit Ember. Très peu connaissent les vrais emplacements. Les Dragons qui ont fondé Nevermore connaissaient la vérité – ils étaient envoyés par la Déesse pour protéger cet endroit.

— C'est la Déesse qui vous a dit tout ça ?

— Oui, Gray. C'est la Mère Créatrice qui me l'a dit. Et Elle a également dit : plus de secrets ! Ni pour cette ville, ni pour vous.

— Message reçu.

Gray se détourna et s'éloigna sur le bord de la route. Il n'imaginait pas ce que Lucy devait ressentir en ce moment même. La peur. La solitude. En ce qui le concernait, Ren vivait ses derniers instants. Il s'en était pris à Lucy et c'était un crime impardonnable. Gray prit une profonde inspiration pour retrouver son sang-froid puis retourna auprès de ses amis. Tout ce qu'ils pouvaient faire, c'était tenter d'éclaircir toute cette histoire et mettre un plan au point. Il était submergé par une sensation d'urgence tranchante comme une lame de rasoir. *J'arrive, mon amour. Tiens bon.*

— Ça n'a aucun sens, dit Taylor. Pourquoi Ren emmènerait Happy, en laissant Ant en vie… pour ensuite revenir chercher Lucy et essayer de tuer Trent et Ant ? Il aurait facilement pu abattre Ant après l'accident.

— Arbre dit que Ren n'a pas causé mon accident. Il dit que c'était un homme dont la magie semblait… (Il fronça les sourcils.) Je crois qu'elle veut dire malade. Le type est malade.

342

— Alors Ren a un complice, conclut Taylor qui regardait l'arbre avec quelque chose de semblable à du respect. Quelqu'un qu'on ne connaît peut-être pas.

Ce que Gray ne parvenait pas à comprendre, c'était en quoi Lucy, et cette Happy, cadraient avec les plans de Ren. Puis une idée qui lui glaça le sang lui vint à l'esprit.

— Il veut devenir un magique à part entière.

— C'est impossible, intervint Taylor.

— On peut toujours passer un marché pour obtenir le pouvoir, dit Ember, ses paroles enveloppées d'horreur. Et on peut faire des sacrifices pour.

— Assez traînassé, lâcha Taylor. Ember ? Vous pouvez ramener Ant au salon de thé et le remettre sur pied ?

— Bien sûr.

— Emmenez Trent avec vous. (Taylor se tourna vers Gray.) On va se téléporter à la ferme de Ren et voir si Harley sait où est son fils, dit-il avant de lâcher un juron. C'est comme ça que Ren s'est déplacé aussi vite. Il sait où sont les portails... et il a une clé.

— Je viens avec vous, dit Trent.

— Petit, rentre chez toi et va dire à ton oncle que tu n'es pas mort.

— Vous ne comprenez pas, hein ? Ren m'a piégé pour que j'endosse l'incendie du café. Il m'a assommé, d'une manière ou d'une autre, et m'a jeté dans un fossé. Il savait que je me réveillerais sans aucun souvenir et que je n'aurais aucun alibi.

— Pourquoi... commença Taylor avant d'écarquiller les yeux. Il n'était pas sûr qu'on croirait que c'était Cathleen qui avait mis le feu.

Gray hocha la tête.

— C'est logique. Il nous a dit que Trent l'avait réveillé pour lui signaler l'incendie. Il s'est assuré que Trent disparaisse assez longtemps pour avoir l'air suspect.

— Cette ordure avait déjà un plan B.

L'expression de Taylor exprimait une fureur sans nom.

— Alors je peux venir ?

— Pas question.

Trent ouvrit la bouche – probablement pour argumenter – mais Ember tendit le bras pour tapoter le sien.

— Ce n'est pas ton voyage, mais on aura besoin de toi bientôt. Aide-moi à ramener Ant au salon de thé.

Trent soupira et haussa les épaules.

— Très bien.

Ember prit Gray à part, posa les mains sur ses épaules et le regarda au fond des yeux.

— Vous devez refermer le cercle que Ren a ouvert avec sa cupidité. Ramenez la paix à Nevermore, et en vous-même.

— Je le ferai.

— Bonne chance, Gardien.

Ember et Trent aidèrent Ant à se relever. Puis Ember ouvrit le portail d'un geste de la main, et tous trois disparurent.

— Allez viens, dit Taylor. Allons dénicher ce traître.

14

Lucinda se réveilla au son de deux voix d'hommes qui se disputaient. Elle reconnut immédiatement l'une des deux – elle ne connaissait que trop bien la modulation de la fureur de Bernard. Tandis que ses yeux s'ajustaient à la faible lumière, elle se rendit compte qu'elle se trouvait dans une grange – ligotée à la verticale contre un mur en bois rugueux. L'odeur de fumier était assez puissante pour lui coller aux poumons. Elle essaya de respirer par la bouche afin d'atténuer l'horrible puanteur.

À quelques mètres d'elle, elle aperçut Happy allongée sur une porte délabrée qu'on avait posée en travers de deux tréteaux. Elle transpirait et son corps tremblait. Elle n'était pas attachée, mais Lucinda percevait la magie qui la maintenait plaquée contre la surface plane. Bernard était puissant – et il avait fait une chose atroce à son amie. Elle ne pouvait laisser Bernard faire du mal à Happy. Elle avait fait défaut à sa mère, mais elle ne lui ferait pas défaut, à elle. *Réfléchis, Lucinda. Réfléchis !*

Mais son esprit était trop embrumé et ses tempes palpitaient de douleur. Elle avait mal à la tête là où l'arme l'avait heurtée. Elle n'arrivait pas à croire que Ren lui avait fait ça. Il semblait si gentil ! Tout le monde l'appréciait et lui faisait confiance. Et comme si trahir ses amis et sa ville ne suffisait pas, il s'était associé à Bernard.

— Gray va venir la chercher. On doit invoquer Kahl.

Ren désigna une table branlante munie de divers objets qui étincelaient.

— J'ai l'œil, et le sortilège.

— Mais pas la magie.

Bernard se mit à rire et elle fut parcourue d'un frisson. Il n'éprouvait ce genre d'amusement que juste avant de commettre un acte odieux.

Lucinda sentit son appréhension monter. Ren avait passé un marché avec Kahl pour s'emparer de Gray ? Elle devait les arrêter avant qu'ils invoquent le seigneur démon. Elle se battrait jusqu'à son dernier souffle pour protéger son mari et lui éviter de souffrir une nouvelle fois.

— Tu n'aurais pas dû enlever la fille.

Ren semblait furieux mais également inquiet. Lucinda songea qu'il avait dû se rendre compte à quel point Bernard était dangereux, mais il l'avait compris trop tard.

— Un père et sa fille ne peuvent-ils pas être réunis ? dit Bernard en tendant la main pour caresser les cheveux de Happy. Maintenant, ma fille alimente la malédiction de Lucy et je suis libre de devenir le Gardien de Nevermore.

Ren poussa un cri, serra le poing et le dirigea vers le visage railleur de Bernard. Ce dernier leva la main vers lui, la paume tendue, et dit :

— Électrisation.

346

L'air s'épaissit et se réchauffa. La chair de poule recouvrit la peau de Lucinda, qui se mordit la lèvre pour retenir un cri. La peur familière qui gonflait en elle faisait accélérer les battements frénétiques de son cœur.

Des étincelles de magie bleue jaillirent de la paume de Bernard et frappèrent Ren en pleine poitrine. Ce dernier fut projeté à travers la grange. Il faisait trop sombre pour voir où il atterrit, mais elle entendit le fracas.

Puis plus rien.

Bernard se tourna vers elle, un sourire aux lèvres.

Son sang se glaça.

— Eh bien, ma chérie. Nous y voilà. Enfin réunis.

Lucinda déglutit pour faire passer le nœud qui lui bloquait la gorge. Elle ne voulait sous aucun prétexte laisser paraître sa terreur, même si cette dernière s'insinuait en elle comme une créature vivante.

— Qu'as-tu fait à Happy ?

— Je t'ai dit de nombreuses fois de ne pas te préoccuper de ma fille. (Il s'approcha d'elle, le regard rivé sur sa bouche.) Tu es toujours aussi charmante. Dommage que je doive te tuer. (Il s'arrêta et haussa son épaule élégante.) Je vais peut-être laisser mon boulet de fille mourir et te prendre à la place.

— Non ! s'insurgea-t-elle ; elle ne laisserait pas Happy mourir. Dis-moi ce que tu as fait !

— Je ne peux pas te résister, dit-il d'un air songeur. Je suppose que c'est dû à ce charme délicieux qui n'appartient qu'aux Rackmore. Bon, très bien. Je vais céder à ma petite reine des glaces. Ta malédiction nécessite d'être nourrie. Vois-la comme un animal vicieux. La force vitale de Happy est sa nourriture. Le truc, c'est qu'elle se nourrit sur une lignée – et dans ce cas précis, sur celle de sa mère. J'essayais de décider lequel de mes enfants pourrait aider son papa quand : devine qui j'ai retrouvé ? Ma fille disparue. Et te voilà aussi, ma maîtresse disparue. C'était une très bonne journée.

Lucinda examina l'information. Elle n'avait jamais su grand-chose au sujet des malédictions autre que « les malédictions sont mauvaises ; il ne faut pas s'en servir ». Alors elle comprit. Elle était écœurée par l'égoïsme de Bernard. Cet homme n'avait aucune morale.

— Elle se nourrissait sur ta lignée. Oh, Déesse. Tu l'as transférée à celle de Talia ?

— Eh bien, Talia était le seul enfant de deux enfants uniques, dont les parents et grands-parents sont tous morts. Si Happy meurt... alors ta malédiction aussi.

— Et si je meurs ?

— Alors elle vit, précisa-t-il en s'accroupissant à côté d'elle. Je suis surpris par mon indécision. Je rêve de te tuer depuis si longtemps... à petit feu, bien sûr. Rien que d'imaginer tes cris... hmmm... délicieux.

Dans son regard bouillonnaient la fureur et le désir, ainsi que toutes ces terribles émotions qui faisaient de Bernard cet être aussi puissant et terrifiant. Il allait lui faire du mal, comme il lui en avait si souvent fait.

— Tu sais, je ne pensais pas que j'apprécierais autant la campagne, mais Nevermore détient une certaine... magie. Tu ne trouves pas ?

— Gray va te tuer.

— J'en doute fort. (La fureur étincela dans son regard.) Espèce de garce ingrate. Tu l'as épousé... en sachant que tu m'appartenais.

Il leva la main et la gifla. Sa tête partit en arrière et elle sentit le goût du sang. La colère monta à travers les fantômes glacés de ses anciennes peurs. Lucinda pensa à Gray, à ce qu'il lui faisait ressentir, et elle s'accrocha à ces émotions. Le devoir. La confiance. La loyauté.

Elle jeta un regard noir à Bernard.

— Je lui appartiens, dit-elle. J'appartiens à Gray.

Il se pencha en avant pour l'examiner.

— On dirait que tu as retrouvé un peu de tes esprits, dit-il les yeux assombris tandis qu'il s'humidifiait les lèvres. C'était ma partie préférée, tu sais. Te briser. À la fin, quand tu as utilisé tes pouvoirs pour sauver Talia, j'étais... fasciné par ta rébellion. Et j'étais impatient de pouvoir te briser de nouveau. Mais alors tu as disparu. Et tu as enlevé la chair de ma chair. C'était stupide et arrogant. (Il passa ses doigts dans la chevelure de Lucy, qui tressaillit. Il sourit et se pencha vers ses lèvres.) Tu mérites une punition.

— Toi aussi.

Lucinda renversa la tête en arrière, prit son élan et écrasa violemment son front contre le sien. Des étoiles apparurent devant ses yeux et sa tête implosa. Elle s'affaissa contre le mur en tentant de réprimer la nausée qui montait. Bon sang. C'était bien plus douloureux qu'elle ne l'aurait cru.

Bernard était tombé en arrière. La vue brouillée par le coup de tête, Lucinda parvint malgré tout à lancer ses jambes attachées dans l'entrejambe de Bernard. Le ruban adhésif qui liait ses chevilles l'empêcha de porter un coup assez puissant pour causer de véritables dégâts, mais l'impact arracha tout de même à Bernard un gémissement. Il roula sur le côté en grognant de douleur.

— Garce, siffla-t-il. Je vais te tuer.

Bien. C'est ce qu'elle voulait. Parce que dans ce cas, Happy vivrait. Et Gray pourrait battre Bernard. Elle savait qu'il en était capable. Bernard ne connaissait pas le véritable pouvoir, il ne le comprenait pas. Elle regrettait de ne pouvoir être présente pour voir Gray lui mettre une raclée. Bientôt, cette ordure de Corbeau ne ferait plus jamais de mal à personne.

Taylor eut toutes les peines du monde à empêcher Gray de faire exploser la grange. Quand ils avaient vu le SUV délabré garé devant, ils avaient compris que Ren avait emmené Lucy à l'intérieur. La maison était à plus d'un kilomètre, à laquelle on accédait par une allée séparée depuis la route principale.

Ils avaient trouvé Harley évanoui, ivre, sur le canapé. Ils avaient perdu de précieuses minutes à réveiller le vieil homme et à lui faire avaler du café. Harley n'avait rien dit contre son fils, mais il avait mentionné le fait que Ren avait passé beaucoup de temps dans la grange abandonnée à la limite de la propriété. Ils avaient laissé Harley dans la cuisine, avec pour consigne de finir toute la cafetière.

Les portes étaient fermées, mais il restait tout de même un interstice entre elles. Ils s'arrêtèrent et entendirent des voix – celle d'un homme et d'une femme. Elles étaient trop étouffées pour que Taylor puisse saisir les paroles, et encore moins découvrir à qui elles appartenaient.

— Lucy, murmura Gray.

Il se rua en avant, les mains déployées et des flammes jaillissant du bout de ses doigts.

— Attends, fit Taylor en rattrapant son ami par l'épaule avant de laisser échapper un cri. Argh ! Pourquoi tu es aussi brûlant ?

— C'est ma magie, répondit Gray, mais il fronça les sourcils et Taylor comprit que Gray ne savait pas vraiment pourquoi sa peau surchauffait. Je veux retrouver ma femme.

— Si on débarque là-dedans sans savoir ce qui se passe, on pourrait très bien la tuer. Allez, mec. Réfléchis.

Gray hocha la tête.

— Tu as raison, murmura-t-il en observant le bâtiment. Regarde.

Taylor suivit le regard de Gray. Dans le coin gauche de la grange, plusieurs planches avaient pourri et laissaient une ouverture béante par laquelle ils pouvaient se faufiler. Heureusement, il y avait un endroit où se cacher le temps d'évaluer la situation.

Taylor faisait son possible pour ne pas penser à la trahison de Ren, ou à ce qui était peut-être déjà arrivé à Happy et Lucy. Et il n'avait pas le moindre indice sur l'identité du complice de Ren – qui que ce fût, il allait payer pour ce qu'il avait fait à Ant. La fureur bouillonnait en lui. Il faisait preuve de sang-froid, mais ce n'était qu'une façade. Tout comme Gray, il n'avait qu'une envie : se ruer à l'intérieur et tuer quelqu'un.

Ils se frayèrent un chemin à travers les hautes herbes et le sol inégal. Taylor se faufila par l'ouverture en essayant de faire le moins de bruit possible. Gray lui emboîta le pas. Heureusement, un

tracteur rouillé et des meules de foin moisies blo-
quaient l'entrée de fortune. Le sol en terre battue
étouffait le bruit de leurs pas. Ils restèrent plaqués
contre le mur. La conversation entre l'homme et la
femme continuait. Le ton de l'homme était flagor-
neur et Lucy, elle, semblait sous la contrainte.

Ils entendirent un faible gémissement, puis une
toux douloureuse. Ils se figèrent et échangèrent un
regard.

Cette partie de la grange était remplie d'ombres.
Les yeux de Taylor s'adaptèrent au peu de lumière.
Gray et lui fouillèrent le sol des yeux pour trouver
la source de ce bruit.

— Taylor.

Gray tourna vivement la tête sur la droite.

Ren reposait sur un amas de débris enchevêtrés.
Il avait atterri sur un pieu en bois qui lui avait per-
foré la poitrine. Gray sentit son estomac se retourner. L'odeur métallique du sang était puissante,
surtout mélangée aux autres odeurs de pourriture
et de fumier.

Taylor s'agenouilla à côté de Ren qui le suivit du
regard. Le garçon avait beau l'avoir trahi, les avoir
tous trahis, Taylor ne put réprimer une expression
d'horreur.

— Il respire encore.

Gray affichait une expression glacée.

— Plus pour longtemps.

— Frère, murmura Ren.

Le sang faisait des bulles sur ses lèvres. Puis ses
yeux se voilèrent et l'ultime lueur qui brillait à
l'intérieur finit par s'éteindre.

Taylor aurait voulu avoir la capacité de Gray à
bloquer toutes ses émotions importunes. Il voulait

détester Ren, mais il n'y arrivait pas. Même en sachant que ce dernier avait essayé d'abattre Ant et Trent, il n'arrivait à éprouver que de la honte et de la fureur. Les dieux soient maudits. Il ne pouvait oublier les moments agréables passés avec lui, même si sa gentillesse apparente avait dissimulé une âme aussi maléfique.

— Pourquoi diable m'a-t-il appelé frère ? s'interrogea Taylor.

Il se releva et rejoignit Gray à la limite de la pénombre qui les cachait.

— C'est important ?

— Oui, répondit Taylor, irrité par le ton dédaigneux de Gray. Oui, c'est important.

— Tu y réfléchiras plus tard. On a un problème nettement plus grave, fit-il en pointant du doigt l'homme accroupi à côté de Lucy. Voilà Bernard Franco.

— Bon sang. C'était lui le complice de Ren ? comprit Taylor avant d'apercevoir la jeune fille allongée sur une porte érodée et soutenue sur des tréteaux. Voilà Happy. Il l'a allongée comme un sacrifice pour un banquet de solstice.

— Il la maintient dans cette position par la magie. Je vais la libérer et tu t'occuperas d'elle. Emmène-la chez Ember. Je m'occupe de Lucy.

— Et Franco ?

Les yeux bleus et glacials de Gray croisèrent son regard, et Taylor comprit que Franco ne verrait pas le soleil se lever. Il éprouverait peut-être quelques regrets au sujet de Ren, mais il n'avait aucun scrupule quant au dernier souffle de Franco. Taylor était un homme de loi, qui avait juré de protéger celles de Nevermore et de l'État du Texas.

Mais il avait prêté un autre serment, celui-là plus fort que n'importe quel autre : protéger le Gardien et les citoyens de Nevermore.

Personne dans la région ne serait en sécurité tant que Franco serait en vie.

C'était aussi simple que cela.

— Je vais créer une distraction, déclara Gray. Puis je libérerai Happy. Tu la prends et tu t'enfuis. Franco sera trop occupé pour te suivre.

Taylor entendit un grand claquement. Il vit Lucinda donner un coup de tête à Franco et lui assener un coup de pied dans l'entrejambe.

— Waouh. Elle sait y faire.

Franco se tortillait par terre, avant de hurler :

— Je vais te tuer !

Taylor sentit le changement dans l'atmosphère quand Gray rassembla sa magie. Une énorme boule de feu rouge apparut entre ses mains tendues. Puis il la dirigea droit sur Franco. Le magicien malfaisant était trop expert en autoprotection pour se laisser bombarder aussi facilement. Il roula sur le côté pour échapper aux flammes et bondit sur ses pieds. Gray fit quelques autres gestes dirigés vers Happy, avant de crier :

— Allez !

Taylor se rua vers la fille.

Gray déclara à Franco une guerre de magie. Flammes et éclairs se mirent à rugir entre eux. Taylor souleva Happy, toujours inconsciente, dans ses bras. Il croisa le regard de Lucinda, dans lequel il décela le soulagement et la reconnaissance.

Taylor aurait voulu pouvoir la sauver elle aussi. Il fit un pas vers elle, ce qui le plaçait dans la trajectoire des deux magiciens en plein combat. L'air sentait l'ozone et le sol se mit à trembler. Mais Lucinda secoua fermement la tête, puis l'inclina en direction de la porte.

— Allez-y, mima-t-elle du bout des lèvres. Pitié.

Il devait laisser à Gray la responsabilité de sauver sa propre femme. Il prit ses jambes à son cou. Il pivota légèrement pour heurter violemment la porte avec son épaule. La douleur explosa dans son bras, mais il tenta de ne pas y prêter attention. La porte s'ouvrit à la volée et il ne ralentit pas.

Tout ce qu'il lui restait à faire à présent, c'était rejoindre le portail.

La fureur de Gray alimentait sa magie. Il jetait tout ce qu'il pouvait sur Franco. Le magicien répliquait promptement, mais il était malgré tout forcé de reculer, de s'éloigner de Lucy.

Gray transpirait abondamment. Il avait dépensé beaucoup d'énergie dans le nettoyage du café. Il n'était pas au maximum de sa force, pourtant son inquiétude pour Lucy l'empêchait d'abandonner. Mais Franco était bien trop expérimenté. Chaque fois que Gray frappait à coup de flammes, d'électricité ou de souffles, cet homme machiavélique lui renvoyait le double.

— C'est inutile ! hurla Franco. Elle n'en vaut pas la peine.

Gray ne répondit pas. Il n'allait pas gaspiller sa salive en répondant à Franco. Lucy valait tout. Il ne laisserait plus jamais Franco lui faire du mal.

— Ça suffit ! rugit Franco.

Il créa une énorme boule de flammes bordées de noir. Gray prépara sa magie pour la dissiper, mais il aurait pu s'épargner cette peine. Franco commençait manifestement à fatiguer autant que Gray, car il visa bien à côté.

Derrière lui, il entendit Lucy hurler.

Et comprit alors que Franco avait parfaitement bien visé.

Gray fit volte-face et se précipita vers elle, mais il était trop tard. Sa femme était consumée par la magie noire. Le rire de Franco résonna dans la grange, étouffant les cris de Lucy et l'horrible crépitement des flammes magiques.

— Lucinda !

Gray tenta de s'emparer d'elle, mais c'était comme d'essayer d'attraper des ombres. Il invoqua les énergies sacrées, mais ni souffle ni eau ne lui répondirent. Elle était en train de mourir, et sans elle, il n'était rien. Elle avait donné du sens à sa vie, elle le complétait.

Il ne la laisserait pas mourir toute seule.

Il bondit dans les flammes, sentit la chaleur intense, le pouvoir, et faillit se laisser engloutir par les ténèbres. Maintenant qu'il se trouvait sous l'emprise de l'odieux sortilège de Bernard, il vit que Lucy était intacte, mais à l'agonie. *Je suis là, bébé, je suis là.* Elle sanglotait et il ne pouvait supporter sa terreur. Il la serra fermement dans ses bras.

Ensemble, ils se consumèrent.

N'es-tu pas le maître du feu, l'Élu ?

Le monde se figea. Les flammes qui les entouraient et les retenaient prisonniers cessèrent de danser. Lucy reposait dans ses bras, raide comme une statue, des larmes scintillant sur ses joues pâles. Elle avait les yeux fermés et ses mains toujours liées essayaient de s'agripper à sa chemise.

356

Le monde au-delà du sortilège se pétrifia, cristallin et inflexible.

— Que se passe-t-il ? demanda-t-il.

Il aurait juré pouvoir sentir... le printemps. La terre humide, l'herbe coupée, la douceur des fleurs. Un souffle chaud s'enroula autour de lui, aussi doux et rassurant que les bras d'une mère, et il se rendit compte qu'il ressentait Sa présence.

— Déesse ?

La nuit où Kerren t'a tué, ton esprit a appelé à l'aide et ton ancêtre, Jaed, a répondu. L'essence du symbole de ta famille a fusionné avec toi.

— Je ne comprends pas.

Tu n'es pas un démon. Tu es un Dragon.

La véracité de Sa déclaration s'insinua en lui, et il comprit que la créature qu'il avait tant redoutée, celle qu'il avait combattue pendant les dix dernières années, n'était pas maléfique. C'était une partie innée de lui-même, un esprit qui résidait à l'intérieur d'un esprit.

Davantage de mes Élus seront attirés à Nevermore. Tu dois les accueillir. Tu dois te préparer à ce qui arrive.

— Qu'est-ce qui arrive ?

Ne t'inquiète pas. Tu seras prêt. Prends ta seconde forme, Gray. Revendique ton pouvoir.

Le monde reprit alors son cours normal.

Les flammes réapparurent, mais Gray comprenait, désormais. Il dirigea ces dernières, peu importe qu'elles soient réelles ou magiques. *Disparaissez*, ordonna-t-il, et elles se transformèrent instantanément en fumée. Il entendit le cri d'incrédulité de Bernard, mais il ressemblait au miaulement d'un chat effrayé. Oui, Gray était le maître du feu, et il était également le maître de la bête en lui. *Montre-toi, Dragon*, ordonna-t-il. *Sauve notre dame.*

Lucy s'était évanouie et il la tourna doucement sur le côté.

Puis il se leva.

La magie se déploya en Gray et sa deuxième forme s'imposa.

Il observa Bernard s'approcher de lui d'un pas lourd, avant de marquer une hésitation en écarquillant les yeux.

— Impossible ! cria-t-il.

La cicatrice de Gray palpitait, illuminée. Sa peau se mit à s'effriter pour révéler la rougeur étincelante de ses écailles. Puis la magie éclata en flammes rouges et étincelles dorées, et l'humain disparut pour céder la place au Dragon.

La créature se développa, grossit et grandit, emplissant tout l'espace de la grange. L'énorme tête du Dragon effleura les poutres en bois du plafond. *Comme c'est agaçant.* Il leva une aile pour couvrir sa compagne, puis tendit le museau et produisit une boule de feu. Le toit tomba instantanément en cendres, et les bords effrités s'écroulèrent sur le sol.

L'humain poussa un cri. Il recula en trébuchant, puis se recroquevilla dans l'obscurité. Son visage était bouffi par la stupeur, ses yeux exorbités et ses lèvres entrouvertes comme la bouche d'un poisson qu'on vient de pêcher.

Répugnant.

— Tu as essayé de tuer Lucinda, accusa le Dragon d'une voix grondante.

— Non, protesta l'homme d'une voix rauque. Non.

— Tu as le culot de mentir ?

L'homme se retourna pour se mettre à courir, mais il trébucha sur les décombres et s'affala de tout son long. Il gémissait en pleurant. Le Dragon huma l'air et renifla. Sous le coup de la peur, l'odieuse petite créature s'était urinée dessus. Il rampait dans la poussière et le foin éparpillé par terre, sanglotant comme un petit orphelin.

Le Dragon cracha du feu. Rien qu'un petit feu. Les flammes léchèrent les pieds de l'homme, faisant fondre ses semelles et griller son pantalon.

Il hurla, à l'agonie, et roula sur lui-même. Le Dragon suivit des yeux les gestes de l'humain avec un ennui non dissimulé. Hmm. Le faire frire ? C'était gâcher son précieux feu. L'engloutir ? Quelqu'un qui dégageait une odeur aussi nauséabonde lui causerait certainement une indigestion. Ah. Il lui restait une option.

— Ne sais-tu pas ce qu'est Lucinda ? demanda le Dragon. (Il se pencha en avant, ce qui nécessita quelques manœuvres. Du bout d'une griffe, il fit rouler l'homme sur le dos et regarda attentivement son minuscule visage.) Elle est le cœur du Dragon.

Puis le Dragon déploya son immense silhouette, sa magnifique tête passa par le trou dans le plafond, et il marcha sur la vile créature. Le craquement des os et le gargouillis de la chair lui procurèrent la plus intense des satisfactions. Le Dragon secoua sa patte pour se débarrasser des petits morceaux puis essuya ses griffes sur un tas de foin. Beurk.

Le Dragon leva la tête vers le ciel et perçut l'appel du vent. Sa nature était entrelacée à celle de son hôte, et il comprit qu'il devrait attendre pour embrasser le ciel et batifoler dans les nuages. Ils avaient encore du travail.

Alors le Dragon ferma les yeux et se laissa de nouveau glisser dans la magie ancestrale qui le liait à Gray, et libéra son maître.

Gray se réveilla dans son lit. C'est du moins ce qu'il pensait. Les draps avaient été changés et la chambre était propre. L'air sentait la vanille et l'huile de citron. Il tourna la tête vers l'espace vide à côté de lui et la panique monta. Il bondit hors du lit.

— Lucinda !

La porte de la chambre s'ouvrit et Lucy apparut, vêtue d'un de ses vieux tee-shirts, sa brosse à dents brandie comme une épée.

— Quoi ? s'écria-t-elle en jetant un regard autour d'elle. Qu'est-ce qui se passe ?

Gray était si soulagé de la voir qu'il trébucha pour la prendre dans ses bras. Il couvrit son visage de baisers.

— Je croyais que tu étais partie. J'ai cru que je t'avais perdue.

— Tu m'as sauvée, dit-elle doucement.

— Tu m'as sauvé le premier, dit-il avant d'inspirer. Qu'est-ce qui s'est passé ?

— Tu as dormi la majeure partie de la journée. Je me suis réveillée il y a quelques heures et j'ai mené ma petite enquête. Ren est mort.

— Je m'en souviens. Mais c'est le trou noir pour tout ce qui s'est passé ensuite.

— Bernard s'est fait broyer.

Un souvenir jaillit. *Tu n'es pas un démon. Tu es un dragon.*

— Qu'est-ce que tu entends par broyer ?

— Eh bien, comme s'il avait été écrasé par un truc de la taille du Chrysler Building.

360

— Lucy, l'interrompit-il avant de déglutir pour faire passer le nœud dans sa gorge. J'ai parlé à la Déesse. Elle m'a dit que j'étais... un dragon.

Elle le dévisagea.

— OK.

— OK ? répéta-t-il en clignant les yeux. C'est aussi simple ?

— Je t'ai vu. Je suis revenue à moi quelques secondes avant que tu te transformes de nouveau. Tu étais magnifique.

La raideur dans sa poitrine se relâcha.

— Quand j'étais prisonnier de l'enfer, j'ai appelé à l'aide, et Jaed a répondu. Le dragon m'a sauvé. Pendant tout ce temps, je pensais avoir ramené un démon avec moi. J'avais tellement honte...

— Je me serais fichue que tu aies ramené un démon avec toi, répliqua-t-elle promptement. Tu as survécu. Peu importe comment tu y es par-venu, j'en suis heureuse, assura-t-elle en embras-sant son menton. Tu as survécu. Taylor a dit que quand il est revenu avec la cavalerie, on était allongés ensemble, inconscients. Tu étais nu. Un peu comme maintenant.

Gray fut immédiatement distrait.

— Tu pourrais te mettre nue toi aussi.

— On a des invités. Et Happy ne s'est toujours pas remise, gémit-elle en le regardant, une lueur de dévastation dans les yeux. La malédiction va la tuer, Gray. À moins que je... (Elle déglutit.)... ne meure la première.

— Non. On trouvera un moyen, Lucy. Je vous sauverai toutes les deux.

— Ember est en train de préparer des potions et des sortilèges, et qui sait quoi d'autre.

Elle le poussa sur le lit en lui accordant un regard tel qu'il sentit son sexe se dresser, puis elle s'approcha de la commode. Elle en sortit un pantalon qu'elle lui jeta.

— Je ne peux te dire à quel point je regrette de devoir couvrir ne serait-ce qu'un centimètre de ce corps spectaculaire.

— Si tu veux que je reste sérieux, tu ne devrais pas me faire de tels compliments. Mon sang quitte alors mon cerveau pour affluer dans d'autres membres.

Lucy haussa un sourcil. Gray poussa un soupir et enfila le pantalon. Puis il s'assit sur le lit.

— Très bien. Bavardons.

Lucy le rejoignit sur le lit, remonta ses genoux contre sa poitrine et enroula ses bras autour de ses jambes.

— J'ai eu vingt-cinq ans il y a environ six mois. J'ai commencé à me demander ce que je faisais avec Bernard. C'était le premier signe qu'il avait utilisé une magie de compulsion – juste pour s'assurer que je resterais avec lui. Je ne sais pas pourquoi, Gray, mais il voulait s'assurer que je ne me servais pas de ma thaumaturgie. Quand je suis soudain devenue moins docile, il m'a emmenée dans un appartement gardé, et c'est là que j'ai appris qu'il avait tout un harem de maîtresses. C'est là que j'ai rencontré Talia Ness et sa fille, Happy.

Gray lui jeta un regard incrédule.

— Eh oui. Talia a appelé sa fille Happy Ness. Car cette petite fille était sa seule source de bonheur. Talia était adorable. Elle était intelligente, à sa manière, mais… (Lucinda soupira avant de reprendre.) Bernard l'aimait parce qu'elle ne lui disait jamais rien, peu importe la méchanceté et la cruauté dont il faisait preuve à son égard. Elle faisait tout ce qu'il lui demandait sans poser de question. Talia ne voyait pas l'intérêt de se battre contre lui, ou d'essayer de s'enfuir. Même après être tombée enceinte de lui. Elle avait dix-sept ans quand Happy est née.

Gray percevait sa tristesse et lui frotta le dos.

— Ça va ?

— Pas vraiment. (Elle lui sourit, mais il vit qu'elle essayait de retenir ses larmes.) Je suis restée là-bas trois mois. Talia, Happy et moi sommes devenues amies. Une famille. Et puis une nuit, Bernard est venu à l'appartement, il était furieux. Et bien sûr, il a emmené Talia, parce qu'il savait qu'il pouvait être aussi méchant qu'il voulait. Il l'a battue à mort.

— Je suis vraiment désolé.

— Ce n'est pas le pire. Je l'ai sauvée. Je ne sais pas comment j'ai réussi à faire fonctionner mes pouvoirs. Je n'avais pas été bien entraînée, et je voulais seulement… oh, Déesse. Je voulais seulement la sauver. Et je l'ai fait. Bernard était furieux que j'ai en quelque sorte annulé sa mort. J'avais dépassé son pouvoir grâce au mien et il ne pouvait le tolérer. Deux de ses crétins de gardes m'ont tenue et m'ont obligée à le regarder trancher la gorge de Talia. Elle s'est vidée de son sang en quelques minutes, et je ne pouvais plus rien faire pour la sauver. Il s'en est assuré.

Gray passa ses bras autour de Lucy et déposa un baiser sur ses cheveux. S'il pouvait aplatir Bernard une deuxième fois, il le ferait sans hésiter. Il sentit également l'assentiment du dragon. C'était une sensation étrange d'adopter la créature qu'il avait passé tellement de temps à ignorer.

— C'est là qu'il t'a jeté la malédiction, c'est ça ?
Elle hocha la tête.

— Sauf qu'il ne savait pas que j'avais déjà mis au
point un plan pour m'échapper. J'étais en pyjama
et chaussettes, mais j'ai réussi à nous faire toutes
les deux sortir de là, Happy et moi. Je lui ai trouvé
un endroit où rester – un couvent bâti sur un terrain neutre. Et puis j'ai fait le tour de toutes mes
connaissances pour leur demander de l'aide.

Il la serra plus fort en sentant revenir sa propre
culpabilité. Comment avait-il pu la repousser ? Il
ne pensait pas pouvoir jamais se pardonner
d'avoir ignoré ses appels à l'aide.

— Tu m'as aidée, dit-elle d'une voix douce,
comme si elle lisait dans ses pensées. Tu es revenu
me chercher. Tu es un homme honorable, Gray. Et
même les hommes les plus honorables peuvent
perdre leur chemin. (Elle releva la tête pour le
regarder dans les yeux.) L'important, c'est que tu
as fini par le retrouver, ajouta-t-elle.

— Grâce à toi.

Il l'embrassa, le cœur rempli d'amour. Le dragon lui-même manifesta son approbation par un
grognement.

— Tu sais, on devrait peut-être garder cette histoire de dragon pour nous, pour le moment.
Jusqu'à ce que je comprenne comment ça marche.

— Ton secret est à l'abri avec moi.

Gray observa le visage de sa femme, l'acceptation
et la tendresse qu'elle lui manifestait si facilement.

— Et tout ce que tu es, toi, Lucy, est à l'abri avec
moi.

— T'es dans un sale état.

Ant releva vivement la tête et croisa le regarda empli de douleur de Happy.

— Tu peux parler, l'impertinente. T'as pas croisé de miroir récemment ?

Elle sourit, et le cœur d'Ant manqua un battement.

Il se pencha en avant et remonta les couvertures pour la border.

— Où suis-je ?

— Dans la chambre d'amis de la maison du Gardien. Tu me poses la même question chaque fois que tu te réveilles.

— Oh, fit-elle en clignant les yeux. Tu es là chaque fois que je me réveille ?

— Ouais. Il y a rien à la télé.

Elle ricana.

— Alors tu préfères me regarder moi ?

— C'est le meilleur spectacle, dit-il sans chercher à se retenir. Au fait, tu as encore un peu de bave, là.

Les yeux emplis d'horreur, elle sortit le bout de sa petite langue rose. Puis elle se rendit compte qu'il la taquinait.

— C'est vraiment pas cool.

Le fauteuil à bascule dans lequel il était assis n'était plus confortable depuis longtemps, mais il ne voulait pas quitter le chevet de la jeune fille. Tant de gens l'avaient déjà abandonnée… et elle méritait de savoir qu'elle valait la peine qu'on s'occupe d'elle. Elle était trop pâle. Sa vie était littéralement drainée hors de son corps, et il ne pouvait absolument rien y faire. Chaque jour qui passait voyait les ombres s'agrandir sous ses yeux. Elle ne pouvait rien avaler et les seuls fluides qu'elle gardait, c'était les breuvages insensés d'Ember.

Happy mourait.

Et il avait le cœur brisé.

— Ce n'est pas grave de me laisser partir, dit Happy. Ça ne me pose pas de problème de faire une petite sieste sous terre.

— Tu ne vas pas mourir, dit-il en se penchant en avant pour repousser ses cheveux en arrière.

— Il le faut. Sinon, Lucy ne sera pas libérée de la malédiction. Et le monde a besoin d'elle.

— Le monde a besoin de toi aussi.

— Ah ah. (Elle leva les yeux au ciel. Puis elle lui sourit de nouveau.) J'avais raison, tu es bien magique, hein ?

— Eh oui. Je t'ai mis un bon point dans ton dossier.

— Ah oui ? Et ça m'en fait combien en tout ?

— Juste celui-là.

Elle se mit à rire, mais le son joyeux se transforma en pénible quinte de toux. Des gouttes de sang perlèrent au coin de ses lèvres. Ant attrapa une serviette sur la table de nuit et la posa contre sa bouche. Au bout d'un moment, elle cessa de cracher ses poumons et se laissa retomber sur l'oreiller.

— J'ai du mal à respirer. J'ai l'impression d'avoir les poumons gluants.

Il ne pouvait supporter d'assister, impuissant, à sa souffrance. Mais il dissimula sa préoccupation derrière un sourire et plongea la main dans la poche de son jean.

— Hé, l'impertinente, j'ai quelque chose pour toi.

— Est-ce que c'est cher et étincelant ?

— Non.

— Bon, donne quand même.

Il sortit le bracelet. Il s'était amusé avec ses nouveaux pouvoirs et avait créé le bijou à partir de brins d'herbe et de pétales de fleur, les avait liés avec les fils d'une toile d'araignée. Le vert était la couleur dominante, et des points roses, pourpres, blancs et bleus étincelaient entre les fils fins. Il le glissa autour du poignet de Happy.

— C'est un ruban de promesse.

— C'est toi qui l'as fait, fit-elle en l'examinant. C'est magnifique, Ant.

— Comme toi.

— Je crois que tu peux te retirer un bon point de ton dossier, parce que tu n'es qu'un sale menteur.

— Tu es magnifique, Happy. Et pas seulement physiquement. À l'intérieur aussi. Ton cœur est la plus belle des choses chez toi, confia-t-il en se raclant la gorge. Bon. Je te promets d'être toujours ton ami. D'être là quand tu auras besoin de moi. De te faire un câlin chaque fois que tu le voudras, et de toujours te prêter mon épaule pour pleurer.

Elle le dévisagea, les yeux emplis de désir.

— Tout ça pour moi ?

— Tout ça et plus encore, promit-il en s'agenouillant à côté du lit pour prendre ses mains froides et menues dans les siennes. Si tu es toujours intéressée, plus tard, genre dans trois ou peut-être quatre ans, il y a une mise à jour romantique comprise dans le *package*.

— Tu ne m'attendras pas. C'est à… des années-lumière. Et n'oublions pas que je ne serai probablement plus de ce monde, dit Happy en plissant les yeux. Est-ce que tu fais ça simplement parce que je vais faire le grand saut ?

Il gémit en enfonçant son visage dans les couvertures. Puis il releva la tête.

— Je ne te mentirai jamais, même sur ton lit de mort. Ce qui n'est pas le cas. Garde la foi.

Elle le regarda, et il vit dans ce regard la sagesse d'une femme qui comprenait des choses sur la vie que lui ne comprendrait jamais. Ce regard l'ébranla. Son sourire était si triste...

— J'aurai foi en ce en quoi tu auras foi, murmura-t-elle.

Il embrassa ses doigts.

— Repose-toi, maintenant.

Ses paupières papillonnèrent et se fermèrent. Quand il fut sûr qu'elle s'était rendormie, il se releva et quitta la pièce.

Trent l'attendait dans l'entrée.

— Je crois que je sais comment la sauver, déclara ce dernier. Et si ça fonctionne, Lucy aussi sera débarrassée de sa malédiction.

Il sentit l'espoir bondir en lui. Il attrapa Trent par les épaules.

— Comment ?

— Eh bien, la première partie ne va certainement pas te plaire, dit-il avec prudence.

— C'est-à-dire...

— Tu sais, dit-il en se dégageant avant de faire un pas en arrière. La partie où elle doit mourir.

15

Harley Banton pleurait, assis dans son salon. Sur la table basse, une bouteille de Jack Daniel's presque vide, des albums remplis de photos de famille précédant la mort de Lara, et un Colt .45 chargé.

Ce qu'il avait fait vingt ans plus tôt hantait chaque seconde de sa vie. Le whisky lui-même ne lui était plus d'aucune aide. À cause de ses péchés, il avait perdu Lara. Et à présent, son fils était parti à son tour.

Il n'avait plus aucune raison de vivre.

Il pourrait sûrement apporter un peu de paix aux Mooreland. Il supposait que les gens devaient connaître toute la vérité.

Il s'empara du stylo et du bloc-notes qu'il avait trouvé dans un tiroir de la cuisine.

Cher Taylor,

Il y a vingt ans, j'ai tué ton papa. Lara et lui ont eu une liaison, vois-tu. Après la naissance de Ren, elle m'a avoué ce qu'elle avait fait. Elle voulait un bébé, et je ne pouvais pas lui en faire. Ton papa l'aimait beaucoup. À peu près au même moment où il a conçu Ant avec ta maman, il a conçu Ren avec ma femme.

La main d'Harley tremblait et il s'interrompit le temps d'avaler une gorgée de whisky. La brûlure atténua un peu sa nervosité.

Je ne voulais pas que ta maman souffre, alors j'ai écrit la lettre disant qu'il était parti avec une sorcière Rackmore. Ça me paraissait la seule chose à faire. Je comprends maintenant que ça a été pire que tout pour vous, et je regrette sincèrement.

Lara a découvert ce que j'avais fait. Toute la lumière l'a quittée. Elle ne voulait plus porter Ren ; elle a cessé de s'alimenter et elle pleurait tout le temps. Elle ne pouvait vivre avec le poids de mon péché, alors elle a avalé des pilules. J'imagine qu'elle aussi, je l'ai tuée.

Il y a environ cinq ans, Ren a trouvé la lettre de suicide de Lara. Je ne l'avais jamais remise au shérif parce qu'elle y confessait ma honte et la sienne. Et puis il s'est mis à rabâcher sans cesse qu'il était un magique. Je ne savais pas qu'Edward avait du sang de Loup, mais Ren l'a découvert d'une manière ou d'une autre. Il s'est transformé en quelqu'un que je ne reconnaissais plus. Il rassemblait des objets magiques, il rôdait, il mentait. Il voulait plus que ce que le monde pouvait lui accorder, que je pouvais lui donner, tout comme sa maman.

Pour moi, ça n'a aucune importance que Ren soit le fruit de la semence de ton père. C'était mon garçon, et je l'ai aimé du mieux que j'ai pu.

Sincèrement,

Harley Seymour Banton

Harley relut la lettre et la trouva suffisamment explicite. Il reprit le stylo et ajouta une dernière ligne :

P.-S. : *J'ai enterré ton père dans mon sous-sol.*

Harley finit la bouteille de Jack. Puis il prit le Colt et posa le canon sur sa tempe. Pour la première fois de sa misérable vie, il avait la sensation de faire une chose juste. Il arma le chien.

— Lara, murmura-t-il.

Puis il pressa la détente.

16

Lucinda était assise sur le lit à côté de Happy et lui tenait la main. Autour d'elles se trouvaient Gray, Ember, Ant, Taylor et Trent. Rilton était au rez-de-chaussée avec d'autres, répondant aux questions et préoccupations, tout en distribuant du thé et des biscuits.

— Tu es sûre de vouloir faire ça, Happy ?

— Je vais mourir quoi qu'il en soit, dit-elle. Alors ce serait vraiment cool de mourir quelques minutes plutôt que pour l'éternité.

— Oui, approuva Lucinda. Moi aussi, je préférerais.

Happy jeta un coup d'œil à Ant.

— Je... voudrais qu'Ant me tienne la main pendant que je... pars, dit-elle en jetant un coup d'œil anxieux à Lucinda. C'est d'accord ? Et si je... ne reviens pas ? Tu seras fâchée ?

— Non, dit Lucinda. Je t'aime.

— Je t'aime aussi.

Lucinda sentait l'angoisse envahir son corps comme du ciment, durcissant à chaque inspiration. L'idée, c'était que Happy avale du poison. Quand elle trépasserait, Trent se servirait de son

373

pouvoir de nécromancie pour retenir son âme juste assez longtemps pour permettre à la malédiction de Lucinda de se briser. Puis Lucinda utiliserait sa thaumaturgie pour guérir Happy.

Le problème, bien sûr, c'était que Happy devait mourir suffisamment longtemps pour rompre la malédiction. Trop court et elle pourrait se renouveler, trop long et Happy ne reviendrait pas. Et tout ça dépendait de Lucinda, de sa capacité à utiliser correctement son pouvoir.

— Oh, j'ai failli oublier. Je n'avais pas l'intention de rompre ma promesse – tu sais, de quitter le couvent. Mais c'est la Déesse qui me l'a demandé. Elle a dit que tu comprendrais. Elle a dit que tu aurais besoin de moi, et qu'en te retrouvant, il fallait que je te dise…

Happy fronça les sourcils pour tenter de remémorer les mots exacts.

— « Donne le cœur au dragon, afin qu'il puisse protéger tout ce qui est dans tout, dans ce monde et le suivant, à jamais », répéta-t-elle avant de hocher la tête. « Tu es le cœur, et il est le dragon », ajouta-t-elle. C'était la partie importante.

Lucinda jeta un coup d'œil à Gray. Il semblait légèrement étourdi, comme si la révélation de Happy avait déverrouillé un autre secret en lui.

— Merci, Happy. Tu es une fille courageuse.

— En fait, je suis terrifiée.

— C'est ma réplique, fit Ant, avant de se tourner vers Trent. Si tu ne me la ramènes pas, tu es le prochain sur la liste.

— Mec ! Pigé. (Trent semblait sûr de lui, sans pour autant faire le fanfaron. Il ajouta à l'intention de Lucinda :) Ce n'est pas parce que je l'ai gardé secret que je ne prends pas mon don très au sérieux. Je peux le faire.

— Très bien, dit Lucinda.

Elle se releva pour rejoindre Gray, qui passa un bras autour de sa taille. *Pitié, faites que ça fonctionne*, pria-t-elle. *Pitié*.

Ant prit sa place sur le lit. Mais il ne se contenta pas de tenir la main de Happy. Il passa un bras autour d'elle et la serra contre lui.

— Ça agit très vite, petite, avertit Ember en lui tendant la tasse de thé. Bois tout. Tu t'endormiras immédiatement.

Happy hocha la tête. La tasse trembla dans sa main, mais elle parvint à tout avaler en trois gorgées. Ember récupéra la tasse et la posa sur la table de nuit.

— Combien de temps vous pensez...

La voix de Happy s'estompa et s'éteignit. Ses paupières papillonnèrent et elle s'affaissa contre la poitrine d'Ant. Il la maintint contre lui, le regard rivé sur son visage.

Sa respiration ralentit... Happy laissa échapper un profond soupir... et mourut.

Trent fit un pas en avant, le regard concentré sur l'espace au-dessus de Happy. Ant s'agrippa à elle et Lucinda vit des larmes briller dans ses yeux. Son propre chagrin flottait dans sa poitrine comme un oiseau pris au piège.

Trent leva les mains et des étincelles de magie grises jaillirent de ses paumes comme de la fumée pailletée. Elles tourbillonnèrent pour s'entrelacer et former une bulle. Quand elle eut fini de se former, Lucinda distingua la lumière blanche et pure qu'elle renfermait.

L'âme de Happy.

— Je l'ai, dit Trent.

— Combien de temps ? demanda Ant d'une voix tendue.

— Cinq minutes devraient suffire, répondit Ember. Je surveille.

Chaque minute sembla durer un siècle. Dès qu'Ember signala la dernière minute, Lucinda sentit son corps entier devenir brûlant.

Elle poussa un cri et ses genoux s'affaissèrent. Gray la rattrapa dans ses bras.

Snap. Snick. Les sons commencèrent au niveau de ses pieds et continuèrent de se produire encore et encore, de plus en plus vite. Le long de ses jambes, de son torse, ses bras, son cou, sa tête. *Snap. Snick.* Cette libération était douloureuse. La magie s'accrochait à elle, rechignant à quitter son hôte, ne désirant pas plus la mort que Happy. *Snap. Snick.*

Lucy sentit son corps se raidir et ses yeux se révulsèrent. La lumière explosa en elle, noire et dorée, lumière et ténèbres. Puis elle entendit une voix féminine résonner dans son esprit, *Tu es mon Élue. Ton compagnon et toi devez protéger le principe du Tout est dans Tout, l'unité de l'âme, du cœur, à jamais.*

— Lucinda !

La douleur la quitta d'un seul coup, et quand tout fut fini, elle savait avec certitude quoi faire.

Elle regarda Gray, qui la tenait si fermement, avec un regard si anxieux, qu'elle ne put retenir un sourire.

— Repose-moi. Je sais ce qu'il faut faire.

376

Il s'exécuta et, une fois sur ses pieds, Lucinda s'approcha du lit où Ant berçait la silhouette sans vie de Happy. C'était tellement simple. Elle pinça la bulle grise en lévitation dans l'air, et la magie contenue émit un sifflement.

— Rentre chez toi, murmura-t-elle à l'âme. Tu as encore du travail.

Puis elle posa brièvement sa main sur la poitrine immobile de Happy. Quand sa paume entra en contact avec le corps de son amie, la lumière jaillit. L'âme plongea dans la lueur et, dès qu'elle eut réintégré le corps de Happy, la lumière disparut.

Lucinda se pencha en avant et déposa un baiser sur le front de Happy. Puis elle lui murmura à l'oreille :

— Réveille-toi.

Happy prit une brusque bouffée d'air et ses yeux s'ouvrirent d'un coup.

— Purée, c'est dingue ! s'exclama-t-elle. Je n'arrive pas à croire que ça ait fonctionné.

Gray non plus n'arrivait pas à croire que tout se soit si bien déroulé.

Lucinda était libérée de sa malédiction.

Et, si elle le souhaitait, libérée de lui, aussi.

Il était heureux que Happy ait survécu à l'expérience. Trop excitée pour rester au lit, elle avait demandé à Ant de la descendre au rez-de-chaussée. La ville tout entière avait pu prendre de ses nouvelles et compatir. Et ils étaient encore tous là, à lui apporter du thé et des petits gâteaux, lui remonter son oreiller, et tout ça avec Ant à ses côtés.

Gray se demandait si Ant avait conscience d'être complètement mordu. D'accord, il avait dix-neuf ans et la gamine seize, mais il savait reconnaître un coup de foudre quand il l'avait sous les yeux. Comme par exemple... le reflet de sa propre expression dans le miroir.

Lucinda jouait les hôtesses, remplissant les tasses et les assiettes jusqu'à se faire chasser par Ember et Rilton. Elle s'appuya alors contre le montant de la porte du salon et observa la foule. C'était un peu la fête qu'elle avait voulue, mais il espérait... il espérait qu'elle allait rester. Il l'aiderait à organiser une fête chaque soir si ça pouvait la rendre heureuse. Il voulait la voir sourire, l'entendre rire, sentir sa main dans la sienne. Il voulait se réveiller à ses côtés et se perdre en elle toutes les nuits. Il voulait se disputer avec elle, et ensuite faire l'amour pour se réconcilier. Que la Déesse lui vienne en aide, mais il voulait faire la vaisselle avec elle, s'asseoir dans la bibliothèque pour lire avec elle, même avec Grit et Dutch. Il s'installerait devant le feu et savourerait l'œuvre de Poe, sa tête posée sur son épaule. Il lui lirait d'abord *Le Corbeau* parce que ce poème lui semblait le plus approprié.

Voulait-elle de lui dans sa vie ? Maintenant qu'elle était libérée de la malédiction, et que toutes les opportunités s'offraient à elle, que le monde s'offrait à elle... resterait-elle avec lui malgré tout ?

Il l'observa intensément, la gorge nouée, les mains enfoncées dans ses poches. Il était rongé par le doute, mais chaque centimètre de son corps brûlait d'amour pour elle. Elle semblait parfaitement sereine, comme si elle avait trouvé sa place dans le monde.

Lui aussi voulait éprouver cette sensation.

Mais avec elle à ses côtés.

— Montons à l'étage, murmura-t-il.

Elle sourit.

— On n'a pas le temps pour ça.

— Juste pour mémoire, on a *toujours* le temps pour *ça*, dit-il, mais en fait je voudrais seulement te parler.

— D'accord.

Il la prit par la main et la guida jusqu'à leur chambre à l'étage. Pendant le court trajet, il répéta mentalement ce qu'il avait prévu de lui dire. Pourtant, dès qu'il eut refermé la porte derrière eux pour avoir un peu d'intimité, il laissa échapper :

— Ne me laisse pas. Je t'en prie.

Il se reprit bien vite.

— Je ne te laisserai pas dans le pétrin, dit-il avec prudence.

Elle examina son visage. Ne voyait-elle pas son désespoir ? Son amour ? Il n'essayait plus de lui cacher, désormais.

La gorge de Gray se serra. Si elle voulait partir, alors il la laisserait partir. Il ne voulait que son bonheur, même si ça signifiait une vie sans lui. Mais il n'allait pas prétendre qu'il ne l'aimait pas, ou qu'il ne voulait pas passer le restant de ses jours auprès d'elle.

— Je t'aime, Lucinda.

Elle écarquilla les yeux.

— Je ne veux pas faire pression sur toi, s'empressa-t-il d'ajouter. Si tu ne ressens pas la même chose, ce n'est pas grave. Je ne veux aucun secret ni mensonge entre nous. Et je ne t'obligerai pas à rester si tu veux partir. Mais... s'il te plaît, réfléchis-y, d'accord ? Devenir ma femme... pour toujours.

— Tu m'aimes.

Les larmes se mirent à couler sur ses joues, et Gray eut l'impression d'être un salaud. Il l'avait fait pleurer. Quel genre d'imbécile pouvait faire *pleurer* la femme qu'il aimait ? Il la prit dans ses bras et sécha ses larmes.

— Je fais tout de travers ! Bon sang. Bébé, je...

Lucy posa un doigt sur ses lèvres.

— Chut. Je ne crois pas pouvoir en entendre davantage. Je t'aime aussi, Gray. Quand tu n'es pas là, j'ai l'impression de n'être que la moitié de moi-même. Je resterai ici, à tes côtés, aussi longtemps que tu le voudras.

— Jusqu'à la fin des temps ?

— Hmm, fit-elle en penchant la tête. Je vais devoir vérifier mon agenda...

Il la souleva dans ses bras et la jeta sur le lit.

— Gray, nos invités...

Il l'embrassa jusqu'à ce qu'elle se laisse aller sous lui. Puis il sourit.

— Nos invités s'en sortiront très bien sans nous.

— Tu ne comprends vraiment pas le concept de l'agenda, hein ? Je peux peut-être te caler les mardis.

— Tous les jours, murmura-t-il en retirant sa chemise pour déposer des baisers sur chaque centimètre de sa peau douce. Pour le restant de nos jours. Non. Pour le restant de l'éternité.

Elle enfouit ses doigts dans ses cheveux et il leva les yeux vers elle. Dans les yeux de Lucinda brillait l'amour qu'elle lui vouait, et enfin, oh, enfin, il avait la sensation d'avoir trouvé sa place. Dans le monde.

Et dans le cœur.